CBAC
Mathemateg
ar gyfer UG – Cymhwysol

Stephen Doyle

Illuminate
Publishing

CBAC Mathemateg ar gyfer UG – Cymhwysol

Addasiad Cymraeg o *WJEC Mathematics for AS Level – Applied* a gyhoeddwyd yn 2018 gan Illuminate Publishing Ltd, P.O Box 1160, Cheltenham, Swydd Gaerloyw GL50 9RW

Archebion: Ewch i www.illuminatepublishing.com
neu anfonwch e-bost at sales@illuminatepublishing.com

Cyhoeddwyd dan nawdd Cynllun Adnoddau Addysgu a Dysgu CBAC

Data Catalogio Cyhoeddiadau y Llyfrgell Brydeinig

Mae cofnod catalog ar gyfer y llyfr hwn ar gael gan y Llyfrgell Brydeinig.

ISBN 978 1 911208 75 4

Argraffwyd a rhwymwyd y gyfrol yn y Deyrnas Unedig gan Severn Print, Caerloyw

08.18

Polisi'r cyhoeddwr yw defnyddio papurau sy'n gynhyrchion naturiol, adnewyddadwy ac ailgylchadwy o goed a dyfwyd mewn coedwigoedd cynaliadwy. Disgwylir i'r prosesau torri coed a gweithgynhyrchu gydymffurfio â rheoliadau amgylcheddol y wlad y mae'r cynnyrch yn tarddu ohoni.

Gwnaed pob ymdrech i gysylltu â deiliaid hawlfraint y deunydd a atgynhyrchwyd yn y llyfr hwn. Os cânt eu hysbysu, bydd y cyhoeddwyr yn falch o gywiro unrhyw wallau neu hepgoriadau ar y cyfle cyntaf.

Mae'r deunydd hwn wedi'i gymeradwyo gan CBAC, ac mae'n cynnig cefnogaeth o ansawdd uchel ar gyfer cymwysterau CBAC. Er bod y deunydd wedi bod trwy broses sicrhau ansawdd CBAC, mae'r cyhoeddwr yn dal yn llwyr gyfrifol am y cynnwys.

Atgynhyrchir cwestiynau arholiad CBAC drwy ganiatâd CBAC.

Dyluniad a gosodiad y llyfr Saesneg gwreiddiol a'r llyfr Cymraeg: GreenGate Publishing Services, Tonbridge, Swydd Gaint.

Dyluniad y clawr: Neil Sutton

Cydnabyddiaeth ffotograffau

Y clawr: Klavdiya Krinichnaya/Shutterstock; **t9** Marco Ossino/Shutterstock; **t10** DmitrySV/Shutterstock; **t16** Sergey Nivens/Shutterstock; **t55** Blackregis/ Shutterstock; **t69** urickung/Shutterstock; **t91** Gajus/Shutterstock; **t113** cosma/ Shutterstock; **t117** Will Rodrigues/Shutterstock; **t147** Andrea Danti/Shutterstock; **t169** sirtravelalot/Shutterstock.

Cydnabyddiaeth

Hoffai'r awdur a'r cyhoeddwr ddiolch i Sam Hartburn a Siok Barham am eu cymorth a'u sylw gofalus wrth adolygu'r llyfr hwn.

Cynnwys

Mae cynnwys y canllaw astudio ac adolygu hwn wedi'i gynllunio i'ch helpu i wneud eich gorau yn uned Mathemateg Gymhwysol arholiad UG Mathemateg: Cymhwysol CBAC. Ysgrifennwyd y llyfr gan awdur ac athro profiadol yn arbennig ar gyfer y cwrs UG CBAC rydych chi'n ei ddilyn ac mae'n cynnwys popeth mae angen i chi ei wybod er mwyn gwneud yn dda yn eich arholiadau.

Gwybodaeth a Dealltwriaeth

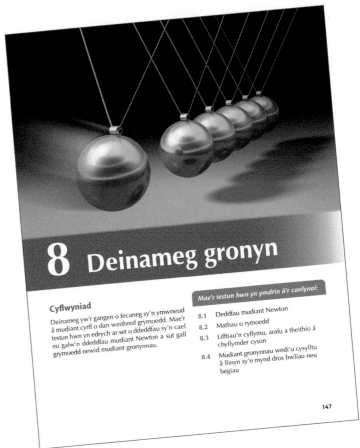

Mae testunau'n dechrau gyda rhestr fer o'r deunydd y mae'r testun yn ymdrin ag ef, a bydd pob testun yn rhoi'r wybodaeth greiddiol a'r sgiliau bydd eu hangen arnoch chi i wneud yn dda yn eich arholiadau.

Mae'r adran wybodaeth yn weddol fyr gan adael digon o le i esbonio enghreifftiau'n fanwl. Byddwn ni'n dangos y theori, yr enghreifftiau a'r cwestiynau a fydd yn eich helpu i ddeall y meddwl sydd y tu ôl i'r camau. Byddwn ni hefyd yn rhoi cyngor manwl i chi pan fydd ei angen.

Mae'r nodweddion canlynol wedi'u cynnwys yn yr adrannau gwybodaeth a dealltwriaeth:

- **Gwella gradd:** cynghorion yw'r rhain i'ch helpu i sicrhau y radd orau i chi drwy osgoi rhai peryglon a all achosi i fyfyrwyr faglu.

- **Cam wrth gam:** mae'r adrannau hyn wedi'u cynnwys i'ch helpu i ateb cwestiynau sydd ddim yn eich arwain gam wrth gam at yr ateb terfynol (cwestiynau anstrwythuredig yw'r enw ar y rhain). Yn y gorffennol, byddech chi'n cael eich arwain at yr ateb terfynol am fod y cwestiwn wedi'i strwythuro. Er enghraifft, efallai y byddai rhannau (a), (b), (c) ac (ch). Erbyn hyn, gallwch chi gael cwestiynau sy'n gofyn i chi fynd i'r ateb yn rhan (ch) ar eich pen eich hun. Bydd gofyn i chi ddarganfod y camau (a), (b) ac (c) y byddai angen i chi eu cymryd i gyrraedd yr ateb terfynol. Mae 'cam wrth gam' yn eich helpu i ddysgu edrych yn ofalus ar y cwestiwn er mwyn dadansoddi pa gamau mae angen eu cymryd i gyrraedd yr ateb.

- **Dysgu gweithredol:** tasgau byr y byddwch chi'n eu gwneud ar eich pen eich hun. Byddan nhw'n eich helpu i ddeall testun neu'n eich helpu i adolygu.

- **Crynodebau:** ar gyfer pob testun, mae crynodeb sy'n cyflwyno'r fformiwlâu a'r prif bwyntiau. Mae modd eu defnyddio drwy droi atyn nhw'n gyflym, neu gallan nhw eich helpu i adolygu.

Arfer a Thechneg Arholiad

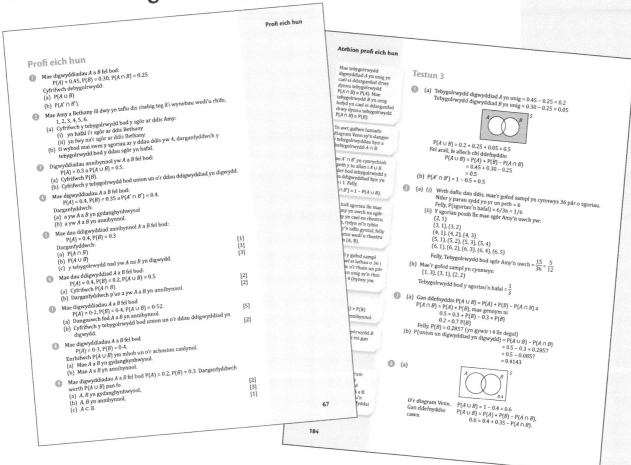

Prif bwrpas y llyfr hwn yw eich helpu i ddeall sut i ateb cwestiynau arholiad. Mae hyn yn golygu ein bod wedi cynnwys cwestiynau drwy'r llyfr a fydd yn gwella eich sgiliau a'ch gwybodaeth nes eich bod mewn sefyllfa i ateb cwestiynau arholiad llawn ar eich pen eich hun. Ceir enghreifftiau ac mae rhai o'r rhain yn gwestiynau llawn mewn arddull arholiad. Rydyn ni wedi anodi'r rhain ag 'Awgrymiadau' a chyngor cyffredinol ynglŷn â'r wybodaeth, y sgiliau a'r technegau sydd eu hangen arnoch i'w hateb.

Mae adran 'Profi eich hun' lle rydych chi'n cael eich annog i ateb cwestiynau ar y testun ac yna cymharu eich atebion â'r rhai sydd yng nghefn y llyfr. Mae llawer o gwestiynau safon arholiad ym mhob adran 'Profi eich hun' sy'n rhoi cwestiynau gyda sylwadau er mwyn i chi weld sut dylai'r cwestiwn gael ei ateb.

Wrth gwrs, dylech chi weithio drwy bapurau arholiad llawn wrth i chi adolygu.

Rydyn ni'n eich cynghori i edrych ar wefan CBAC www.cbac.co.uk lle gallwch chi lawrlwytho deunyddiau, fel y fanyleb a chyn-bapurau, i'ch helpu i astudio. O'r wefan hon, byddwch chi'n gallu lawrlwytho'r llyfryn fformiwlâu y byddwch chi'n ei ddefnyddio yn eich arholiadau. Hefyd, fe welwch chi bapurau enghreifftiol a chynlluniau marcio ar y wefan.

Pob hwyl wrth adolygu.

Stephen Doyle

1 Samplu ystadegol

Cyflwyniad

Er mwyn cael ystadegau fel cymedr, modd, canolrif, amrediad, etc. o ddata, rhaid i'r data gael eu casglu yn gyntaf. Os nad yw'r data'n cael eu casglu'n gywir yn y lle cyntaf, bydd cael ystadegau o'r data yn wastraff amser am na fyddan nhw'n gywir.

Mae cael ystadegau cywir yn dibynnu ar gasglu data'n gywir ac mae angen meddwl sut orau i wneud hyn.

Yn y testun hwn, byddwch chi'n dysgu sut i gymryd sampl llai o'r set ddata gyfan, sef y boblogaeth, fel bod modd cynhyrchu ystadegau cywir ac ystyrlon.

1.1 Y termau poblogaeth a sampl

Er mwyn profi neu wrthbrofi rhagdybiaeth neu roi ateb i gwestiwn, mae'n rhaid casglu data. Fel arfer, bydd mesur neu arsylwi set gyfan y mae gennych ddiddordeb ynddi (sef y boblogaeth) yn rhy ddrud ac yn cymryd gormod o amser. Yn hytrach, caiff set lai ei defnyddio (sef sampl), ond mae'n hanfodol bod y sampl hwn yn gynrychioliadol o'r boblogaeth fwy.

Dyma rai diffiniadau pwysig:

Poblogaeth – holl aelodau'r set sy'n cael ei hastudio neu y mae data yn cael eu casglu amdani. Felly, er enghraifft, os ydych chi eisiau gwneud arolwg yn defnyddio holl ddisgyblion eich ysgol, y boblogaeth fyddai pob disgybl yn eich ysgol. Fel arfer, bydd gwneud arolwg o'r boblogaeth gyfan yn rhy ddrud ac yn cymryd gormod o amser, felly caiff set lai ei defnyddio, a sampl yw'r enw ar hon.

Sampl – is-set lai o'r boblogaeth sy'n cael ei defnyddio i ddod i gasgliadau am y boblogaeth. Gan fod y sampl fel arfer yn llawer llai na'r boblogaeth, gall hyn arwain at wallau ac anghywirdebau wrth ddod i gasgliadau am y boblogaeth.

1.2 Defnyddio samplau i ddod i gasgliadau anffurfiol am y boblogaeth

Unwaith byddwch wedi cael sampl cynrychioliadol, mae modd ei defnyddio i ddod i gasgliadau am y boblogaeth. Casgliadau yw penderfyniadau y byddwch yn dod iddyn nhw ar sail tystiolaeth a rhesymu. Mae gofyn i chi fod yn ofalus wrth ddod i gasgliadau, fel y mae'r enghraifft nesaf yn ei ddangos:

Enghraifft

1   Mae'r llyn isod yn cynnwys amrywiaeth o bysgod. Hoffai perchennog y llyn hysbysebu'r llyn i bysgotwyr a hoffai wybod am boblogaeth y pysgod sydd yn y llyn.

Ateb

1   Yr unig ffordd o ddarganfod yr union wybodaeth am y pysgod yn y llyn fyddai gwagio'r llyn a chasglu'r pysgod er mwyn dadansoddi holl boblogaeth y pysgod. Nid yw hyn yn ymarferol. Yn lle hynny, casglwyd hapsampl o 300 o bysgod gan ddefnyddio rhwydi, a dyma'r canlyniadau:

Merfog	46
Brithyll	128
Cochiad	126

Gan ddefnyddio'r sampl hwn sy'n gynrychioliadol, gobeithio, gallwn ddod i gasgliadau am boblogaeth y pysgod yn y llyn. Dyma rai casgliadau y byddai modd dod iddyn nhw:

- Mae mwy o frithyllod a chochiaid nag sydd o ferfogiaid. Mae hwn yn gasgliad cywir, gan fod gwahaniaethau arwyddocaol yn y niferoedd yn y sampl.

- Mae poblogaeth y merfogiaid tua thraean poblogaeth y brithyllod neu'r cochiaid. Mae hwn yn gasgliad rhesymol. Yma, rydyn ni'n meintioli'r casgliad (h.y. yn rhoi gwybodaeth rifol).

- Mae mwy o frithyllod na chochiaid yn y llyn. Er bod hyn yn wir am y sampl, nid oes gwahaniaeth arwyddocaol (2 bysgodyn yn unig). Pe baen ni'n cymryd hapsampl arall, gallen ni gael canlyniadau ychydig yn wahanol lle byddai mwy o gochiaid na brithyllod, felly mae hwn yn gasgliad na ddylen ni ddod iddo.

> Mae'n bwysig peidio â dod i gasgliad am y boblogaeth ar sail gwahaniaeth bach yn y sampl. Cofiwch y bydd samplau bach yn cynnwys mân wahaniaethau.

1.3 Technegau samplu: hapsamplu syml, samplu systematig a samplu cyfle

Gallwn gymryd sampl mewn nifer o ffyrdd gwahanol:

- **Hapsamplu syml** – mae gan bob aelod o'r boblogaeth debygolrwydd hafal o gael ei gynnwys yn y sampl. Trwy hyn, caiff aelodau'r boblogaeth sydd i'w cynnwys yn y sampl eu 'hapddewis'. I greu hapsampl, gallwn roi rhifau i aelodau'r boblogaeth ac yna gall peli wedi'u rhifo gael eu dewis o fag neu gallwn ddefnyddio cyfrifiannell. Mae gwefannau y gallwn eu defnyddio i greu haprifau mewn ystod benodol ar gael hefyd.

- **Samplu systematig** – caiff aelodau'r sampl eu dewis o boblogaeth fwy yn ôl man cychwyn ar hap a chyfwng samplu sefydlog. Rydyn ni'n dod o hyd i'r cyfwng samplu drwy rannu maint y boblogaeth â maint y sampl sydd ei angen.

  Er enghraifft, os oes poblogaeth o 200 o dai mewn stryd, a bod sampl o 20 yn cael ei gymryd, gallwch chi ystyried yr holl dai o 1 i 200 wedi'u trefnu mewn cylch. Yna, gallech chi ddewis dechrau ar dŷ wedi'i hapddewis (rhif 12, er enghraifft) ac yna cyfrifo'r cyfwng samplu

$$\left(\text{h.y. cyfwng samplu} = \frac{\text{poblogaeth}}{\text{maint sampl}} = \frac{200}{20} = 10 \right)$$

  felly yna byddech chi'n cynnwys tŷ 12 yn yr arolwg, ac wedyn 22, wedyn 32 ac yn y blaen nes mynd bob cam o amgylch y cylch ac yn ôl i dŷ 12.

Dysgu Gweithredol

Mae 200 o dai mewn stryd ac rydych chi eisiau anfon arolwg i 50 o dai. Rydych chi'n rhifo pob cyfeiriad o 1 i 200 ac wedyn yn dewis hapsampl o 50 rhif. Nid ydych am i unrhyw rif godi ddwywaith. Defnyddiwch y wefan haprifau isod i hapddewis y 50 rhif heb unrhyw ddyblygiadau. **www.random.org/integers**

Gwerthuswch y wefan hon gan esbonio pa mor hawdd, neu beidio, oedd gwneud y dasg hon.

Samplu systematig sydd fwyaf addas pan fydd modd trefnu'r eitemau sy'n cael eu hastudio mewn dilyniant, a phan fyddai'n anodd rhoi haprif i bob eitem.

- **Samplu cyfle** – mae hyn yn golygu cymryd pobl o'r boblogaeth sydd ar gael ar y pryd ac sy'n fodlon cymryd rhan mewn arolwg. Er enghraifft, gallech chi ofyn i bobl sy'n dod allan o orsaf am eu barn ar y gwasanaeth sy'n cael ei gynnig gan y cwmnïau trên. Mae hon yn ffordd gyflym o gynnal arolwg ond gall greu sampl â thuedd, sy'n golygu nad yw'n cynrychioli'r boblogaeth yn deg.

1.4 Dewis neu feirniadu technegau samplu

Bydd y sampl delfrydol:

- Yn ddigon mawr
- Yn cynrychioli'r boblogaeth
- Yn ddiduedd.

Mae'n bwysig gallu edrych ar dechneg samplu'n feirniadol i weld a yw'r sampl yn un â thuedd mewn unrhyw ffordd.

Dyma ambell beth i'w ystyried:

Maint y sampl – gallai sampl sy'n rhy fach arwain at ganlyniadau rhyfedd, e.e. gallai'r sampl gynnwys pobl o'r un rhyw, oedran, incwm, etc. yn unig.

Amser cynnal yr arolwg – pe baech chi'n cynnal arolwg o deithwyr trên am 8am, byddech chi'n biasu'r sampl tuag at bobl sy'n gweithio.

Lleoliad cynnal yr arolwg – pe baech chi eisiau gwybodaeth am y mathau o wyliau mae pobl yn mynd arnyn nhw, byddai cynnal yr arolwg mewn maes awyr yn biasu'r sampl tuag at bobl sy'n mynd ar wyliau tramor.

Manteision ac anfanteision technegau samplu gwahanol
Hapsamplu syml
Manteision

- O'r holl dechnegau samplu, dyma'r un â lleiaf o duedd – mae gan bob aelod o'r boblogaeth gyfan siawns gyfartal o gael ei ddewis.
- Yn hawdd ei chynnal (e.e. dewis rhifau o het, defnyddio gwefan, defnyddio'r haprif ar gyfrifiannell, neu'r swyddogaeth haprif mewn taenlen).
- Bydd y sampl yn gynrychioliadol iawn o'r boblogaeth.

Anfanteision

- Yn cymryd llawer o amser ac yn ddiflas i'w chynnal.
- Gall arwain at gynrychiolaeth wael o'r boblogaeth gyffredinol, os na chaiff rhai aelodau eu taro gan yr haprifau sy'n cael eu cynhyrchu.

Samplu systematig

Manteision

- Yn symlach na hapsamplu syml.

- Yn hawdd dewis y sampl.

Anfanteision

- Yn llai ar hap na hapsamplu syml.

Samplu cyfle

Manteision

- Yn hawdd cynnal y sampl gan ei bod yn dod o'r rhan o'r boblogaeth sydd wrth law.

Anfanteision

- Gall y sampl fod yn anghynrychioliadol iawn o'r boblogaeth gan nad yw'r sampl yn cael ei hapddewis.

Enghraifft

1   Mae ymchwilydd yn casglu data am sawl awr o deledu mae 20 o blant 5 oed yn ei gwylio ar ddydd Sadwrn. Mae'r canlyniadau wedi'u rhestru isod:

    1, 10, 2, 5, 8, 0, 1, 1, 3, 2, 9, 9, 12, 5, 1, 2, 4, 9, 7, 12

   (a)   Gan gymryd sampl cyfle o'r 5 rhif cyntaf yn y rhestr, cyfrifwch nifer cymedrig yr oriau o deledu sy'n cael ei wylio ar ddydd Sadwrn.

   (b)   Caiff sampl systematig ei chymryd o 5 o werthoedd data.

      (i)   Cyfrifwch y cyfwng samplu.

      (ii)   Dewiswyd haprif yn y cyfwng samplu, a'r rhif oedd 3. Gan ddefnyddio'r gwerth hwn, nodwch y rhestr o werthoedd data yn y sampl.

      (iii)   Gan ddefnyddio'r rhestr yn (ii), cyfrifwch nifer cymedrig yr oriau sy'n cael ei wylio ar ddydd Sadwrn gan ddefnyddio'r sampl hwn.

   (c)   Nodwch pa ddull samplu sy'n debygol o roi canlyniadau mwy dibynadwy a rhowch resymau.

> Mae'r haprif 3 yn golygu eich bod yn cyfrif hyd at y trydydd gwerth yn y rhestr. Dyma wedyn fydd yr eitem gyntaf o ddata yn y sampl. Nesaf cyfrifwch ymlaen bedwar rhif a bydd hyn yn rhoi'r ail werth data. Ailadroddwch hyn nes bod gennych chi'r 5 gwerth data.

Ateb

1   (a)   Cymedr = $\dfrac{1 + 10 + 2 + 5 + 8}{5}$ = 5.2

   (b)   (i)   cyfwng samplu = $\dfrac{\text{maint y boblogaeth}}{\text{maint y sampl}} = \dfrac{20}{5} = 4$

      (ii)   2, 1, 9, 1, 7

      (iii)   Cymedr = $\dfrac{2 + 1 + 9 + 1 + 7}{5}$ = 4

   (c)   Y sampl systematig.

      Gan ei fod yn hapsampl ac yn defnyddio rhifau ar draws y dosraniad ac nid y 5 gwerth cyntaf a allai fod yn annodweddiadol o'r gweddill.

Profi eich hun

1 Darllenodd Amy mewn papur newydd lleol mai cyfartaledd nifer yr oriau o heulwen bob dydd yn ei hardal ym mis Mehefin yw 8.

Mae'n penderfynu profi hyn drwy gofnodi nifer yr oriau o heulwen bob dydd yn ystod yr wythnos yn cychwyn ar 1 Mehefin 2018.

(a) Gwnewch sylwadau am ba mor addas yw'r sampl hwn i brofi honiad y papur newydd.

(b) Sut gallai Amy gael data mwy cynrychioliadol er mwyn profi'r honiad?

2 Mewn clwb poblogaidd, mae lle i fwyafswm o 300 o bobl, ac mae'n llawn dop bob nos Sadwrn.

Mae angen cynnal arolwg o'r bobl sy'n dod i mewn i'r clwb a maint y sampl fydd 30.

(a) Disgrifiwch sut gallai samplu systematig gael ei ddefnyddio i gael y sampl.

(b) Mae un person yn awgrymu y gallai hapsamplu gael ei ddefnyddio gan roi rhif i bob person wrth iddyn nhw ddod i mewn i'r clwb ac yna dewis y 30 rhif ar hap. Esboniwch pam byddai'r dull hwn o samplu yn anodd yn y sefyllfa hon.

3 Mae Julie yn credu bod pawb yn gwylio un neu ragor o operâu sebon. Mae'n penderfynu profi hyn drwy ofyn i'w ffrindiau i gyd.

(a) Rhowch enw'r dull samplu a ddefnyddiodd.

(b) Esboniwch pam mae ei sampl yn debygol o fod yn un â thuedd.

4 Mae cwmni'n ymchwilio i lefelau addysg ei weithwyr. Mae pob gweithiwr ac mae generadur haprifau yn cael ei ddefnyddio i ddewis pobl i gyfweld â nhw.

Rhowch enw'r dechneg samplu hon.

5 Mae'r tai ar hyd heol o'r enw'r Stryd Fawr wedi'u rhifo o 1 i 350. Mae'r cyngor lleol am gynnal arolwg am wasanaethau lleol ac mae angen sampl arnyn nhw yn defnyddio 50 o aelwydydd.

(a) Gan ddefnyddio'r wybodaeth uchod, esboniwch y gwahaniaeth rhwng y boblogaeth a sampl.

(b) Rhowch ddau reswm pam mae'r cyngor wedi penderfynu cymryd sampl yn hytrach na defnyddio'r boblogaeth ar gyfer yr arolwg.

(c) Esboniwch sut gallen nhw ddewis sampl diduedd.

6 Gall maes pêl-droed ddal mwyafswm o 40 000 o gefnogwyr. Caiff arolwg byr ei gynnal am y cyfleusterau yn y maes. Yn y gêm nesaf, caiff sampl o 50 o gefnogwyr ei ddefnyddio ar gyfer yr arolwg.

(a) Esboniwch beth fyddai'r boblogaeth.

(b) Rhowch ddau reswm pam mae sampl, yn hytrach na'r boblogaeth, yn cael ei ddefnyddio ar gyfer yr arolwg.

(c) Mae'r bobl sy'n cynnal yr arolwg eisiau cwblhau'r arolwg yn gyflym, felly maen nhw'n penderfynu gwneud yr arolwg gan ddefnyddio'r 50 o gefnogwyr cyntaf sy'n dod i mewn i'r cae.

(i) Rhowch enw'r dechneg samplu hon.

(ii) Esboniwch pam mae'n bosibl na fyddai'r dechneg samplu hon yn cynrychioli'r boblogaeth.

Crynodeb

Gwnewch yn siŵr eich bod yn gwybod y ffeithiau canlynol:

Poblogaeth – holl aelodau'r set sy'n cael ei hastudio neu y mae data yn cael eu casglu amdani.

Sampl – is-set lai o'r boblogaeth sy'n cael ei defnyddio i ddod i gasgliadau am y boblogaeth.

Technegau samplu

Hapsampl syml – caiff rhif ei roi i bob eitem yn y boblogaeth wedyn bydd y nifer o eitemau sydd ei angen yn cael ei ddewis ar hap gan ddefnyddio cyfrifiannell, rhaglen, gwefan.

Samplu systematig – rydych chi'n dod o hyd i'r cyfwng samplu drwy rannu maint y boblogaeth â maint y sampl sydd ei angen. Yna, rydych chi'n dewis haprif oddi mewn i faint y sampl ac yn cychwyn o'r rhif hwnnw fel yr eitem gyntaf yn y sampl. Yna, rydych chi'n adio'r cyfwng samplu at yr haprif i gael y rhif nesaf yn y sampl. Bydd hyn yn cael ei ailadrodd nes bod y sampl sydd ei angen gennych chi.

Samplu cyfle – yma, byddwch chi'n penderfynu ar faint y sampl ac yn defnyddio'r ffordd fwyaf cyfleus o gasglu'r sampl (e.e. ffrindiau, perthnasau, cyd-ddisgyblion, cydweithwyr, etc.).

2 Cyflwyno a dehongli data

Cyflwyniad

Mae'r testun hwn yn adeiladu ar eich gwaith TGAU ar graffiau a siartiau sy'n cael eu defnyddio mewn ystadegaeth, ac yn ei atgyfnerthu. Mae rhesi, colofnau neu dablau o ddata yn fan cychwyn mewn ystadegaeth, ond i'w gwneud ychydig yn fwy cyffrous, gallwn ni gyflwyno data mewn graffiau a siartiau. Mae eu cyflwyno nhw fel hyn nid yn unig yn gwella sut maen nhw'n edrych, ond hefyd yn ei gwneud yn haws i ni gymharu'r data a sylwi ar dueddiadau.

Yn ogystal â gallu creu'r siartiau hyn, bydd yn rhaid i chi allu dewis y graff/siart mwyaf priodol i gyflwyno set benodol o ddata. Bydd yn rhaid i chi hefyd allu sylwi ar gamgymeriadau mewn graffiau a siartiau sydd wedi'u creu gan eraill.

2.1 Dehongli diagramau ar gyfer data newidyn unigol (histogramau, diagramau blwch a blewyn, a diagramau amlder cronnus)

Mae arsylwadau neu fesuriadau o newidyn yn cael eu galw'n ddata.

Mae dau fath o ddata:

- **Meintiol** – lle mae gwerthoedd (h.y. rhifau) yn cael eu rhoi.
- **Ansoddol** – lle mae'r data yn anrhifaidd (e.e. anodd iawn, anodd, hawdd, hawdd iawn).

Mae modd i ddata meintiol gael eu rhannu ymhellach yn ddata arwahanol neu'n ddata di-dor.

Data arwahanol – data â gwerthoedd penodol yn unig (e.e. gall nifer y plant mewn aelwyd fod yn 0, 1, 2, 3, etc.) ac mewn amrediad penodol.

Data di-dor – data ag unrhyw werth o fewn i amrediad penodol.

Mae graffiau a siartiau data newidyn unigol yn defnyddio set o fesuriadau (h.y. gwerthoedd newidiol) a nifer y troeon maen nhw'n digwydd (h.y. yr amlder). Mae nifer o graffiau/siartiau y gallwch chi eu defnyddio i arddangos data newidyn unigol ac mae'r rhain yn cynnwys:

- Siartiau bar
- Histogramau
- Siartiau cylch
- Diagramau blwch a blewyn
- Cromliniau amlder cronnus.

Siartiau bar

Mewn siartiau bar, mae data ansoddol ar un echelin ac amlder ar y llall. Mae'r siart bar canlynol, sydd wedi'i gynhyrchu gan gyfrifiadur, yn dangos yr amlder ar yr echelin fertigol a'r data ansoddol (h.y. categorïau (anifeiliaid anwes yn yr achos hwn)) ar yr echelin lorweddol.

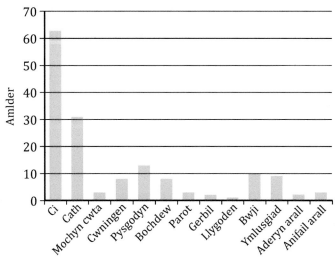

> Yn yr arholiad ei hun, ni fyddai disgwyl i chi luniadu graffiau gan ddefnyddio papur graff, h.y. cynrychioliadau cywir o'r data mewn tabl, ond gallai fod gofyn i chi fraslunio graff, sy'n dangos, er enghraifft, siâp dosraniad, neu i luniadu graff blwch, efallai, a nodi unrhyw werthoedd allweddol.

Mae siartiau bar yn ddefnyddiol o ran cymharu data ar gyfer dau newidyn gwahanol fel hyn

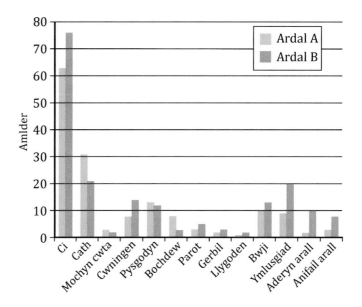

Dyma brif nodweddion siartiau bar:

● Mae bylchau rhwng y barrau yn achos siartiau bar newidyn unigol.

● Fel arfer, mae categorïau ar un echelin ac amlder ar y llall.

● Mae uchder y bar yn cynrychioli'r amlder.

Histogramau

Ar yr olwg gyntaf, mae histogramau'n edrych fel siartiau bar, ond mae rhai gwahaniaethau pwysig:

● Mae bylchau rhwng y barrau (neu grwpiau o farrau) mewn siartiau bar ond mewn histogramau, nid oes bylchau o'r fath.

● Mae rhifau ar y ddwy echelin – mewn siartiau bar, categorïau sydd fel arfer ar yr echelin lorweddol.

● Nid yw'r barrau fel arfer o'r un lled. Mae'r barrau mewn siart bar bob amser o'r un lled.

● Caiff dwysedd amlder ei blotio ar yr echelin fertigol. Mewn siartiau bar, amlder sydd wedi'i blotio ar yr echelin fertigol.

● Caiff histogramau eu lluniadu pan fydd y data yn ddi-dor fel graff arferol a gall y data gael eu rhoi mewn dosbarthiadau (e.e. $100 \leq h < 200$).

● Mae arwynebedd bar yn cynrychioli'r amlder.

Lluniadu histogram

I luniadu histogram, yn gyntaf mae angen i ni drawsnewid yr amlderau yn ddwyseddau amlder oherwydd mewn histogram, arwynebedd y bar, yn hytrach na'i uchder, sy'n cynrychioli'r amlder.

Dyma far histogram. Yr uchder yw'r dwysedd amlder, y lled yw'r lled dosbarth ac mae arwynebedd y bar yn cynrychioli'r amlder.

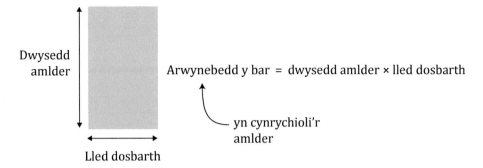

Gan fod amlder (arwynebedd y bar) = dwysedd amlder × lled dosbarth

I gyfrifo'r dwysedd amlder, rydyn ni'n defnyddio:

$$\text{Dwysedd amlder} = \frac{\text{amlder}}{\text{lled dosbarth}}$$

Cofnodwyd hyd y barrau metel (l) mewn m a'u hamlderau yn y tabl canlynol:

Hyd (l m)	Lled dosbarth (m)	Amlder	Dwysedd amlder
$1.0 \le l < 1.2$	0.2	4	20
$1.2 \le l < 1.4$	0.2	8	40
$1.4 \le l < 1.8$	0.4	12	30
$1.8 \le l < 2.4$	0.6	24	40
$2.4 \le l < 2.6$	0.2	14	70
$2.6 \le l < 3.6$	1.0	12	12

Gall y data o'r tabl gael eu defnyddio i luniadu'r histogram canlynol:

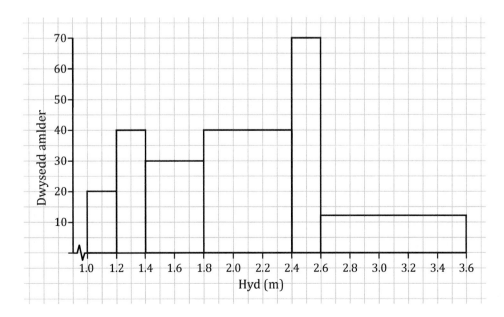

Enghraifft

1 Safodd rhai disgyblion mewn dosbarth ysgol arholiad daearyddiaeth. Mae'r tabl a'r histogram sydd heb eu gorffen yn dangos gwybodaeth am y marciau yn yr arholiad.

Marc (%)	Amlder
$0 < x \le 20$	5
$20 < x \le 50$	
$50 < x \le 60$	25
$60 < x \le 80$	10
$80 < x \le 85$	
$85 < x \le 100$	30

Cwblhewch y tabl a'r histogram.

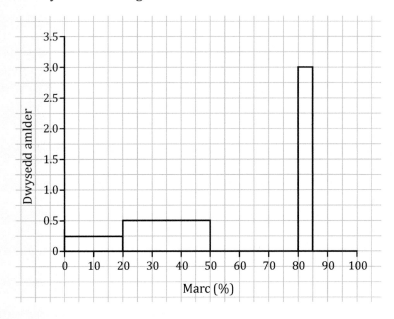

Ateb

1 I ddarganfod amlder yr ail far,

amlder = arwynebedd y bar = lled dosbarth × dwysedd amlder = 30 × 0.5 = 15.

I ddarganfod amlder y bar sydd â'r cyfwng dosbarth $80 < x \le 85$,

amlder = arwynebedd y bar = lled dosbarth × dwysedd amlder = 5 × 3 = 15

Trwy hyn, y tabl wedi'i gwblhau yw

Marc (%)	Amlder
$0 < x \le 20$	5
$20 < x \le 50$	15
$50 < x \le 60$	25
$60 < x \le 80$	10
$80 < x \le 85$	15
$85 < x \le 100$	30

I gwblhau'r histogram, mae angen cyfrifo'r dwysedd amlder ar gyfer y barrau coll gan ddefnyddio'r data yn y tabl.

Rydyn ni'n defnyddio'r fformiwla

$$\text{dwysedd amlder} = \frac{\text{amlder}}{\text{lled dosbarth}}$$

Ar gyfer dosbarth $50 < x \leq 60$,

$$\text{dwysedd amlder} = \frac{\text{amlder}}{\text{lled dosbarth}} = \frac{25}{10} = 2.5$$

Ar gyfer dosbarth $60 < x \leq 80$,

$$\text{dwysedd amlder} = \frac{\text{amlder}}{\text{lled dosbarth}} = \frac{10}{20} = 0.5$$

Ar gyfer dosbarth $85 < x \leq 100$,

$$\text{dwysedd amlder} = \frac{\text{amlder}}{\text{lled dosbarth}} = \frac{30}{15} = 2$$

Gall y barrau gael eu hychwanegu at yr histogram nawr.

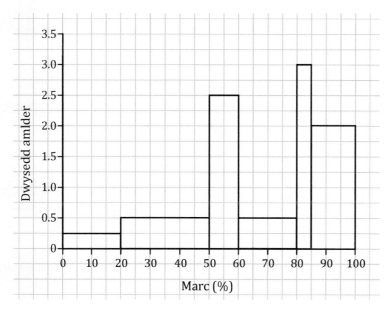

Diagramau blwch a blewyn

Mae diagram blwch a blewyn yn ddiagram sy'n rhoi cynrychioliad gweledol i ddosraniad y data. Mae'r diagram yn pwysleisio lle mae'r rhan fwyaf o'r gwerthoedd yn gorwedd, ac unrhyw werthoedd sy'n wahanol iawn i'r norm sy'n cael eu galw'n **allanolion**.

Marciau disgyblion mewn prawf mathemateg

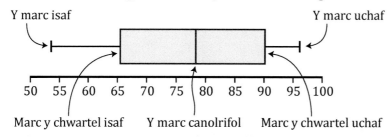

Mae ochr chwith y blwch yn cynrychioli'r chwartel isaf a'r ochr dde yn cynrychioli'r chwartel uchaf. Mae'r llinell fertigol yn y blwch yn cynrychioli'r canolrif. Mae hyd ochr y blwch yn cynrychioli'r amrediad rhyngchwartel.

Mae'r chwartelau yn torri'r data yn bedair adran hafal pan fydd y data wedi'u trefnu yn nhrefn maint. Y toriad cyntaf yw'r chwartel isaf (lower quartile) (LQ neu Q_1). Yr ail doriad yw'r canolrif a'r trydydd toriad yw'r chwartel uchaf (upper quartile) (UQ neu Q_3). Mae'r gwahaniaeth rhwng y chwartel uchaf a'r chwartel isaf yn cael ei alw'n amrediad rhyngchwartel (interquartile range) (IQR).

Felly   IQR = UQ – LQ

neu   IQR = $Q_3 - Q_1$

Mae'r llinellau llorweddol sy'n ymwthio allan bob ochr i'r blwch yn ymestyn hyd at y gwerthoedd lleiaf a'r mwyaf yn y set o ddata os nad yw'r un o'r gwerthoedd hyn yn allanolion. Dyma'r blew, ac mae'r ddau ben wedi'u nodi â dwy linell fertigol fyrrach.

Mae gwerthoedd sy'n uwch na $Q_3 + 1.5 \times$ IQR neu'n is na $Q_1 - 1.5 \times$ IQR yn cael eu galw'n allanolion a chaiff y rhain eu plotio i'r dde o'r blewyn dde neu i'r chwith o'r blewyn chwith.

Enghraifft

1 Plotiwch ddiagram blwch a blewyn gan ddefnyddio'r data isod:

1, 5, 1, 2, 4, 3, 3, 2, 1, 5, 4, 5, 1, 6, 2, 0, 6

· ·

Ateb

1   Yn gyntaf, trefnwch y data

0, 1, 1, 1, 1, 2, 2, 2, 3, 3, 4, 4, 5, 5, 5, 6, 6

Darganfyddwch n, sef nifer y gwerthoedd data yn y rhestr ($n = 17$ yma)

Y canolrif yw'r $\dfrac{n+1}{2}$ fed gwerth.

Yn yr achos hwn, n yw 17, felly $\dfrac{17+1}{2} = 9$fed gwerth, sef 3.

Canolrif = 3.

Y chwartel isaf yw'r $\dfrac{n+1}{4}$ fed gwerth.

Gan fod n yn 17, hwn yw'r 4.5ed gwerth, sef cyfartaledd y 4ydd a'r 5ed gwerth.

Y chwartel isaf = 1

Y chwartel uchaf yw'r $\dfrac{n+1}{4}$ fed gwerth × 3.

Gan fod n yn 17, hwn yw'r 13.5ed gwerth, sef cyfartaledd y 13eg a'r 14eg gwerth.

Y chwartel uchaf = 5.

Yr amrediad rhyngchwartel (IQR) = chwartel uchaf − chwartel isaf = 5 − 1 = 4

Y gwerthoedd uchaf a'r gwerthoedd isaf yw 6 a 0 yn eu trefn, felly yr amrediad yw 6 − 0 = 6

Gall y diagram blwch a blewyn gael ei luniadu nawr:

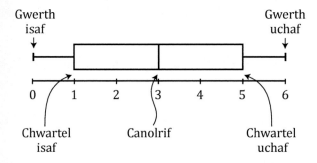

Defnyddio cyfrifiadur i gynhyrchu diagramau blwch a blewyn

Mae llawer o wahanol becynnau meddalwedd ar gael am ddim y gallwch chi eu defnyddio i gynhyrchu diagramau blwch a blewyn. Fel arfer, byddwch chi'n rhoi'r gwerthoedd ar ffurf rhestr, gyda choma yn eu gwahanu. Yna, gallwch chi addasu pethau fel penawdau, graddfeydd, etc. cyn i'r diagram gael ei gynhyrchu. Bydd y feddalwedd fel arfer yn cynhyrchu diagram blwch a blewyn fertigol a bydd y rhan fwyaf o becynnau'n rhestru'r mesurau pwysig fel y chwartel isaf, yr amrediad, y canolrif, etc. i'ch arbed chi rhag gorfod eu darllen oddi ar y diagram.

Caiff diagram blwch a blewyn ei luniadu gan ddefnyddio meddalwedd cyfrifiadur yn seiliedig ar y set ganlynol o ddata

1, 1.2, 1.5, 1.6, 1.9, 2.0, 2.1, 3.4, 4.5, 6.0, 9.2

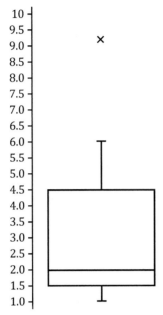

Edrychwch yn ofalus ar y diagram i wirio eich bod chi'n gallu cael y meintiau canlynol o'r diagram:

Canolrif = 2

Chwartel isaf = 1.5

Chwartel uchaf = 4.5

Amrediad rhyngchwartel = chwartel uchaf − chwartel isaf = 4.5 − 1.5 = 3

Gwerth lleiaf = 1

Gwerth mwyaf = 6

Amrediad = gwerth mwyaf − gwerth lleiaf = 6 − 1 = 5

Allanolyn = 9.2

Sylwch fod pwynt ar 9.2 sydd y tu allan i'r prif ddiagram. Mae'r pwynt hwn wedi'i nodi'n werth anghynrychioliadol sy'n cael ei alw'n allanolyn ac nid yw wedi'i gynnwys yn y data a ddefnyddiwyd i blotio'r blwch. Yn ffodus, mae'r feddalwedd yn cyfrifo ac yn nodi'r allanolion ac yn eu dangos fel pwyntiau ar wahân ar y diagram.

Caiff yr allanolion eu hanwybyddu wrth luniadu gweddill y diagram blwch a blewyn. Sylwch mai'r gwerth mwyaf yn y set hon o ddata nawr yw 6 gan fod yr allanolyn yn 9.2 wedi'i anwybyddu.

Defnyddiwch y Rhyngrwyd i ddod o hyd i becyn meddalwedd am ddim a all luniadu diagram blwch a blewyn. Gwnewch yn siŵr y gall y pecyn meddalwedd nodi allanolion a'u dangos ar y diagram.

Dysgu Gweithredol

Defnyddiwch y pecyn meddalwedd i gynhyrchu diagram blwch a blewyn sy'n dangos nifer yr e-byst sy'n cael eu derbyn bob dydd dros gyfnod o bythefnos.

12, 21, 32, 14, 56, 45, 11, 36, 10, 17, 76, 47, 50, 110

Argraffwch y diagram.

Diagramau amlder cronnus

Os oes gennych ddosraniad amlder wedi'i grwpio ac mae gofyn i chi ddarganfod y canolrif neu'r chwartelau, gallwch luniadu diagram amlder cronnus a defnyddio hwnnw.

Mae diagramau amlder cronnus yn dangos cyfanswm yr amlder wrth fynd ymlaen (sy'n cael ei alw'n amlder cronnus) ar yr echelin fertigol a'r swm rydych chi eisiau gwybodaeth amdano ar yr echelin lorweddol.

Dychmygwch fod gennych chi'r tabl canlynol sy'n dangos cyfartaledd y pellter mewn milltiroedd sy'n cael ei deithio ar wefr lawn (*full charge*) ar gyfer hapsampl o 200 o geir trydan. Sylwch ar y dosbarthiadau ar gyfer y newidyn, sef nifer y milltiroedd a deithiwyd (d) yma.

Cyfartaledd y pellter a deithiwyd fesul gwefr (d milltir)	Amlder
$0 \leq d < 50$	3
$50 \leq d < 100$	31
$100 \leq d < 150$	60
$150 \leq d < 200$	84
$200 \leq d < 250$	22

Rydyn ni'n dechrau drwy ychwanegu cyfanswm yr amlder wrth fynd ymlaen, sy'n cael ei alw'n amlder cronnus, at y tabl.

Cyfartaledd y pellter a deithiwyd fesul gwefr (d milltir)	Amlder	Amlder cronnus
$0 \leq d < 50$	3	3
$50 \leq d < 100$	31	34
$100 \leq d < 150$	60	94
$150 \leq d < 200$	84	178
$200 \leq d < 250$	22	200

Nawr, rydyn ni'n plotio'r graff gyda 'cyfartaledd y pellter a deithiwyd fesul gwefr' ar yr echelin-x ac 'amlder cronnus' ar yr echelin-y. Rydyn ni'n defnyddio gwerth uchaf pob dosbarth (neu grŵp) gyda'i amlder cronnus cyfatebol.

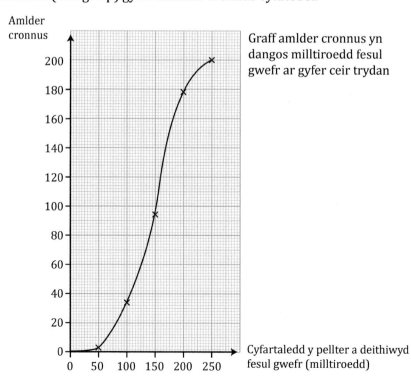

Graff amlder cronnus yn dangos milltiroedd fesul gwefr ar gyfer ceir trydan

Gall y gromlin amlder cronnus gael ei defnyddio wedyn i ddarganfod y canolrif, y chwartel isaf, y chwartel uchaf a'r canraddau (e.e. cyrhaeddiad 70% o geir trydan).

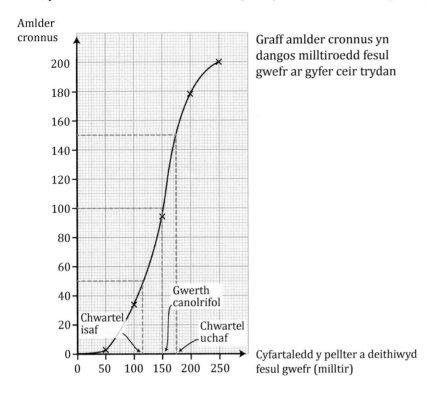

Graff amlder cronnus yn dangos milltiroedd fesul gwefr ar gyfer ceir trydan

> Hanner ffordd drwy'r amlder cronnus (h.y. hanner 200 = 100) rydyn ni'n lluniadu llinell lorweddol i gwrdd â'r gromlin ac wedyn yn ei lluniadu i lawr yn fertigol er mwyn darllen y gwerth canolrif. Wedyn, rydyn ni'n defnyddio dull tebyg i ddarllen y gwerthoedd ar chwarter a thri chwarter yr amlder cronnus (h.y. 50 a 150 yn eu trefn) i roi'r chwartel isaf a'r chwartel uchaf.

Cymesur, sgiw bositif a sgiw negatif

Gall graffiau gael eu defnyddio i ddangos tebygolrwydd. Dyma'r tebygolrwydd o gael gwerthoedd penodol o'r newidyn arwahanol X.

> Mae graff o werthoedd posibl ar gyfer X, a'r tebygolrwydd o'u cael, yn cael ei alw'n ddosraniad tebygolrwydd.

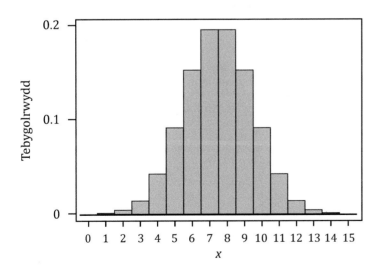

> Gan fod y graff yn dangos pob gwerth posibl y gall X fod, bydd uchder pob bar yn adio i un.

Mae'r dosraniad tebygolrwydd yn gymesur o amgylch y ddau werth mwyaf tebygol, 7 ac 8. Rydyn ni'n dweud bod y dosraniad yn gymesur.

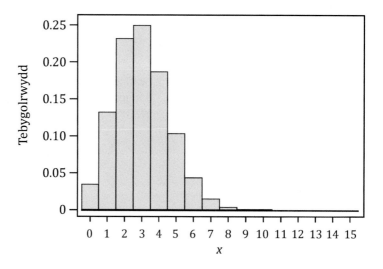

Mae gan y dosraniad hwn sgiw bositif gan ei fod yn gostwng fel cynffon i gyfeiriad gwerthoedd uwch o X.

Nid yw'r graff hwn yn gymesur mwyach. Mae ganddo sgiw bositif sy'n golygu bod swmp y tebygolrwydd i'w gael yn y rhifau bach, 0, 1, 2, … , ac mae'r dosraniad yn gostwng fel cynffon i'r dde.

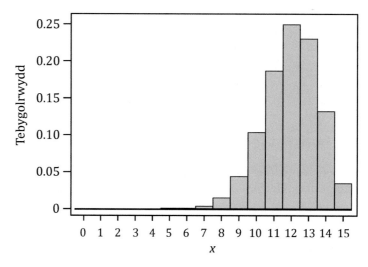

Mae gan y dosraniad hwn sgiw negatif gan ei fod yn gostwng fel cynffon i gyfeiriad gwerthoedd is o X.

Mae gan y graff uchod sgiw negatif gan fod swmp y tebygolrwydd i'w gael yn y rhifau uwch ac mae'r tebygolrwydd yn gostwng fel cynffon i'r chwith.

Dyma rai graffiau sy'n dangos siâp cyffredinol y gwahanol fesurau o sgiw.

GWELLA
⇧⇧⇧⇧ **Gradd**

I helpu i gofio pa ffordd mae'r graffiau wedi'u sgiwio, ewch yn ôl cyfeiriad y gynffon. Os yw'r gynffon yn mynd tuag at werthoedd uwch o X, mae ganddo sgiw bositif. Ac os yw'r gynffon yn mynd tuag at werthoedd is o X, mae ganddo sgiw negatif.

Os yw'r canolrif i'r chwith o'r cymedr, mae'n golygu bod gan y dosraniad sgiw bositif. Os yw'r canolrif i'r dde o'r cymedr, mae'n golygu bod gan y dosraniad sgiw negatif.

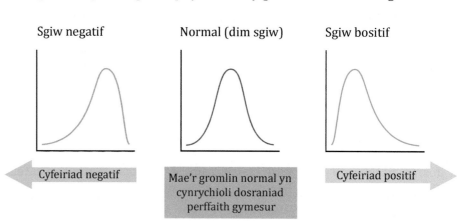

2.2 Diagramau gwasgariad a llinellau atchwel

Mae diagram gwasgariad yn gynrychioliad gweledol o unrhyw berthynas rhwng dau newidyn. Caiff diagramau gwasgariad eu defnyddio i ddangos perthnasoedd posibl rhwng data deunewidyn. Mae data deunewidyn yn golygu data sydd â pharau o werthoedd ar gyfer dau newidyn gwahanol. Er enghraifft, gallech chi gasglu parau o werthoedd ar gyfer maint esgid a thaldra i weld a oes cydberthyniad rhwng y ddau newidyn.

Dehongli cydberthyniad
(positif, negatif, dim, cryf a gwan)

Mae cydberthyniad yn fesur o ba mor dda mae dau newidyn yn perthyn i'w gilydd. Wrth i un newidyn gynyddu, os yw'r newidyn arall hefyd yn cynyddu, caiff hyn ei alw'n gydberthyniad positif. Enghraifft o hyn fyddai taldra a maint troed – yn gyffredinol, mae gan bobl dalach faint esgid mwy.

Os yw cynnydd mewn un newidyn yn gysylltiedig â gostyngiad yn y llall, caiff hyn ei alw'n gydberthyniad negatif. Enghraifft o hyn fyddai pellter o'r Cyhydedd a thymheredd. Yn gyffredinol, y pellaf rydych chi o'r Cyhydedd, yr isaf fydd y tymheredd.

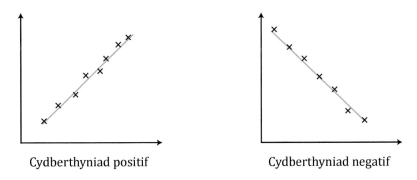

Cydberthyniad positif   Cydberthyniad negatif

Os nad oes perthynas rhwng y newidynnau, caiff hyn ei alw'n ddim cydberthyniad. Er enghraifft, does dim perthynas rhwng uchder person a faint o anifeiliaid anwes y mae'n berchen arnyn nhw, felly nid cydberthyniad yw hyn.

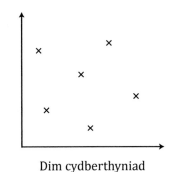

Dim cydberthyniad

Cydberthyniad cryf a gwan

Caiff cydberthyniad cryf ei ddangos gan bwyntiau sy'n gorwedd yn agos at linell syth.

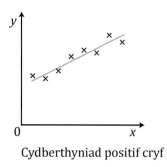

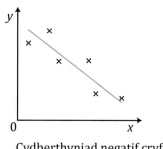

Cydberthyniad positif cryf   Cydberthyniad negatif cryf

Caiff cydberthyniad gwan ei ddangos gan bwyntiau sydd ddim yn gorwedd yn agos at linell syth.

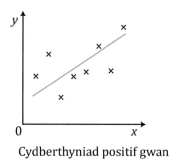

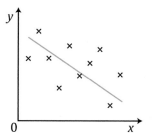

Cydberthyniad positif gwan   Cydberthyniad negatif gwan

Llinellau atchwel

Pan fydd dau swm yn cael eu plotio yn erbyn ei gilydd i greu graff gwasgariad a phan fydd yn glir bod perthynas linol rhwng y newidynnau, mae modd i ni luniadu llinell ffit orau. Mae'r llinell syth yn modelu'r berthynas rhwng y ddau newidyn.

Os x ac y yw'r ddau newidyn, bydd gan y llinell ffit orau hafaliad yn y ffurf

$$y = mx + c$$

lle m yw graddiant y llinell ac c yw lle mae'r llinell yn torri'r echelin-y.

Unwaith bydd hafaliad y llinell wedi'i ddarganfod, mae modd i ni ei ddefnyddio i ddarganfod gwerth y sy'n cyfateb i werth penodol x, ac i'r gwrthwyneb.

Enghraifft

1   Mae'r tabl yn dangos y tymheredd (x) a nifer yr ymwelwyr (y) ar draeth.

Tymheredd (x) °C	5	10	15	20	25	30	35
Nifer yr ymwelwyr (y)	17	30	40	53	60	85	90

(a)   Cyflwynwch y data yn y tabl ar ffurf diagram gwasgariad.

(b)   Lluniadwch y llinell ffit orau.

Ateb

1   (a) a (b)

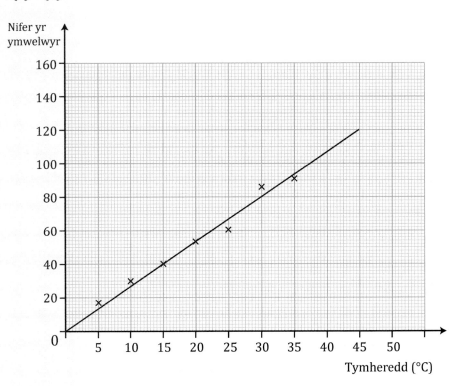

Defnyddio'r hafaliad atchwel

Gallwn ddefnyddio'r hafaliad atchwel i gyfrifo un gwerth newidyn o wybod gwerth y newidyn arall.

Er hynny, rhaid bod yn ofalus wrth ddefnyddio'r hafaliad atchwel.

Rydyn ni'n gwybod bod y gwerthoedd yn gorwedd ar linell syth frasgywir rhwng amrediad gwerthoedd y data yn unig. Os ydyn ni'n allosod (h.y. yn cael gwerthoedd y tu allan i amrediad y data) rydyn ni'n tybio bod y llinell atchwel yn wir am yr holl werthoedd, ac efallai nad yw hynny'n wir.

Cymerwch enghraifft y bobl ar y traeth – gallen ni ddefnyddio'r hafaliad atchwel i gyfrifo nifer y bobl ar y traeth pan fydd y tymheredd yn codi i 100°C (sy'n amhosibl). Mae'r llinell yn mynd drwy (0,0) a (45, 120) sy'n rhoi graddiant o 2.78. Yr hafaliad atchwel ar gyfer y llinell uchod yw $y = 2.78x$.

Felly os yw $x = 100$, $y = 2.78 \times 100 = 278$, ond mewn gwirionedd, ni fyddai neb ar y traeth, oherwydd ar y tymheredd hwnnw, byddai pawb yn farw!

2.3 Rhagfynegi gan ddefnyddio hafaliadau llinellau atchwel

Gallwch chi ddefnyddio'r cydberthyniad rhwng dau newidyn i ragfynegi, gan ddefnyddio'r llinell atchwel. Mae rhagfynegi yn golygu amcangyfrif gwerth un newidyn yn seiliedig ar werth y newidyn arall. Y cryfaf yw'r cydberthyniad rhwng dau newidyn, yr agosaf fydd y pwyntiau'n gorwedd at y llinell atchwel, a'r cywiraf fydd y rhagfynegiad.

Mae dau derm pwysig yn cael eu defnyddio:

Rhyngosodiad yw pan fydd gwerth yn cael ei amcangyfrif gan ddefnyddio'r llinell oddi mewn i amrediad y data. Felly yn ein henghraifft ar y traeth, gallech chi ddarganfod nifer y bobl ar y traeth pan fydd y tymheredd yn 22 °C am ei fod yn gorwedd oddi mewn i'r gwerthoedd data presennol, 5 i 35 °C.

Allosodiad yw pan fydd gwerth yn cael ei amcangyfrif gan ddefnyddio'r llinell y tu allan i amrediad y data. Er enghraifft, defnyddio'r llinell i ddarganfod nifer y bobl ar y traeth pan fydd y tymheredd yn −5 °C. **Y mwyaf y byddwch chi'n allosod, y lleiaf dibynadwy fydd y canlyniad**, am y gallai'r data fod yn dilyn tueddiad gwahanol y tu allan i'r amrediad sydd wedi'i gasglu.

Gallwch chi allosod neu ryngosod **gan ddefnyddio'r hafaliad ar gyfer y llinell atchwel** ac amnewid naill ai gwerth *x* neu *y* i ddarganfod y gwerth arall.

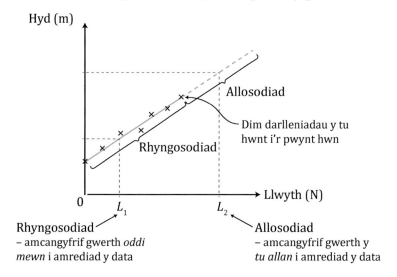

Nid yw cydberthyniad yn ymhlygu achosiaeth

Os yw newid mewn un swm yn cyd-fynd â newid mewn swm arall, rydyn ni'n dweud bod ganddyn nhw gydberthyniad. Er hynny, nid yw'r ffaith bod cydberthyniad rhwng dau swm yn golygu o anghenraid fod un swm yn achosi'r llall. Nid yw cysylltu un peth â'r llall bob amser yn profi bod y canlyniad wedi'i achosi gan y llall.

Er enghraifft, mae cydberthyniad rhwng gwerthiant hufen iâ yn America a nifer y troseddau difrifol, ond ni fyddech chi'n dweud bod bwyta hufen iâ yn achosi i chi gyflawni trosedd ddifrifol. Yn hytrach, mae ffactor arall ar waith – wrth i'r tymheredd godi, mae pobl yn fwy diamynedd ac yn fwy tebygol o gyflawni trosedd.

Mae angen defnyddio synnwyr cyffredin bob amser wrth benderfynu a yw symiau sydd â chydberthyniad yn achosol neu beidio.

Enghreifftiau

1 Mae'r diagram gwasgariad isod yn dangos data o hapsampl o drefi yng Nghymru.

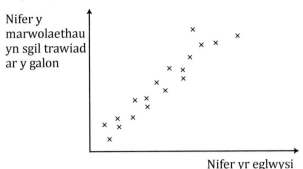

(a) Disgrifiwch y cydberthyniad rhwng nifer y marwolaethau yn sgil trawiad ar y galon a nifer yr eglwysi.

(b) Nodwch a yw'r berthynas sy'n cael ei dangos gan y diagram gwasgariad yn un achosol neu'n un anachosol. Esboniwch sut penderfynoch chi.

· ·

Ateb

1 (a) Cydberthyniad positif cryf.

(b) Anachosol am y byddai nifer yr eglwysi mewn tref fel arfer yn dibynnu ar boblogaeth y dref, a'r mwyaf yw poblogaeth y dref, y mwyaf yw nifer y marwolaethau yn sgil trawiad ar y galon.

Pe baech chi'n lleihau nifer yr eglwysi, ni fyddech chi'n lleihau nifer y marwolaethau yn sgil trawiad ar y galon.

2 Daeth ymchwilydd o hyd i set ddata ar gyfer sampl bach o fathau o salwch a ddioddefwyd yn y DU yn 2012. Lawrlwythodd y set ddata. Roedd y set ddata hon yn cynnwys y newidynnau: 'Enw'r salwch', 'Marwolaethau blynyddol' a 'Hyd yr enw', gyda'r newidyn olaf hwn yn nodi nifer y llythrennau yn enw'r salwch.

(a) Mae'r graff gwasgariad yn cynrychioli 'Marwolaethau blynyddol' yn erbyn 'Hyd yr enw'.

(i) Gwnewch sylwadau am y cydberthyniad rhwng 'Marwolaethau blynyddol' a 'Hyd yr enw'. [1]

(ii) Dehonglwch y cydberthyniad rhwng 'Marwolaethau blynyddol' a 'Hyd yr enw' yn y cyd-destun hwn. [1]

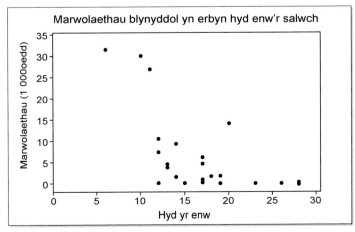

(b)   Yr hafaliad atchwel ar gyfer y set ddata hon yw:

'Marwolaethau blynyddol' = 23.95 – 1.03 × 'Hyd yr enw'

(i)   Dehonglwch raddiant yr hafaliad atchwel ar gyfer y model hwn.   [1]

(ii)   Nodwch, gan roi rheswm, a fyddai'r model atchwel yn ddefnyddiol i ragweld nifer y marwolaethau blynyddol ar gyfer clefyd newydd.   [1]

(iii)   Nodwch a yw'r berthynas rhwng y 'Marwolaethau blynyddol' a 'Hyd yr enw' yn un achosol. Esboniwch eich ateb.   [1]

Ateb

2   (a)   (i)   Cydberthyniad negatif gwan.

(ii)   Y lleiaf y nifer o lythrennau sydd yn enw'r salwch, y mwyaf yw nifer y marwolaethau blynyddol.

(b)   (i)   Mae pob llythyren ychwanegol yn cyfateb i leihad o 1030 yn nifer y marwolaethau ar gyfartaledd.

(ii)   Ni allai'r model gael ei ddefnyddio i ragweld marwolaethau blynyddol gan fod y cydberthyniad yn rhy wan. Os edrychwch ar y marwolaethau blynyddol yn agos i sero, mae gwahaniaeth mawr iawn yn hyd yr enwau cyfatebol.

(iii)   Nid yw'n achosol, gan nad oes perthynas rhwng hyd enw salwch a pha mor ddifrifol yw'r salwch, na faint o bobl sy'n debygol o ddioddef ohono.

2.4 Mesurau canolduedd (cymedr, canolrif a modd)

Mae gwerth unigol mewn rhestr o werthoedd sy'n disgrifio canol y data yn cael ei alw'n **fesur canolduedd**. Mae tri mesur canolduedd i'w cael:

- Cymedr
- Canolrif
- Modd

Cyfrifo'r cymedr

Mae dau fath o gymedr:

Cymedr y boblogaeth, μ a chymedr y sampl, $\bar{x}$.

Os y data sy'n cael eu defnyddio i gyfrifo'r cymedr yw'r boblogaeth gyfan (e.e. pob person mewn cwmni i gyfrifo'r cyflog cymedrig neu bob person yn yr ysgol i gyfrifo'r taldra cymedrig), caiff y cymedr ei alw'n gymedr y boblogaeth ac rydyn ni'n defnyddio'r symbol μ ar ei gyfer.

Os yw'r boblogaeth yn rhy fawr i ymdrin â hi, gallwn gymryd sampl cynrychioliadol a ddylai gynrychioli'r boblogaeth a chaiff y sampl hwn ei ddefnyddio i gyfrifo'r cymedr. Pan fydd sampl yn cael ei ddefnyddio, caiff y cymedr ei alw'n gymedr y sampl, ac rydyn ni'n defnyddio'r symbol $\bar{x}$ ar ei gyfer.

Os ydyn ni'n gwybod beth yw'r holl werthoedd unigol (h.y. x) yn y boblogaeth gyfan, gallwn gyfrifo cymedr y boblogaeth gan ddefnyddio'r fformiwla

$$\mu = \frac{\sum x}{n}$$

lle μ yw cymedr y boblogaeth, $\sum x$ yw swm yr holl werthoedd unigol ac n yw nifer y gwerthoedd.

Os ydyn ni'n gwybod beth yw'r gwerthoedd unigol (h.y. x) mewn sampl, gallwn gyfrifo cymedr y sampl gan ddefnyddio'r fformiwla

$$\bar{x} = \frac{\sum x}{n}$$

lle $\bar{x}$ yw cymedr y sampl, $\sum x$ yw swm yr holl werthoedd unigol ac n yw nifer y gwerthoedd.

Mae cymedr dosraniad amlder lle mae'r set ddata wedi'i rhoi mewn tabl amlder yn cael ei gyfrifo gan ddefnyddio'r fformiwla:

$$\bar{x} = \frac{\sum fx}{\sum f} \qquad \text{neu} \qquad \mu = \frac{\sum fx}{\sum f}$$

lle $\bar{x}$ yw cymedr y sampl neu μ yw cymedr y boblogaeth, $\sum fx$ yw swm yr holl werthoedd x, gyda phob un wedi'i luosi â'i amlder, f, a $\sum f$ yw swm yr holl amlderau.

Enghraifft

1 Darganfyddwch nifer cymedrig y pys mewn coden wrth astudio'r tabl sy'n dangos nifer y pys mewn coden ar gyfer math penodol o blanhigyn pys.

Nifer y pys mewn coden	Nifer y codenni
5	3
6	17
7	12
8	10
9	8
10	4

Ateb

1   Yn gyntaf, dewiswch pa golofn o'r data sy'n cynrychioli gwerthoedd data x a pha golofn o'r data sy'n cynrychioli'r amlder f.

Gan fod gennym ni ddiddordeb yn nifer cymedrig y pys mewn coden, nifer y pys mewn coden yw'r gwerth-x a nifer y codenni yw'r amlder, f.

$$\begin{aligned} \bar{x} &= \frac{\sum fx}{\sum f} \\ &= \frac{(3 \times 5) + (17 \times 6) + (12 \times 7) + (10 \times 8) + (8 \times 9) + (4 \times 10)}{3 + 17 + 12 + 10 + 8 + 4} \\ &= \frac{393}{54} \\ &= 7.3 \ (1 \text{ lle degol}) \end{aligned}$$

Ni fydd y fformiwla hon yn cael ei rhoi, felly mae'n rhaid ei chofio.

Os yw'r boblogaeth gyfan yn cael ei defnyddio i gyfrifo'r cymedr, rhown y llythyren μ i'r cymedr. Os caiff sampl o'r boblogaeth ei defnyddio i gyfrifo'r cymedr, rhown y llythyren $\bar{x}$ i'r cymedr.

Sylwch fod gan y ddwy fformiwla yr un rhan ar ôl yr hafal. Mae'r gwahanol lythrennau/symbolau sy'n cael eu defnyddio yno i ddweud wrthych chi ai'r boblogaeth neu'r sampl yw'r data a ddefnyddiwyd.

Ni fydd y fformiwlâu hyn yn cael eu rhoi, felly mae'n rhaid eu cofio.

Sylwch mai dosraniad amlder yw hwn. Mae newidyn unigol (pys mewn coden) a'r amlder (nifer y codenni).

Cyfrifo'r modd

Y modd yw'r gwerth(oedd) neu'r dosbarth sy'n digwydd amlaf.

Modd 1, 1, 2, 9, 12, 1, 5 yw 1 gan mai dyma'r gwerth sy'n digwydd amlaf (h.y. dair gwaith).

Moddau 1, 1, 2, 9, 12, 2, 5, 7 yw 1 a 2 gan mai'r ddau rif hyn sy'n digwydd amlaf (h.y. ddwywaith). Sylwch y gallwch chi gael mwy nag un modd felly gall data fod yn amlfodd.

Mewn rhai achosion, nid yw modd set o ddata yn ddefnyddiol. Er enghraifft, nid oes defnydd i fodd 1, 2, 3, 4, 5, 6 oherwydd gallai pob gwerth gael ei ystyried yn fodd.

Caiff moddau eu defnyddio'n aml os oes un neu ddau werth sy'n digwydd gan amlaf.

Cyfrifo'r canolrif

Y canolrif yw'r gwerth canol pan fydd gwerthoedd y data wedi'u trefnu yn ôl maint.

Os yw nifer y gwerthoedd yn odrif, bydd un gwerth yn y canol, a hwn fydd y canolrif.

(e.e. ar gyfer y set ddata 2, 4, 4, 5, 9, y canolrif yw 4)

Os yw nifer y gwerthoedd yn eilrif, bydd dau werth yn y canol, felly cymedr y ddau werth hyn yw'r canolrif.

(e.e. ar gyfer y set ddata 2, 4, 4, 5, 7, 9, rydyn ni'n darganfod cymedr y ddau werth yn y canol (h.y. 4 a 5). Mae hyn yn rhoi canolrif o 4.5).

Enghreifftiau

1 Darganfyddwch ganolrif 12, 10, 1, 4, 10, 8, 3, 5

. . . .

Ateb

1 Y set ddata wedi'i threfnu yn ôl maint yw 1, 3, 4, 5, 8, 10, 10, 12

Y ddau werth yn y canol yw 5 ac 8 felly'r canolrif yw cymedr y ddau werth hyn

$\left(\text{h.y. } \frac{5+8}{2} = 6.5 \right)$.

Gallwch chi ddefnyddio'r dull canlynol hefyd:

Darganfyddwch n, sef nifer y gwerthoedd data yn y rhestr ($n = 8$ yn yr achos hwn)

Y canolrif fydd y $\frac{n+1}{2}$fed gwerth.

Yn yr achos hwn, n yw 8, felly $\frac{8+1}{2}$ = y 4.5ed gwerth, sef cymedr y pedwerydd a'r pumed gwerth (h.y. 5 ac 8), felly'r canolrif yw $\frac{5+8}{2}$ = 6.5

2 Meintiau esgid math penodol o esgid mewn siop yw:

6, 6, 7, 8, 8, 8, 9, 9, 9, 9, 10, 10, 11, 12

Darganfyddwch:

(a) y maint cymedrig

(b) y maint moddol

(c) y maint canolrifol.

Ateb

2   (a) $\mu = \dfrac{\sum x}{n} = \dfrac{6 + 6 + 7 + 8 + 8 + 8 + 9 + 9 + 9 + 9 + 10 + 10 + 11 + 12}{14}$

$= \dfrac{122}{14}$

Cymedr = 8.7 (1 lle degol)

(b)   Y maint amlaf gan ei fod yn ymddangos bedair gwaith.

Maint moddol = 9

(c)   Mae'r data eisoes wedi'u trefnu a gan fod nifer y gwerthoedd yn eilrif, mae dau rif yn y canol, sef 9 a 9.

Maint canolrifol = 9

---

3   Mae ffermwr yn cofnodi nifer yr wyau sy'n cael eu dodwy bob dydd gan ei ieir dros gyfnod o 31 diwrnod ac mae'n creu'r tabl canlynol:

Nifer yr wyau (x)	12	13	14	15	16	17	18
Amlder (f)	3	7	8	10	2	1	0

Darganfyddwch:

(a)   y cymedr

(b)   y canolrif

(c)   y modd.

Ateb

3   (a) $\mu = \dfrac{\sum fx}{\sum f}$

$= \dfrac{(3 \times 12) + (7 \times 13) + (8 \times 14) + (10 \times 15) + (2 \times 16) + (1 \times 17) + (0 \times 8)}{3 + 7 + 8 + 10 + 2 + 1 + 0}$

= 14.1 (1 lle degol)

(b)   Caiff y data eu trefnu yn ôl maint. Cofiwch mai'r gwerthoedd-x sy'n cael eu trefnu, ac am mai 31 (h.y. odrif) yw cyfanswm yr amlder, bydd un rhif yn y canol. I gyfrifo'r gwerth yn y canol, gallwch chi feddwl am y 31 gwerth wedi'u trefnu fel, 15 1 15 felly'r 16eg gwerth yw'r rhif yn y canol (h.y. y canolrif). Yr 16eg gwerth fydd 14.

Canolrif = 14

(c)   Y nifer amlaf o wyau = 15

Modd = 15

> Mae'n rhaid i chi feddwl am y 31 eitem o ddata wedi'u trefnu fel hyn
>
> 12, 12, 12, 13, 13, 13, 13, 13, 13, 13, 14, ...
>
> Rydych chi nawr yn edrych am yr 16eg gwerth.

Cymharu'r mesurau canolduedd (cymedr, modd a chanolrif)

Byddwn yn aml yn cyfeirio'n syml at y tri mesur canolduedd (cymedr, modd, canolrif) fel cyfartaleddau, felly os cewch chi werth cyfartalog, dylech chi bob amser ofyn pa gyfartaledd sydd wedi'i ddefnyddio. Gan fod dewis o dri, bydd y person sy'n nodi'r gwerth cyfartalog yn dewis yr un sydd fwyaf addas i'r diben.

Mae manteision ac anfanteision o ddefnyddio'r cymedr, y modd a'r canolrif a dyma nhw wedi'u crynhoi yn y tabl hwn.

Cymedr	Modd	Canolrif
Manteision	*Manteision*	*Manteision*
Mae'r holl werthoedd data yn cael eu defnyddio i'w gyfrifo – felly caiff yr holl ddata eu hystyried.	Gallwn ei ddefnyddio gyda data sydd ddim yn rhifol (e.e. hoff flas creision).	Nid yw gwerthoedd eithafol yn effeithio arno gan mai'r gwerth canol (neu gyfartaledd o ddau werth canol) mewn rhestr wedi'i threfnu sy'n cael ei ddewis. Mae'n un da i'w ddewis os oes allanolion.
Anfanteision	*Anfanteision*	*Anfanteision*
Mae gwerthoedd eithafol yn effeithio arno.	Gall fod llawer o foddau gwahanol, felly efallai na fydd o unrhyw ddefnydd.	Gall gymryd llawer o amser i drefnu'r data ac i weithio allan y canolrif.
Mae'n ddefnyddiol gyda data rhifol yn unig.	Efallai nad oes yr un modd.	
	Efallai nad yw'r modd yn cynrychioli gweddill y data yn dda.	

Enghraifft

1   Mae'r tabl isod yn dangos manylion cyflog blynyddol gweithwyr sy'n gweithio mewn deintyddfa fawr.

Cyflog blynyddol (£)	Nifer y bobl
0–9 999	7
10 000–19 999	6
20 000–29 999	6
30 000–39 999	0
40 000–59 999	2
60 000–80 000	3
80 000–160 000	5

(a) Nodwch y dosbarth canolrifol a'r dosbarth moddol.

(b) Beth yw anfantais defnyddio'r dosbarth moddol hwn fel cyfartaledd i gynrychioli'r set hon o ddata?

(c) Mae'n bosibl dod o hyd i amcangyfrif o'r cymedr. Esboniwch pam mai amcangyfrif yn unig ydyw ac esboniwch pam mae'n bosibl nad yw'r cyflog blynyddol cymedrig yn cynrychioli'r set hon o ddata yn dda.

Ateb

1 (a) Gan fod 29 o bobl a bod y data wedi'u trefnu, y dosbarth ar gyfer y 15fed person fydd hyn.

Dosbarth canolrifol = £20 000–£29 999

Dosbarth moddol = £0–£9999

   (b) Mae gan y dosbarth moddol 7 o bobl ond mae dau ddosbarth arall yn weddol agos gyda 6 o bobl, sy'n golygu nad yw'r dosbarth moddol yn cynrychioli'r data yn dda.

   (c) Mae'r data yn ffurfio dosraniad wedi'i grwpio, felly nid ydym yn gwybod beth yw union werthoedd cyflogau pob person. Caiff gwerth canol pob dosbarth ei ddefnyddio i gyfrifo'r cymedr ac mae hyn yn golygu mai amcangyfrif yn unig yw'r cymedr.

Mae rhai gwerthoedd eithafol (isel ac uchel) a gallai hyn arwain at gymedr sy'n anghynrychioliadol o'r data.

2.5 Mesurau amrywiad canolog (amrywiant, gwyriad safonol, amrediad ac amrediad rhyngchwartel)

Mae mesurau amrywiad canolog yn mesur gwasgariad y data.

Dau fesur syml o wasgariad yw'r amrediad a'r amrediad rhyngchwartel.

Amrediad – dyma'r gwahaniaeth rhwng y gwerth mwyaf a'r gwerth lleiaf mewn set o ddata.

Amrediad rhyngchwartel (IQR) – dyma'r gwahaniaeth rhwng y chwartel uchaf (Q_3) a'r chwartel isaf (Q_1).

Trwy hyn $IQR = Q_3 - Q_1$

Mae'r amrediad rhyngchwartel yn fesur defnyddiol o amrediad gan ei fod yn cynrychioli amrediad hanner canol y data (h.y. un chwarter bob ochr i'r canolrif).

Gallwn ddarganfod yr amrediad rhyngchwartel drwy ddefnyddio graff amlder cronnus sydd â chyfanswm yr amlder wrth fynd ymlaen (sy'n cael ei alw'n amlder cronnus) wedi'i blotio ar hyd yr echelin-y a gwerthoedd y data wedi'u plotio ar hyd yr echelin-x.

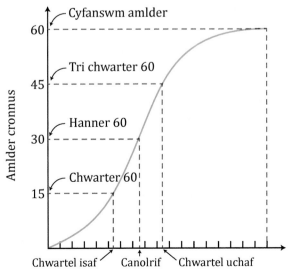

37

Gallwn ddod o hyd i'r chwartel uchaf (Q_3) drwy ddarganfod $\frac{3}{4}$ cyfanswm yr amlder ac wedyn defnyddio'r graff i ddarganfod y gwerth cyfatebol ar yr echelin-x. I ddod o hyd i'r chwartel isaf (Q_1), rydyn ni'n darganfod $\frac{1}{4}$ cyfanswm yr amlder ac yna, drwy ddefnyddio'r graff, rydyn ni'n darganfod y gwerth-x cyfatebol.

Yna, rydyn ni'n defnyddio'r fformiwla IQR = $Q_3 - Q_1$ i ddarganfod yr amrediad rhyngchwartel.

Mae dau fesur arall o amrywiad canolog sydd ychydig yn fwy cymhleth i'w darganfod.

Amrywiant a gwyriad safonol

Mae'n ddefnyddiol cael ystadegyn sy'n gallu mesur gwasgariad data a bod yn fach pan fydd y gwasgariad yn fach (h.y. mae'r data wedi'u clystyru at ei gilydd) ac yn fawr pan fydd y data wedi'u gwasgaru'n eang.

Mae'r amrywiant yn ystadegyn sy'n mesur pa mor bell o'r cymedr yw pob gwerth yn y set o ddata.

I gyfrifo'r amrywiant ar gyfer set o ddata, cymerwch y camau canlynol:

1   Tynnwch y cymedr o bob gwerth yn y set o ddata. Er enghraifft, os y gwerth data cyntaf yw X_1 a'r cymedr yw μ, byddai gennym ni $X_1 - \mu$. Gallwn ysgrifennu hyn fel $X_i - \mu$. Noder bod X_i yn werth penodol o X yn y sampl felly os byddai tri gwerth o X, byddai gennym ni X_1, X_2 ac X_3.

2   Sgwariwch bob un o'r gwahaniaethau hyn ac adiwch yr holl sgwariau at ei gilydd. Gallwn ysgrifennu hyn fel $\sum (X_i - \mu)^2$.

3   Rhannwch swm y sgwariau â nifer y gwerthoedd yn y set ddata (h.y. n)

Gallwn ddefnyddio'r fformiwla ganlynol i gynrychioli'r camau hyn:

$$\sigma^2 = \frac{\sum (X_i - \mu)^2}{n} \qquad \text{lle } \sigma^2 \text{ yw'r amrywiant.}$$

Mae'n bwysig nodi bod gan yr amrywiant uned X^2 sy'n golygu pa bynnag uned sydd gan werthoedd data X bydd gan yr amrywiant yr uned wedi'i sgwario. Felly os metr yw uned X, er enghraifft, yna metr^2 fydd uned yr amrywiant.

Er mwyn cael mesur sy'n defnyddio'r un uned â gwerthoedd y data, rydyn ni'n defnyddio swm arall, sef **gwyriad safonol**. Gwyriad safonol yw ail isradd yr amrywiant ac felly bydd iddo'r un uned ag X.

Gwyriad safonol

Mae'r gwyriad safonol yn fesur o wasgariad y gwerthoedd mewn set o ddata. Yn y rhan fwyaf o achosion, mae gennym ni ddiddordeb yng ngwyriad safonol y boblogaeth. Ond gallai casglu gwerthoedd data gan yr holl boblogaeth fod yn anodd o ran cost ac amser, felly rydyn ni'n defnyddio sampl llai o ddata yn lle hynny er mwyn darganfod amcangyfrif o'r gwyriad safonol.

Os oes sampl yn cael ei ddefnyddio i amcangyfrif y gwyriad safonol ar gyfer y boblogaeth gyfan, bydd yn cael ei alw'n wyriad safonol y sampl. Felly mae dau wyriad safonol; un yn seiliedig ar y boblogaeth gyfan a hwn fydd yr un cywir (sy'n cael ei alw'n σ) gan ei fod yn defnyddio'r holl werthoedd, ac amcangyfrif o'r gwyriad safonol yn defnyddio gwerthoedd mewn sampl llai (sy'n cael ei alw'n S).

2.5 Mesurau amrywiad canolog (amrywiant, gwyriad safonol, amrediad ac amrediad rhyngchwartel)

Caiff hwn ei alw'n wyriad safonol y sampl. Yn y testun hwn, byddwn yn edrych ar y gwyriad safonol, sy'n seiliedig ar y boblogaeth, yn unig.

Mae'n bwysig nodi mai dim ond os nad yw'r data wedi'u sgiwio'n sylweddol neu os nad oes allanolion ynddo y dylai'r gwyriad safonol, fel y cymedr, gael ei ddefnyddio.

Ail israddd yr amrywiant (h.y. $\sqrt{\sigma^2} = \sigma$) yw'r gwyriad safonol.

Trwy hyn, gwyriad safonol $\sigma = \sqrt{\dfrac{\sum(X_i - \mu)^2}{n}}$

Lle $\sum(X_i - \mu)^2$ yw swm sgwariau'r gwahaniaethau rhwng pob gwerth yn y set a'r cymedr ac n yw cyfanswm nifer y gwerthoedd.

> Ni fydd y fformiwla hon yn cael ei rhoi, felly bydd angen i chi gofio bod angen cymryd ail israddd yr amrywiant σ^2 er mwyn cael y gwyriad safonol σ.

Enghraifft

1 Maint esgidiau 10 o bobl mewn dosbarth yw:

6, 7, 8, 8, 9, 10, 11, 12, 8, 9

Darganfyddwch y gwyriad safonol.

> Sylwch mai'r 10 maint esgid hyn yw'r holl boblogaeth. Mae hyn yn golygu bod angen i ni ddarganfod gwyriad safonol y boblogaeth σ.

. . . .

Ateb

1 Gan nad yw'r cymedr yn cael ei roi, mae'n rhaid ei gyfrifo

$$\mu = \frac{\sum x}{n} = \frac{6 + 7 + 8 + 8 + 9 + 10 + 11 + 12 + 8 + 9}{10} = \frac{88}{10} = 8.8$$

X	$X - \mu$	$(X - \mu)^2$
6	−2.8	7.84
7	−1.8	3.24
8	−0.8	0.64
8	−0.8	0.64
9	0.2	0.04
10	1.2	1.44
11	2.2	4.84
12	3.2	10.24
8	−0.8	0.64
9	0.2	0.04
		$\sum(X - \mu)^2 = 29.6$

> Adiwch y gwerthoedd yn y golofn hon i roi $\sum(X - \mu)^2$

Gwyriad safonol, $\sigma = \sqrt{\dfrac{\sum(x_i - \mu)^2}{n}} = \sqrt{\dfrac{29.6}{10}} = 1.72$

> $n = 10$ gan fod 10 o werthoedd data yn y sampl.

Mae'r cyfrifiad hwn ychydig yn hir a diflas i'w wneud, ac wrth lwc mae modd symleiddio'r fformiwla i wneud y cyfrifiad yn haws.

Y fformiwla ar gyfer amrywiant wedi'i symleiddio yw:

$$\text{amrywiant} = \frac{\sum x_i^2}{n} - \left(\frac{\sum x_i}{n}\right)^2$$

Lle $\dfrac{\sum x_i^2}{n}$ yw cymedr sgwariau'r gwerthoedd a $\left(\dfrac{\sum x_i}{n}\right)^2$ yw sgwâr cymedr y gwerthoedd.

Felly, gallwn ddweud mai'r amrywiant yw cymedr y sgwariau tynnu sgwâr y cymedr.

Gan ddefnyddio'r enghraifft flaenorol, ond gan ddefnyddio'r fformiwla wedi'i symleiddio y tro hwn, gallwn osod y tabl fel hyn:

x	x_i^2
6	36
7	49
8	64
8	64
9	81
10	100
11	121
12	144
8	64
9	81
$\sum x_i = 88$	$\sum x_i^2 = 804$

$$\frac{\sum x_i}{n} = \frac{88}{10} \quad \text{felly} \quad \left(\frac{\sum x_i}{n}\right)^2 = 8.8^2 = 77.44$$

$$\frac{\sum x_i^2}{n} = \frac{804}{10} = 80.4$$

$$\text{Amrywiant} = \frac{\sum x_i^2}{n} - \left(\frac{\sum x_i}{n}\right)^2 = 80.4 - 77.44 = 2.96$$

Gwyriad safonol $= \sqrt{2.96} = 1.72$.

Crynodeb o ystadegau

Mae'r crynodeb o ystadegau yn wybodaeth sy'n rhoi disgrifiad cryno o'r data.

Fel arfer, mae tabl crynodeb o ystadegau yn cynnwys rhai o'r canlynol, neu'r cyfan:

- Cymedr
- Canolrif
- Gwerth lleiaf
- Chwartel uchaf
- Modd
- Gwerth mwyaf
- Chwartel isaf
- Gwyriad safonol.

Er hyn, gall rhai ystadegau o'r crynodeb o ystadegau gael eu defnyddio i gyfrifo ystadegau eraill.

Cyfrifo gwyriad safonol o'r crynodeb o ystadegau

I gyfrifo gwyriad safonol o'r crynodeb o ystadegau, bydden ni'n defnyddio $\sum x$, $\sum x^2$, n.

2.6 Dewis a beirniadu technegau cyflwyno data

Yn aml, mae data yn cael eu cyflwyno mewn ffordd amhriodol. Weithiau caiff ei wneud yn fwriadol er mwyn camarwain. Dro arall caiff ei wneud gan nad yw rhywun yn gwybod pa ffordd sy'n gywir. Un sgil bwysig mewn ystadegaeth yw gallu adnabod camgymeriadau a gallu eu cywiro. Sgil bwysig arall yw gallu dewis y dull gorau o gyflwyno set o ddata gan ddefnyddio graff neu siart.

Siart bar

Fel arfer, bydd geiriau ar hyd un o'r echelinau hyn hytrach na rhifau.

Mae siartiau bar yn ddefnyddiol o ran cymharu data ar gyfer dau newidyn gwahanol fel hyn

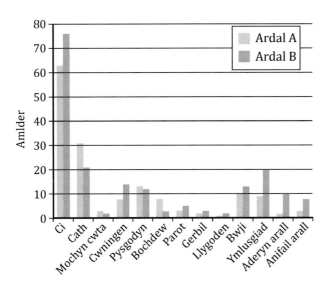

Histogram

Mae histogramau

- Yn cael eu defnyddio i gymharu gwahanol amlderau data rhifol
- Yn defnyddio data sy'n ddi-dor felly nid oes bylchau rhwng y barrau
- Fel arfer, bydd ganddynt wahanol led (er y gallai fod ganddyn nhw'r un lled).

Gall data sydd ar ffurf fel hyn gael ei ddefnyddio i greu histogram.

Oedran (a) pobl ar y trên olaf	Amlder
$0 \leq a < 15$	12
$15 \leq a < 20$	24
$20 \leq a < 25$	42
$25 \leq a < 35$	76
$35 \leq a < 50$	12
$50 \leq a < 75$	9

Cofiwch ddefnyddio'r data yn y tabl i gyfrifo'r dwysedd amlder er mwyn creu'r histogram.

Graff gwasgariad

Mae graffiau gwasgariad:

- Yn cael eu defnyddio i ddarganfod a oes unrhyw gydberthyniad rhwng dau newidyn
- Yn cael eu defnyddio i weld pa mor agos mae'r newidynnau'n cydberthyn, os o gwbl
- Yn cael eu defnyddio i edrych am gydberthyniad positif neu negatif.

Diagram blwch a blewyn

Mae diagramau blwch a blewyn:

- Yn aml yn cael eu defnyddio i gymharu ystadegau dau neu ragor o setiau data
- Yn defnyddio pum gwerth (h.y. gwerth lleiaf, chwartel cyntaf, canolrif, trydydd chwartel, a gwerth mwyaf) i ddisgrifio set o ddata.

Siart cylch

Mae siartiau cylch:

- Yn gallu cael eu defnyddio i gymharu dosraniadau (h.y. mae modd i chi gael siart cylch ar gyfer pob dosraniad)
- Yn gallu cael eu defnyddio i ddangos data canrannau neu gyfrannau ac fel arfer bydd y ganran sy'n cael ei chynrychioli gan bob categori yn cael ei dangos wrth ymyl y darn cyfatebol o'r cylch
- Dylen nhw gael eu defnyddio ar gyfer chwech o gategorïau neu lai, oherwydd os oes mwy na hynny, mae'n anodd i'r llygad weld y gwahaniaethau rhwng y cyfrannau.

Enghraifft

1   Dyma dri graff/siart sydd wedi'u lluniadu i gynrychioli gwahanol setiau o ddata. Mae problem gyda phob un o'r graffiau/siartiau. Disgrifiwch beth yw'r broblem yn achos pob un ac esboniwch beth byddai'n bosibl ei wneud i wella'r graff/siart.

(a)

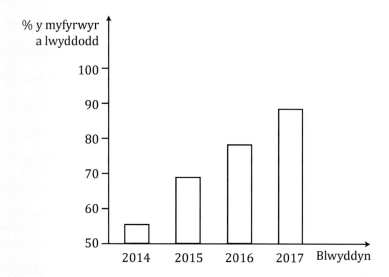

(b)

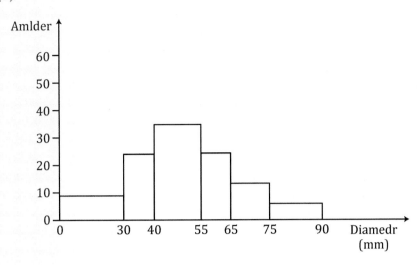

(c)

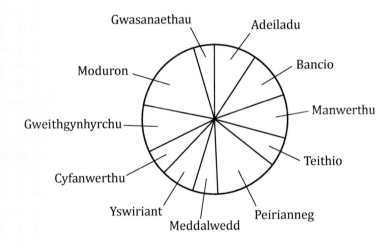

- -

Ateb

(a) Nid yw echelin fertigol y siart bar yn dechrau ar sero ac felly mae'n gwneud iddo edrych fel pe bai'r graddau wedi gwella'n sylweddol o un flwyddyn i'r llall. Dylai'r siart bar gael ei luniadu gyda'r raddfa ar yr echelin fertigol yn dechrau o sero.

(b) Histogram yw hwn, gan nad oes bylchau rhwng y barrau ac mae rhai o'r barrau o wahanol led. Mewn histogramau, mae'r dwysedd amlder wedi'i blotio ar yr echelin fertigol, a'r arwynebedd, nid yr uchder, sy'n cynrychioli'r amlder. Dylai'r dwysedd amlder gael ei gyfrifo ar gyfer pob dosbarth a dylai'r graff/siart gael ei ail-luniadu.

(c) Mae'r siart cylch wedi'i luniadu â gormod o sectorau ac mae hynny'n ei gwneud yn anodd cymharu'r cydrannau. Dylai rhai o'r sectorau gael eu cyfuno a dylai'r siart gael ei ail-luniadu fel mai 5 neu 6 o sectorau'n unig sy'n cael eu defnyddio.

2.7 Glanhau data (ymdrin â data coll, gwallau ac allanolion)

Ymdrin â gwallau

Mae glanhau data yn golygu canfod a chywiro neu waredu data am y gallai fod yno wallau teipio, er enghraifft, y gallwn ni eu nodi a'u cywiro'n hawdd. Felly ni fyddech yn gwaredu'r pwynt data yn awtomatig gan y byddech chi'n edrych yn gyntaf i weld beth oedd y gwall. Os nad oes modd cywiro'r pwyntiau data, gallwn waredu'r pwyntiau data hyn a gallwn fwrw ymlaen â'r dadansoddiad ystadegol ar y set o ddata sy'n weddill.

Ymdrin ag allanolion

Dyma restr o hapsampl o incwm aelwydydd ar heol benodol.

£45 000   £50 000   £38 000   £200 000

Yr incwm aelwyd cymedrig yn defnyddio pob un o'r gwerthoedd hyn yw

$$\frac{45\,000 + 50\,000 + 38\,000 + 200\,000}{4} = £83\,250$$

Yn amlwg, nid yw hyn yn cynrychioli'r set o ddata yn dda gan nad yw'r cymedr yn debyg i unrhyw rai o'r gwerthoedd data. Daw'r gwerth anghynrychioliadol hwn am fod allanolyn yn y data. Gwerth sydd ddim yn dilyn patrwm y data yw allanolyn. Mae'r gwerth £200 000 wedi symud y cymedr tuag at werth uwch.

Pe baen ni'n gwaredu'r allanolyn o'r data uchod, yr incwm aelwyd cymedrig yw

$$\frac{45\,000 + 50\,000 + 38\,000}{3} = £44\,333$$

sy'n fwy cynrychioliadol o'r data sy'n weddill.

Defnyddio'r fformiwlâu i nodi allanolion

Mae'n amlwg bod yr incwm aelwyd o £200 000 yn allanolyn, ond weithiau mae'n fwy anodd nodi allanolyn. Wrth lwc, mae fformiwla y gallwn ni ei defnyddio ar werthoedd data i benderfynu a ydyn nhw'n allanolion neu beidio.

Allanolyn fydd unrhyw werth sydd

yn llai na $Q_1 - 1.5 \times \text{IQR}$

neu'n fwy na $Q_3 + 1.5 \times \text{IQR}$

Enghreifftiau

1   Caiff hapsampl o feintiau esgid ei chymryd, a dyma'r canlyniadau a gafwyd:

4, 5, 6, 6, 7, 7, 8, 8, 9, 9, 9, 9, 9, 10, 14

(a)   Darganfyddwch y maint esgid canolrifol.

(b)   Darganfyddwch yr amrediad rhyngchwartel.

(c)   Penderfynwch a yw'r gwerthoedd data 4 ac 14 yn allanolion.

Ateb

1 (a) Mae'r canolrif yn rhannu'r data yn ddau hanner, a'r $\frac{n+1}{2}$ fed gwerth ydyw.

Gan fod 15 gwerth, y canolrif yw'r $\frac{15+1}{2}$ = 8fed gwerth.

Maint esgid canolrifol = 8

(b) Y chwartel isaf = $\frac{n+1}{4}$ fed gwerth, sef y $\frac{15+1}{4}$ = 4ydd gwerth.

Y chwartel isaf, $Q_1 = 6$

Y chwartel uchaf = $\frac{3(n+1)}{4}$ fed gwerth, sef y $\frac{3(15+1)}{4}$ = 12fed gwerth.

Y chwartel uchaf, $Q_3 = 9$

IQR = $Q_3 - Q_1 = 9 - 6 = 3$

(c) I weld a yw esgid maint 14 yn allanolyn, mae angen i ni ddarganfod a yw'n fwy na $Q_3 + 1.5 \times$ IQR

$Q_3 + 1.5 \times$ IQR = $9 + 1.5 \times 3 = 13.5$

Gan fod 14 yn fwy na'r gwerth hwn, mae 14 yn allanolyn.

I weld a yw esgid maint 4 yn allanolyn, mae angen i ni ddarganfod a yw'n llai na $Q_1 - 1.5 \times$ IQR

$Q_1 - 1.5 \times$ IQR = $6 - 1.5 \times 3 = 1.5$

Nid yw 4 yn llai nag 1.5, felly nid yw 4 yn allanolyn.

Gall y pwyntiau sy'n cael eu gwaredu fod yn allanolion, sef y pwyntiau hynny sy'n wahanol a heb fod yn dilyn y patrwm yn y data. Os oes diagram gwasgariad yn cael ei luniadu a bod ambell bwynt heb fod yn dilyn y patrwm, allanolion fydd y rhain a gallwn ni eu hanwybyddu.

> Dylech bob amser wneud yn siŵr bod y data mewn trefn rifiadol cyn darganfod y canolrif.

2 Mae cwmni'n cynhyrchu robotiaid sy'n beiriannau sugno llwch ac sy'n cynnwys batris ailwefradwy. Mae'r cwmni'n profi sampl o 50 o robotiaid i ymchwilio i sawl awr roedd y batri'n para cyn bod angen ei ailwefru.

Gan ddefnyddio'r data hyn, lluniwyd y tabl canlynol sy'n rhoi crynodeb o ystadegau.

Crynodeb o ystadegau

Sawl awr parodd y batri cyn bod angen ei ailwefru

Sawl awr	N	Cymedr	Gwyriad safonol	Gwerth lleiaf	Chwartel isaf	Canolrif	Chwartel uchaf	Gwerth mwyaf
	50	2.4	0.56	1.7	2.4	2.7	3.0	3.5

Hoffai'r cwmni gynnwys mai gwerth mwyaf oes y batri yw 3.5 awr. Mae'n rhaid iddo wneud yn siŵr nad allanolyn yw'r gwerth hwn.

Defnyddiwch y crynodeb o ystadegau yn y tabl i ddangos drwy gyfrifo nad yw 3.5 awr yn allanolyn.

Ateb

2 IQR = $Q_3 - Q_1$ (h.y. chwartel uchaf – chwartel isaf)

= $3.0 - 2.4 = 0.6$

Byddai gan allanolyn werth sy'n fwy na $Q_3 + 1.5 \times IQR = 3.0 + 1.5 \times 0.6 = 3.9$

Y gwerth mwyaf yw 3.5, sy'n llai na hyn, felly nid yw'r gwerth mwyaf o 3.5 yn allanolyn.

Data coll

Mae data coll yn golygu bod sampl yn llai cynrychioliadol a gall hyn effeithio ar y casgliadau am y boblogaeth y byddwch yn dod iddyn nhw. Yn aml, bydd pobl sy'n ateb holiadur yn gadael ateb i gwestiwn penodol yn wag am ei fod yn rhy bersonol.

Dyma ffyrdd o ymdrin â data coll:

Dileu'r samplau sydd ag unrhyw elfennau o ddata coll

Byddwch yn dileu'r sampl sydd ag elfennau o ddata coll. Mewn sampl bach, gall hyn leihau maint y sampl, a gallai hynny olygu nad yw'r sampl sy'n weddill yn gynrychioliadol o'r boblogaeth.

Priodoli gwerth y data coll (rhoi gwerth i mewn ar gyfer yr eitemau o ddata coll)

Mae tair prif ffordd o wneud hyn:

- Gallwch chi roi gwerthoedd o sampl tebyg yn lle'r data coll.
- Gallwch chi ddefnyddio cymedr holl werthoedd eraill yr un ystadegyn. Er enghraifft, os yr ymateb cyfartalog i sawl diwrnod rydych chi'n yfed alcohol bob wythnos yw dau, gall dau gael ei roi yn lle'r ymateb coll.
- Gallwch chi ddefnyddio technegau atchwel i ragweld gwerth yr elfen o ddata coll yn seiliedig ar y berthynas rhwng y newidyn hwnnw a newidynnau eraill.

Gwaredu newidyn

Os oes gan gwestiwn penodol mewn holiadur nifer mawr o ddata coll, gallech chi ystyried gwaredu'r newidyn (h.y. gwaredu'r cwestiwn).

Enghreifftiau

Mae'r rhan fwyaf o'r cwestiynau yn y testun hwn yn galw am wybodaeth o'r rhan fwyaf o'r testun, a dyma rai enghreifftiau i ddangos y mathau o gwestiynau fydd yn cael eu gofyn.

1   Mae ymchwilydd yn dymuno ymchwilio i'r berthynas rhwng faint o garbohydrad a faint o galorïau sydd mewn gwahanol ffrwythau. Mae'n llunio rhestr o 90 o wahanol ffrwythau, e.e. bricyll, ffrwyth ciwi, mafon.

Gan nad oes ganddo ddigon o amser i gasglu data ar gyfer pob un o'r 90 o wahanol ffrwythau, mae'n penderfynu dewis hapsampl syml o 14 o wahanol ffrwythau o'r rhestr. Am bob ffrwyth sy'n cael ei ddewis, mae wedyn yn defnyddio gwefan ddiet i ddarganfod nifer y calorïau (kcal) a faint o garbohydrad (g) sydd mewn dogn arferol sy'n addas i oedolyn (e.e. afal cyfan, clwstwr o 10 grawnwinen hanner cwpan o fefus). Mae'n rhoi'r data mewn taenlen i'w dadansoddi.

(a) Esboniwch sut gallai'r swyddogaeth haprif ar gyfrifiannell gael ei ddefnyddio i ddewis y sampl hwn o 14 o ffrwythau gwahanol.   [3]

(b) Mae'r graff gwasgariad yn cynrychioli 'Nifer y calorïau' yn erbyn 'Carbohydrad' ar gyfer y sampl o 14 o ffrwythau gwahanol.

(i)   Disgrifiwch y cydberthyniad rhwng 'Nifer y calorïau' a 'Carbohydrad'.   [1]

(ii) Dehonglwch y cydberthyniad rhwng 'Nifer y calorïau a 'Carbohydrad' yn y cyd-destun hwn. [1]

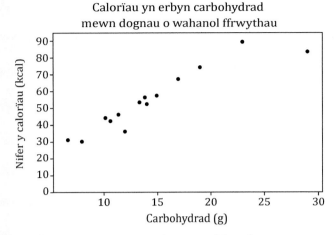

Calorïau yn erbyn carbohydrad mewn dognau o wahanol ffrwythau

(c) Hafaliad y llinell atchwel ar gyfer y set ddata hon yw:

'Nifer y calorïau' = 12.4 + 2.9 × 'Carbohydrad'

(i) Dehonglwch raddiant y llinell atchwel yn y cyd-destun hwn. [1]

(ii) Esboniwch pam mae'n rhesymol i'r llinell atchwel fod â rhyngdoriad ansero yn y cyd-destun hwn. [1]

- -

Ateb

1 (a) Rhifwch bob math o ffrwyth o 1 i 90. Defnyddiwch eneradur haprifau (ar gyfrifiannell, gwefan, meddalwedd taenlen, etc.) i ddewis haprifau o 1 i 90 er mwyn dewis y ffrwythau. Os yw rhif/ffrwyth wedi'i ddewis yn barod, dewiswch eto. Ailadroddwch hyn hyd nes bod 14 o ffrwythau gwahanol wedi'u dewis ar gyfer y sampl.

(b) (i) Cydberthyniad positif cryf

(ii) Y mwyaf o garbohydrad y mae ffrwyth yn ei gynnwys, y mwyaf o galorïau sydd ynddo.

(c) (i) Nifer y cilocalorïau am bob gram o garbohydrad. Gan fod y graddiant yn 2.9, mae'n golygu, ar gyfartaledd, fod cynnydd o 2.9 yn nifer y cilocalorïau am bob gram o gynnydd yn y carbohydrad.

(ii) Mae hyn yn golygu, hyd yn oed pe na bai carbohydrad yn y ffrwyth, y byddai rhywfaint o galorïau ynddo o gyfansoddion eraill (e.e. braster).

2 Mae gan Gareth ddiddordeb mawr mewn cerddoriaeth bop. Yn ddiweddar, darllenodd yr honiad canlynol mewn cylchgrawn cerddoriaeth.

Yn y diwydiant pop, mae'r rhan fwyaf o ganeuon yn llai na thri munud o hyd.

(a) Penderfynodd ymchwilio i'r honiad hwn drwy gofnodi hyd y 50 sengl uchaf yn Siart Senglau Swyddogol y DU yn ystod yr wythnos a oedd yn cychwyn 17 Mehefin 2016. (Yn y cyd-destun hwn, mae 'sengl' yn golygu un trac sain digidol.)

Gwnewch sylwadau am ba mor addas yw'r sampl hwn i ymchwilio i honiad y cylchgrawn. [1]

Noder y defnydd o gromfachau yma ar gyfer cyfyngau'r dosbarthiadau. Mae 2.5–(3.0) yn golygu y gallwch chi gael gwerth o 2.5 hyd at o dan 3. Noder nad yw hyn yn cynnwys 3, gan fod 3 wedi'i gynnwys yn y dosbarth nesaf.

(b) Cofnododd Gareth y data yn y tabl isod.

Hyd 50 sengl uchaf Siart Senglau Swyddogol y DU 17 Mehefin 2016

2.5–(3.0)	3.0–(3.5)	3.5–(4.0)	4.0–(4.5)	4.5–(5.0)	5.0–(5.5)	5.5–(6.0)	6.0–(6.5)	6.5–(7.0)	7.0–(7.5)
3	17	22	7	0	0	0	0	0	1

Defnyddiodd y data hyn o greu graff o ddosraniadau hyd y senglau

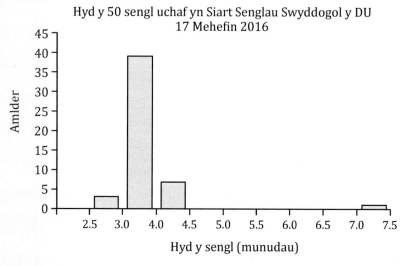

Hyd y 50 sengl uchaf yn Siart Senglau Swyddogol y DU 17 Mehefin 2016

Nodwch ddau gywiriad y mae angen i Gareth eu gwneud i'r histogram fel bod yr histogram yn cynrychioli'r data yn y tabl yn gywir.   [2]

(c) Lluniodd Gareth graff blwch o hyd y senglau hefyd.

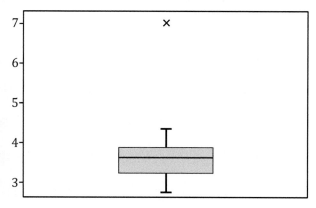

Hyd y 50 sengl uchaf yn Siart Senglau Swyddogol y DU 17 Mehefin 2016

Mae'n gweld bod un allanolyn amlwg.

(i) Beth fydd yn digwydd i'r cymedr os bydd yr allanolyn yn cael ei waredu?

(ii) Beth fydd yn digwydd i'r gwyriad safonol os bydd yr allanolyn yn cael ei waredu?   [2]

(ch) Penderfynodd Gareth waredu'r allanolyn. Wedyn lluniodd dabl o'r crynodeb o ystadegau.

(i) Defnyddiwch yr ystadegau perthnasol o'r tabl i ddangos, drwy gyfrifo, nad yw'r gwerth uchaf ar gyfer hyd sengl yn allanolyn.

Crynodeb o ystadegau

Hyd sengl y 50 sengl uchaf yn Siart Senglau Swyddogol y DU (munudau)

Hyd sengl	N	Cymedr	Gwyriad safonol	Gwerth lleiaf	Chwartel isaf	Canolrif	Chwartel uchaf	Gwerth mwyaf
	49	3.57	0.393	2.77	3.26	3.60	3.89	4.38

(ii) Nodwch, gan roi rheswm, a yw'r ystadegau hyn yn cefnogi honiad y cylchgrawn. [4]

(d) Hefyd, cyfrifodd Gareth grynodeb o ystadegau ar gyfer hyd 30 sengl wedi'u hapddewis o'i gasgliad personol.

Crynodeb o ystadegau

Hyd sengl y 30 sengl wedi'u hapsamplu gan Gareth (munudau)

Hyd sengl	N	Cymedr	Gwyriad safonol	Gwerth lleiaf	Chwartel isaf	Canolrif	Chwartel uchaf	Gwerth mwyaf
	30	3.13	0.364	2.58	2.73	2.92	3.22	3.95

Cymharwch a chyferbynnwch ddosraniad hyd y senglau yng nghasgliad personol Gareth a dosraniad hyd y 50 sengl uchaf yn Siart Senglau Swyddogol y DU. [3]

Ateb

2 (a) Ni allwch fod yn siŵr bod Siart y Senglau yn gynrychioliadol o'r boblogaeth heb wybod sut mae'r siart wedi'i chreu.

(b) Mae hyd sengl yn newidyn di-dor, felly dylai'r bylchau rhwng y barrau gael eu cau.

Dylai'r raddfa ar yr echelin-x fod wedi'i rhannu'n hafal. Mae anghysondeb yn y raddfa ar gyfer 3–4 gan y dylai fynd 3–3.5 ac wedyn 3.5–4.

(c) (i) Mae gwerth yr allanolyn yn fwy na'r gwerthoedd eraill, felly bydd ei waredu yn achosi i'r cymedr leihau.

(ii) Bydd gwasgariad gweddill y data yn lleihau, felly bydd y gwyriad safonol yn lleihau.

(ch) (i) I weld a yw'r hyd 4.38 munud yn allanolyn, mae angen i ni ddarganfod a yw'n fwy na $Q_3 + 1.5 \times IQR$

$Q_3 + 1.5 \times IQR = 3.89 + 1.5 \times (3.89 - 3.26) = 4.84$
(noder bod hyn wedi'i dalgrynnu i 3 ff.y.)

Gan nad yw'r hyd mwyaf (4.38 munud) yn fwy na'r gwerth hwn, nid yw'n allanolyn.

(ii) Canolrif = 3.60 (o'r tabl), felly mae hyn yn golygu bod o leiaf hanner y senglau yn hirach na 3 munud. Nid yw hyn yn cefnogi honiad y cylchgrawn.

(d) Mae senglau Gareth yn fyrrach na senglau'r siart ar gyfartaledd, fel y mae'r cymedr a'r canolrif is yn ei ddangos.

Mae llai o wasgariad i senglau Gareth, fel y mae'r amrediad, yr amrediad rhyngchwartel a'r gwyriad safonol is yn ei ddangos.

Mae dosraniad tua chymesur i senglau'r siart, ond yn sampl Gareth o senglau, mae mwy na'u hanner yn fyrrach na'r hyd cymedrig.

Profi eich hun

1 Casglwyd ystadegau am farciau myfyrwyr mewn ffug arholiadau Cemeg a Ffiseg TGAU. Mae'r parau o farciau i bob myfyriwr wedi'u crynhoi yn y tabl isod.

Marc Cemeg (%)	Marc Ffiseg (%)
23	20
35	37
82	90
34	28
40	41
80	76
12	10
13	12
27	30
6	10
21	30
19	21
33	30
51	47
83	90
78	65
80	74
90	85
40	67
56	50

Defnyddiwyd y data yn y tabl ynghyd â meddalwedd cyfrifiadur i greu'r diagram gwasgariad canlynol.

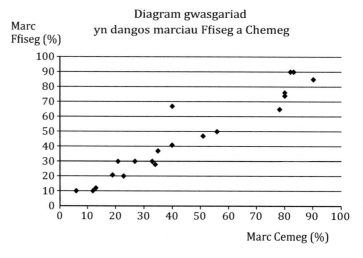

Marc Ffiseg (%)

Diagram gwasgariad yn dangos marciau Ffiseg a Chemeg

Marc Cemeg (%)

(a) Gan ddefnyddio'r diagram gwasgariad uchod, gwnewch sylwadau am y cydberthyniad rhwng y marciau ar gyfer Ffiseg a Chemeg.

(b) Gan ddefnyddio'r diagram gwasgariad yn enghraifft, esboniwch y term 'rhyngosodiad'.

(c) Mae'r llinell atchwel ar gyfer y data yn cael ei lluniadu, ac mae ei hafaliad yn cael ei ddarganfod. Esboniwch pa mor addas yw defnyddio'r hafaliad i ddarganfod y marc tebygol mewn Ffiseg ar gyfer myfyriwr a gafodd 100% mewn Cemeg.

2 Mae'r tabl isod yn rhoi gwybodaeth am bwysau, mewn cilogramau, 151 o Gŵn Tarw Prydeinig yn eu llawn dwf.

Pwysau Ci Tarw Prydeinig yn ei lawn dwf (w kg)	Amlder
$19 < w \le 20$	2
$20 < w \le 21$	10
$21 < w \le 22$	15
$22 < w \le 23$	20
$23 < w \le 24$	25
$24 < w \le 25$	30
$25 < w \le 26$	26
$26 < w \le 27$	18
$27 < w \le 28$	5

Defnyddiwyd y data hyn i greu'r gromlin amlder cronnus ganlynol.

Diagram amlder cronnus ar gyfer màs Cŵn Tarw Prydeinig

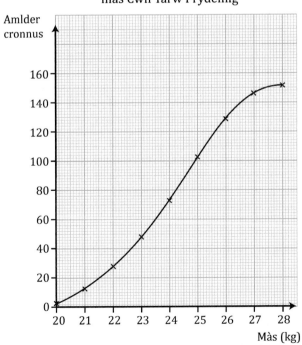

(a) Defnyddiwch y diagram amlder cronnus i gyfrifo'r canlynol:
   (i) Y chwartel isaf
   (ii) Y chwartel uchaf
   (iii) Y canolrif

(b) Darganfyddwch yr amrediad rhyngchwartel ac esboniwch ei arwyddocâd.

③ Aeth myfyriwr ati i gynnal arbrawf i weld sut roedd hyd sbring yn amrywio yn ôl y màs a roddwyd ar waelod y sbring.

Rhoddwyd màs o 50 g ar waelod y sbring a nodwyd yr hyd cyfatebol mewn cm. Ychwanegwyd 50 g arall a nodwyd yr hyd newydd. Cafodd hyn ei ailadrodd nes bod 20 pâr o werthoedd wedi'u cael.

Plotiwyd y parau o werthoedd ar graff gyda'r màs mewn g ar yr echelin-x a phlotiwyd hyd y sbring mewn cm ar yr echelin-y. Lluniadwyd llinell ffit orau a darganfuwyd yr hafaliad atchwel.

Darganfuwyd mai'r hafaliad atchwel oedd

Hyd (cm) = 20 + 0.025 × màs mewn g

(a) Esboniwch arwyddocâd y rhyngdoriad ar yr echelin fertigol.

(b) Caiff màs o 100 g ei roi ar waelod y sbring. Darganfyddwch hyd y sbring a'i estyniad.

(c) Mae màs o 5 kg am gael ei roi ar waelod y sbring. Esboniwch pam na ddylai'r hafaliad atchwel gael ei ddefnyddio i ddarganfod hyd y sbring.

④ Dyma ambell osodiad am gydberthyniad ac achosiaeth. Mae'n rhaid i chi benderfynu a yw pob gosodiad yn gywir neu'n anghywir ac yna rhoi rheswm am eich penderfyniad.

(a) Caiff diagram gwasgariad ei luniadu i ddangos lledredau a'u tymheredd cyfatebol mewn gwahanol safleoedd i'r gogledd o'r cyhydedd. Os oes 30 o wahanol ledredau'n cael eu defnyddio, bydd 30 o bwyntiau data ar y diagram.

(b) Mae achosiaeth hefyd yn ymhlygu cydberthyniad.

(c) Os oes cydberthyniad positif rhwng dau newidyn, bydd gwerth uchel un o'r newidynnau cydberthynol yn cyfateb i werth isel y llall.

(ch) Yn ôl ymchwiliad, pan oedd arddangosfeydd tân gwyllt pwrpasol wedi'u trefnu mewn ardal, roedd nifer y damweiniau sy'n gysylltiedig â thân gwyllt yn lleihau. Mae hyn yn golygu, mewn ardal lle roedd llawer o ddamweiniau sy'n gysylltiedig â thân gwyllt, roedd llai o arddangosfeydd tân gwyllt pwrpasol wedi'u trefnu.

(d) Os oes cydberthyniad positif rhwng hyd braich a thaldra, yna os chi yw'r person talaf yn eich dosbarth, chi fydd â'r hyd braich hiraf.

(dd) Os oes cydberthyniad negatif rhwng dau newidyn, byddai gwerthoedd uchel ar gyfer un newidyn yn awgrymu gwerth is ar gyfer y llall.

(e) Er mwyn profi cyffur newydd, rhoddwyd pilsen i hanner y cleifion nad oedd yn cynnwys cyffur, ac i'r hanner arall rhoddwyd y bilsen a oedd yn cynnwys y cyffur newydd. Os bydd cyflwr y ddwy set o gleifion yn datblygu'n wahanol, yna mae achosiaeth rhwng y cyffur a'r cyflwr.

⑤ Mae nifer yr wyau (x) mewn 20 o nythod cnocell y coed yn cael ei gofnodi. Dyma grynodeb o werthoedd y data:

$$\sum x_i = 102$$
$$\sum x_i^2 = 580$$

Cyfrifwch yr amrywiant a'r gwyriad safonol ar gyfer y set hon o ddata gan roi'r ddau ateb yn gywir i 3 ffigur ystyrlon.

⑥ Cofnodwyd màs, mewn kg, 20 o adar gwryw o rywogaeth benodol. $\sum x_i = 92$ a $\sum x_i^2 = 435.42$.

(a) Cyfrifwch y cymedr a'r gwyriad safonol ar gyfer màs yr adar.

(b) Màs un o'r adar yw 6.8 kg. Y gred yw y gallai'r gwerth hwn fod yn allanolyn.

Crynodeb o ystadegau

Màs rhywogaeth benodol o aderyn (kg)

Màs aderyn	N	Cymedr	Gwyriad safonol	Gwerth lleiaf	Chwartel isaf	Canolrif	Chwartel uchaf	Gwerth mwyaf
	20			3.8	4.05	4.40	5.08	6.8

Gan ddefnyddio ystadegau o'r tabl uchod a'ch ateb i ran (a), penderfynwch a yw'r gwerth hwn yn allanolyn.

(c) Mae amheuaeth bod y gwerth lleiaf o fàs aderyn yn allanolyn. Gan ddefnyddio ystadegau o'r tabl, beth yw'r màs lleiaf y gall aderyn fod heb iddo fod yn allanolyn?

7 Casglwyd data am nifer y calorïau mewn cwpan o rawnfwyd brecwast a nifer y gramau o siwgr. Lluniadwyd diagram gwasgariad gan ddefnyddio'r canlyniadau.

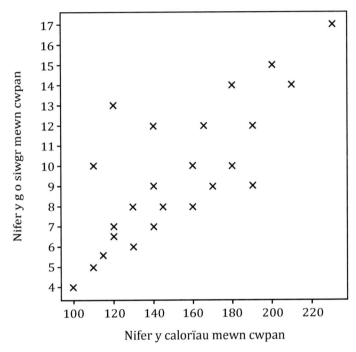

(a) (i) Gwnewch sylwadau am y cydberthyniad rhwng y 'calorïau mewn cwpan' a'r 'gramau o siwgr mewn cwpan'.

   (ii) Dehonglwch y cydberthyniad rhwng y 'calorïau mewn cwpan' a'r 'gramau o siwgr mewn cwpan'.

(b) Yr hafaliad atchwel ar gyfer y set ddata hon yw
'Gramau o siwgr mewn cwpan'
   = 0.114 × 'Nifer y calorïau mewn cwpan' + 3.50

   (i) Dehonglwch raddiant yr hafaliad atchwel ar gyfer y model hwn.

   (ii) Nodwch, gan roi rheswm, a oes modd defnyddio'r model atchwel i ragweld nifer y gramau o siwgr mewn cwpan ar gyfer cwpan o rawnfwyd siocled newydd sydd â 350 o galorïau mewn cwpan.

   (iii) Nodwch, gan roi rheswm, a yw'r berthynas rhwng y 'calorïau mewn cwpan' a'r 'gramau o siwgr mewn cwpan' yn achosol.

Crynodeb

Gwnewch yn siŵr eich bod yn gwybod y ffeithiau canlynol:

Histogramau

Nid oes bylchau rhwng y barrau ac uchder pob bar yw'r dwysedd amlder.

Mae arwynebedd y bar yn hafal i'r amlder, lle mae

Amlder (arwynebedd y bar) = dwysedd amlder × lled dosbarth

Diagramau blwch a blewyn

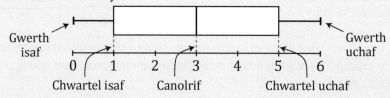

Cyfrifo'r cymedr

Ar gyfer **set o werthoedd**, cymedr, $\mu = \dfrac{\sum x_i}{n}$, lle $\sum x_i$ yw swm yr holl werthoedd unigol ac n yw nifer y gwerthoedd.

Ar **gyfer dosraniad amlder**, cymedr, $\mu = \dfrac{\sum f x_i}{\sum f}$, lle $\sum f x_i$ yw swm holl werthoedd x, a phob un wedi'i luosi â'i amlder, f, a $\sum f$ yw swm yr holl amlderau.

Cyfrifo'r modd – y modd yw'r gwerth(oedd) neu'r dosbarth sy'n digwydd amlaf.

Cyfrifo'r canolrif – y canolrif yw'r gwerth yn y canol pan fydd y gwerthoedd data wedi'u rhoi yn nhrefn maint. Y canolrif yw'r $\dfrac{n+1}{2}$ fed gwerth.

Mesurau amrywiad canolog
(amrywiant, gwyriad safonol, amrediad ac amrediad rhyngchwartel)

Gallwn ddefnyddio'r mesurau canlynol o wasgariad y data:

Amrediad
Y gwahaniaeth rhwng y gwerth mwyaf a'r gwerth lleiaf mewn set o ddata.

Amrediad rhyngchwartel (IQR)
Y gwahaniaeth rhwng y chwartel uchaf (Q_3) a'r chwartel isaf (Q_1)
Felly   IQR $= Q_3 - Q_1$

Amrywiant
Amrywiant $= \dfrac{\sum (x_i - \mu)^2}{n}$ lle $\sum (x_i - \mu)^2$ yw swm sgwariau'r gwahaniaethau rhwng pob gwerth yn y set a'r cymedr μ ac n yw cyfanswm nifer y gwerthoedd.

Y **fformiwla ar gyfer amrywiant wedi'i symleiddio** yw,

Amrywiant $= \dfrac{\sum x_i^2}{n} - \left(\dfrac{\sum x_i}{n}\right)^2$ lle $\dfrac{\sum x_i^2}{n}$ yw cymedr sgwariau'r gwerthoedd a $\left(\dfrac{\sum x_i}{n}\right)^2$ yw sgwâr cymedr y gwerthoedd.

Gwyriad safonol (σ)
Y gwyriad safonol (σ) yw ail isradd yr amrywiant, felly

$$\sigma = \sqrt{\dfrac{\sum (x_i - \mu)^2}{n}} \qquad \text{neu} \qquad \sigma = \sqrt{\dfrac{\sum x_i^2}{n} - \left(\dfrac{\sum x_i}{n}\right)^2}$$

3 Tebygolrwydd

Cyflwyniad

Mae tebygolrwydd yn rhan bwysig o ystadegaeth gan ei fod yn ymwneud â pha mor debygol yw bod digwyddiad neu ddigwyddiadau penodol yn digwydd. Caiff ei ddefnyddio i asesu risg wrth gyfrifo cost polisi yswiriant neu wrth asesu'r risgiau sy'n gysylltiedig â phenderfyniad busnes. Mae hefyd yn berthnasol yn achos y nifer o wahanol gemau sy'n ymwneud â dyfalu.

Byddwch wedi dod ar draws tebygolrwydd yn ystod eich cwrs TGAU ac mae'r testun hwn yn atgyfnerthu'r wybodaeth flaenorol hon ac yn adeiladu arni. Os yyw eich gwybodaeth o debygolrwydd ychydig yn rhydlyd, byddai'n beth da i chi fwrw golwg ar eich nodiadau TGAU neu ganllaw adolygu TGAU cyn dechrau ar y testun hwn.

Mae'r testun hwn yn ymdrin â'r canlynol:

3.1 Haparbrofion

Arbrawf, neu arsylwad y gallwn ei ailadrodd nifer o weithiau o dan yr un amodau, yw haparbrawf. Ni ddylai unrhyw ganlyniad blaenorol effeithio mewn unrhyw ffordd ar ganlyniad haparbrawf unigol ac nid yw'n bosibl rhagweld y canlyniad â sicrwydd.

Mae enghreifftiau o haparbrofion yn cynnwys:

- Taflu ceiniog. Gall yr arbrawf arwain at ddau ganlyniad posibl, sef pen neu gynffon.

- Taflu dis. Gall yr arbrawf arwain at chwe chanlyniad posibl a'r canlyniadau hyn yw'r rhifau 1 i 6 yn ôl labeli wynebau'r dis.

- Dewis pêl wedi'i rifo (1–50) o fag. Gall yr arbrawf arwain at 50 o ganlyniadau posibl.

3.2 Defnyddio gofod sampl

Gofod sampl yw'r enw ar restr gyflawn o'r holl ganlyniadau posibl sydd i haparbrawf, a chaiff ei ddynodi ag S.

Os oes dis unigol yn cael ei daflu, yna mae 6 sgôr posibl, felly'r gofod sampl yw

$$S = \{1, 2, 3, 4, 5, 6\}$$

Os oes dau ddis yn cael eu taflu, wedyn mae 36 o bosibiliadau a gallwn ysgrifennu'r gofod sampl fel hyn:

> Gallwch chi luniadu'r gofod sampl heb y cromfachau cyrliog ond dylech chi roi pob pâr o werthoedd mewn cromfachau, felly gallai'r llinell gyntaf gael ei hysgrifennu fel hyn:
>
> (1,1) (1,2) (1,3) (1,4) (1,5) (1,6)

$$S = \begin{Bmatrix} 1,1 & 1,2 & 1,3 & 1,4 & 1,5 & 1,6 \\ 2,1 & 2,2 & 2,3 & 2,4 & 2,5 & 2,6 \\ 3,1 & 3,2 & 3,3 & 3,4 & 3,5 & 3,6 \\ 4,1 & 4,2 & 4,3 & 4,4 & 4,5 & 4,6 \\ 5,1 & 5,2 & 5,3 & 5,4 & 5,5 & 5,6 \\ 6,1 & 6,2 & 6,3 & 6,4 & 6,5 & 6,6 \end{Bmatrix}$$

3.3 Digwyddiadau

Mae digwyddiad yn briodwedd sy'n gysylltiedig â chanlyniadau haparbrawf. Caiff ei gynrychioli gan is-set o'r gofod sampl.

Enghreifftiau

1 Caiff dis ciwbigol ei daflu unwaith. Digwyddiadau posibl yw:

(a) A, mae'r sgôr a gafwyd yn odrif

(b) B, mae'r sgôr a gafwyd yn fwy na 4.

Ar gyfer pob digwyddiad, rhestrwch yr elfennau yn yr is-set o'r gofod sampl.

. . . .

Ateb

1   Gofod sampl = set o ganlyniadau posibl

$$= \{1, 2, 3, 4, 5, 6\}$$

(a) $A = \{1, 3, 5\}$

(b) $B = \{5, 6\}$

2 Caiff cerdyn ei ddewis o becyn o gardiau chwarae a chaiff y siwt ei nodi. Digwyddiadau posibl yw:

(a) A, bydd calon yn cael ei ddewis

(b) B, bydd cerdyn coch yn cael ei ddewis

(c) C, bydd cerdyn du yn cael ei ddewis.

Ar gyfer pob digwyddiad, rhestrwch yr elfennau yn is-set y gofod sampl.

* *

Ateb

2 Gofod sampl = {calon, diemwnt, rhaw, clwb}

(a) A = {calon}

(b) B = {calon, diemwnt}

(c) C = {rhaw, clwb}

Cyflenwad digwyddiad

Mae cyflenwad digwyddiad A yn cael ei ddynodi ag A', sef y digwyddiad nad yw A yn digwydd.

Yn Enghraifft 1,

$$S = \{1, 2, 3, 4, 5, 6\}$$

$$A = \{1, 3, 5\}$$

ac $\quad A' = \{2, 4, 6\}$

Yn Enghraifft 2,

$$S = \{\text{calon, diemwnt, rhaw, clwb}\}$$

$$B = \{\text{calon, diemwnt}\}$$

a $\quad B' = \{\text{rhaw, clwb}\}$

> Elfennau yn S ond nid yn A.

> Elfennau yn S ond nid yn B.

Digwyddiadau wedi'u cyfuno

Ar gyfer dau ddigwyddiad A a B, mae'r digwyddiad bod A neu B neu'r ddau yn digwydd yn cael ei alw'n uniad A a B a chaiff ei ysgrifennu fel $A \cup B$.

Mae'r digwyddiad bod A a B yn digwydd yn cael ei alw'n **groestoriad** A a B a chaiff ei ysgrifennu fel $A \cap B$.

Yn Enghraifft 1, $\quad A = \{1, 3, 5\}, \quad B = \{5, 6\}$

ac $\quad A \cup B = \{1, 3, 5, 6\}$

ac $\quad A \cap B = \{5\}$

Yn Enghraifft 2, $\quad A = \{\text{calon}\}, \quad B = \{\text{calon, diemwnt}\}, \quad C = \{\text{rhaw, clwb}\},$

ac $\quad A \cup C = \{\text{calon, rhaw, clwb}\}$

ac $\quad A \cap B = \{\text{calon}\}$

Is-setiau

Tybiwch fod A = {1, 3, 5, 7, 9, 11, 13} a B = {1, 5, 11, 13}, yna mae pob aelod o set B hefyd yn aelod o set A. Rydyn ni'n dweud bod B yn **is-set** o A. Gan ddefnyddio symbolau set, mae hyn yn cael ei ysgrifennu fel hyn:

$$B \subset A$$

3.4 Diagramau Venn

Mae'r diagram isod yn dangos diagram Venn. Mae'r petryal isod yn cynrychioli'r gofod sampl, S, a'r tu mewn i hwn mae dau ddigwyddiad A a B wedi'u cynrychioli gan gylchoedd.

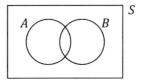

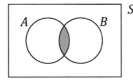
Mae'r rhanbarth hwn sydd wedi'i dywyllu yn cynrychioli'r digwyddiad lle mae A a B yn digwydd, sef $A \cap B$.

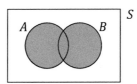
Mae'r rhanbarth hwn sydd wedi'i dywyllu yn cynrychioli'r digwyddiad lle mae A neu B, neu'r ddau, yn digwydd, sef $A \cup B$.

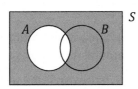
Ar y diagram Venn, mae A' yn cael ei ddangos drwy dywyllu'r rhanbarth sydd *ddim* yn A.

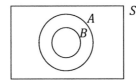
Mae B yn is-set o A, hynny yw $B \subset A$.

Mae $B \subset A$ yn golygu bod holl gynnwys set B hefyd yn y set fwy A.

Mae'n bwysig gallu disgrifio'r rhanbarthau gan ddefnyddio symbolau ac i'r gwrthwyneb.

Enghreifftiau

1 Disgrifiwch y rhanbarth sydd wedi'i dywyllu gan ddefnyddio symbolau ar gyfer pob un o'r diagramau Venn canlynol:

(a)

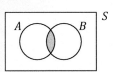

(b)

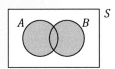

(c)

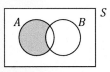

(ch)

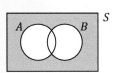

Ateb

1 (a) $A \cap B$

(b) $A \cup B$

(c) $A \cap B'$

(ch) $(A \cup B)'$

2 Lluniadwch ddiagramau Venn gyda digwyddiadau A a B a thywyllwch y rhanbarthau sy'n cael eu cynrychioli gan bob un o'r canlynol:

(a) B'

(b) $A' \cap B$

(c) $A' \cap B'$

Ateb

2 (a)

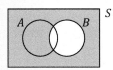

(b)

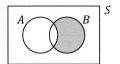

(c)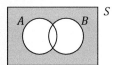

3.5 Tebygolrwydd a chanlyniadau

Yn gysylltiedig â chanlyniad (neu ddigwyddiad) haparbrawf, mae mesur o sicrwydd y gall ddigwydd. Caiff y mesur hwn ei alw'n debygolrwydd y canlyniad (digwyddiad). Mae dwy ffordd o ddiffinio tebygolrwydd.

Canlyniadau hafal debygol

Mewn rhai haparbrofion, mae'n ymddangos nad yw'r un canlyniad yn fwy tebygol o ddigwydd nag un arall. Mewn achos o'r fath, os oes N o ganlyniadau hafal debygol a bod r o'r canlyniadau hyn yn ffafrio'r digwyddiad A, yna

$$\text{Tebygolrwydd } (A \text{ yn digwydd}) = \frac{r}{N}$$

Ar gyfer unrhyw ganlyniad,
$r = 1$
$$\text{Tebygolrwydd (canlyniad)} = \frac{1}{N}$$

Enghraifft

Pan fydd cerdyn yn cael ei ddewis o becyn wedi'i gymysgu'n dda o 52 o gardiau chwarae, y tebygolrwydd o ddewis âs $= \dfrac{4}{52}$

4 âs mewn pecyn o 52 o ganlyniadau posibl.

Canlyniadau sydd ddim yn hafal debygol (dull amlder cymharol)

Weithiau, nid oes modd i ni dybio bod canlyniadau yn hafal debygol. Mewn achos fel hwn, mae'n cael ei dybio bod nifer mawr o dreialon N o'r haparbrawf yn cael eu cynnal a bod digwyddiad A yn digwydd $r(A)$ o weithiau.

Yna, rydyn ni'n cymryd

$$\text{Amcangyfrif o debygolrwydd } (A \text{ yn digwydd}) = \frac{r(A)}{N}$$

Felly, er enghraifft, os yw dis ciwbig yn cael ei daflu 1960 o weithiau a bod sgôr o fwy na 4 yn cael ei daflu 256 o weithiau, rydyn ni'n amcangyfrif,

$$\text{tebygolrwydd (sgôr} > 4) = \frac{256}{1960} = 0.13 \text{ (yn gywir i 2 le degol)}$$

Pa ddull bynnag sy'n cael ei ddefnyddio i ddiffinio tebygolrwydd, mae modd i ni ddiffinio rhai rheolau i'n galluogi ni i ddatrys problemau. Cyn gwneud hynny, nodwn os ydyn ni'n ystyried y gofod sampl cyfan yn ddigwyddiad, yna P(S) = 1. Yn yr un modd, ar gyfer digwyddiad na all ddigwydd, h.y. nid yw wedi'i gynnwys yn y gofod sampl, y tebygolrwydd yw sero.

Rydyn ni'n defnyddio diagramau Venn i sefydlu deddfau tebygolrwydd, gan ddeall mai'r ardal sydd wedi'i hamgáu gan y cylch ar gyfer A yw'r tebygolrwydd bod A yn digwydd.

Felly hefyd ar gyfer cylch B.

P(A')

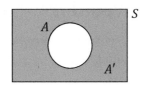

Gan fod   P(S) = 1

    P(A') = 1 – P(A)

3.6 Y ddeddf adio ar gyfer digwyddiadau cydanghynhwysol

Os yw digwyddiadau A a B yn gydanghynhwysol, mae'n golygu y gall digwyddiad A ddigwydd neu gall digwyddiad B ddigwydd, ond na all y ddau ddigwydd. Ar y diagram Venn, gallwch chi weld nad oes croestoriad rhwng A a B.

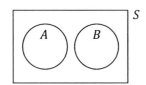

Os ydych eisiau'r tebygolrwydd y bydd A neu B yn digwydd, y cyfan mae angen i chi ei wneud yw adio'r tebygolrwydd bod A yn digwydd at y tebygolrwydd bod B yn digwydd. Gallwn ni ysgrifennu hyn fel hyn:

$$P(A \cup B) = P(A) + P(B)$$

Enghraifft

1 Mae dau ddigwyddiad A a B fel bod

    P(A) = 0.35, P(B) = 0.45 a P($A' \cap B'$) = 0.4

Darganfyddwch a yw digwyddiadau A a B yn gydanghynhwysol.

· ·

Ateb

1

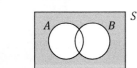

    P($A \cup B$) = 1 – P($A' \cap B'$) = 1 – 0.4 = 0.6

Nawr os yw'r digwyddiadau'n gydanghynhwysol, gallwn ysgrifennu

    P($A \cup B$) = P(A) + P(B) = 0.35 + 0.45 = 0.8

Gan nad yw'r ddau ganlyniad hyn yn cyd-fynd, nid yw'r ddau ddigwyddiad yn gydanghynhwysol.

Mae'r fformiwla hon yn berthnasol i ddigwyddiadau cydanghynhwysol yn unig. Nid yw hi wedi'i chynnwys yn y llyfryn fformiwlâu, felly bydd angen i chi ei chofio. Noder bod modd defnyddio hon i brofi bod dau ddigwyddiad A a B yn gydanghynhwysol.

Un ffordd o ddatrys hyn yw lluniadu diagram Venn ar gyfer digwyddiadau anghydanghynhwysol. Noder, pe bai'r digwyddiadau gydanghynhwysol, ni fyddai gorgyffwrdd rhwng digwyddiadau A a B. Mae'r rhanbarth sydd wedi'i dywyllu yn dangos $A' \cap B'$ (h.y. popeth nad yw'n A na B). Gallwch chi weld bod y rhanbarth sydd heb ei dywyllu yn cynrychioli $A \cup B$. Cofiwch mai cyfanswm tebygolrwydd y gofod sampl S yw 1.

3.7 Y ddeddf adio gyffredinol

Mae adio ardaloedd *A* a *B* yn golygu adio P(*A* ∩ *B*) ddwywaith, felly mae'n rhaid tynnu un ohonynt.

Mae'r ddeddf adio gyffredinol yn cysylltu tebygolrwydd y croestoriad a thebygolrwydd uniad dau ddigwyddiad *A* a *B*.

Yna P(*A* ∪ *B*) = P(*A*) + P(*B*) − P(*A* ∩ *B*) .

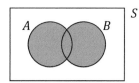

Mae hon yn fformiwla bwysig iawn ac mae'n rhaid ei chofio.

3.8 Deddf lluosi ar gyfer digwyddiadau annibynnol

Nid yw'r fformiwla hon wedi'i chynnwys yn y llyfryn fformiwlâu a bydd angen ei chofio. Noder hefyd bod y fformiwla hon yn berthnasol i ddigwyddiadau annibynnol yn unig. Noder bod P(*A* ∩ *B*) yn cynrychioli'r tebygolrwydd bod digwyddiadau *A* a digwyddiadau *B* yn digwydd. Mae myfyrwyr yn aml yn drysu rhwng digwyddiadau annibynnol a digwyddiadau cydanghynhwysol. Noder y gwahaniaeth.

Pan na fydd digwyddiad yn cael effaith ar ddigwyddiad arall, rydyn ni'n dweud eu bod nhw'n ddigwyddiadau annibynnol. Er enghraifft, os bydd digwyddiad *A* yn digwydd, ni fydd yn cael effaith ar ddigwyddiad *B* yn digwydd, ac i'r gwrthwyneb.

Dyma'r ddeddf lluosi ar gyfer digwyddiadau annibynnol:

$$P(A \cap B) = P(A) \times P(B)$$

Enghreifftiau

1 Mae digwyddiadau *A* a *B* fel bod

P(*A*) = 0·3,   P(*B*) = 0·2,   P(*A* ∪ *B*) = 0·44.

(a) Dangoswch fod *A* a *B* yn annibynnol.

(b) Cyfrifwch y tebygolrwydd y bydd un yn union o'r ddau ddigwyddiad yn digwydd.

Ateb

1 (a) P(*A* ∪ *B*) = P(*A*) + P(*B*) − P(*A* ∩ *B*)

Mae aildrefnu yn rhoi

P(*A* ∩ *B*) = P(*A*) + P(*B*) − P(*A* ∪ *B*)

= 0.3 + 0.2 − 0.44 = 0.06

Dyma'r ddeddf adio gyffredinol ac mae i'w gweld yn y llyfryn fformiwlâu.

Os yw'r digwyddiadau'n annibynnol,   P(*A* ∩ *B*) = P(*A*) × P(*B*)

= 0.3 × 0.2 = 0.06

Noder bod y ddeddf lluosi hon yn berthnasol os yw'r digwyddiadau'n annibynnol yn unig.

Trwy hyn, mae'r digwyddiadau'n annibynnol oherwydd

P(*A* ∩ *B*) = P(*A*) × P(*B*)

(b) Tebygolrwydd y bydd un digwyddiad yn union yn digwydd

= P(*A* ∪ *B*) − P(*A* ∩ *B*)

= 0.44 − 0.06 = 0.38

Ffordd arall o gyfrifo hyn yw:

P(*A* yn unig)

= 0.3 − 0.06 = 0.24

P(*B* yn unig)

= 0.2 − 0.06 = 0.14

P(*A* neu *B* yn unig)

= 0.24 + 0.14 = 0.38

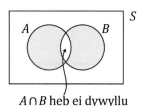

A ∩ *B* heb ei dywyllu

Ateb mewn ffordd arall

Gallai'r broblem hon hefyd gael ei datrys fel hyn:

1 (a)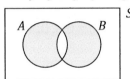

Gadewch i x = P($A \cap B$) felly tebygolrwydd A yn unig yw $0.3 - x$ a thebygolrwydd B yn unig yw $0.2 - x$.

O'r cwestiwn, P($A \cup B$) = 0.44, felly o'r diagram Venn cawn fod

$$0.3 - x + x + 0.2 - x = 0.44$$
$$0.5 - x = 0.44$$

Trwy hyn $\qquad x = 0.06$

Os yw'r ddau ddigwyddiad A a B yn annibynnol, yna,

$$P(A \cap B) = P(A) \times P(B) = 0.3 \times 0.2 = 0.06$$

Gan fod P($A \cap B$) = 0.06 a P(A) × P(B) = 0.06, cawn fod P($A \cap B$) = P(A) × P(B) sy'n profi bod digwyddiadau A a B yn annibynnol.

(b) Y tebygolrwydd y bydd un yn union o'r ddau ddigwyddiad yn digwydd yw'r ardal sydd wedi'i thywyllu yn y diagram.

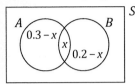

P(un yn union o'r digwyddiadau'n digwydd) = $0.3 - x + 0.2 - x = 0.5 - 2x$

Gan fod x = 0.06, y tebygolrwydd sydd ei angen = $0.5 - 0.12 = 0.38$

---

2 Mae digwyddiadau annibynnol A a B fel bod

$$P(A) = 0.6, \quad P(B) = 0.3.$$

Darganfyddwch werth

(a) P($A \cup B$) [3]

(b) P($A \cup B'$) [3]

· ·

Ateb

2 (a) Mae defnyddio $\quad$ P($A \cup B$) = P(A) + P(B) − P($A \cap B$) yn rhoi

$$P(A \cup B) = 0.6 + 0.3 - (0.6 \times 0.3) = 0.72$$

(b) P(B') = 1 − P(B) = 1 − 0.3 = 0.7

Nawr, P($A \cup B'$) = P(A) + P(B') − P($A \cap B'$)

$$= P(A) + P(B') - P(A) \times P(B')$$
$$= 0.6 + 0.7 - 0.6 \times 0.7$$
$$= 0.88$$

Noder bod
P($A \cap B$) = P(A) × P(B)
$\qquad$ = 0.6 × 0.3 = 0.18

Noder y gallwch chi ddefnyddio'r canlyniad
P($A \cup B$) = P(A) + P(B) − P($A \cap B$)

ond gan roi B' yn lle B bob tro er mwyn cael y canlynol:
P($A \cup B'$) = P(A) + P(B') − P($A \cap B'$)

Noder bod A a B' yn annibynnol.

3 Tebygolrwydd

Gallai'r rhan hon hefyd gael ei datrys drwy luniadu diagram Venn.

Dull arall

2 (a) Gan fod y digwyddiadau'n annibynnol, $P(A \cap B) = P(A) \times P(B)$

$$= 0.6 \times 0.3 = 0.18$$

$P(A$ yn unig$) = 0.6 - 0.18 = 0.42$

$P(B$ yn unig$) = 0.3 - 0.18 = 0.12$

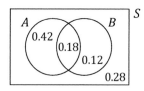

$P(A \cup B) = 0.42 + 0.18 + 0.12 = 0.72.$

(b)

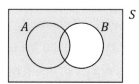

$P(A \cup B') = 1 - P(B$ yn unig yn digwydd$) = 1 - 0.12 = 0.88$

Caiff y diagram Venn ei luniadu gyda'r rhanbarth wedi'i dywyllu yn cynrychioli $A \cup B'$.

Hawdd wedyn yw gweld, os ydych chi'n tynnu tebygolrwydd digwyddiad B yn unig o 1, y byddwch chi'n cael y tebygolrwydd sydd ei angen.

---

3 Mae A a B yn ddau ddigwyddiad fel bod

$P(A) = 0.35$, $P(B) = 0.25$ a $P(A \cup B) = 0.5$. Darganfyddwch

(a) $P(A \cap B)$

(b) $P(A')$

(c) $P(A \cup B')$

· ·

Ateb

3 (a) $P(A \cap B) = P(A) + P(B) - P(A \cup B)$

$$= 0.35 + 0.25 - 0.5$$

$$= 0.1$$

(b) $P(A') = 1 - P(A) = 1 - 0.35 = 0.65$

(c)

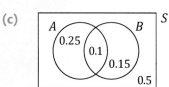

$P(B') = 1 - P(B) = 1 - 0.25 = 0.75$

$P(A \cup B') = P(A) + P(B') - P(A \cap B') = 0.35 + 0.75 - 0.25 = 0.85$

Aildrefnwch

$P(A \cup B) = P(A) + P(B)$
$\quad - P(A \cap B)$

---

4 Mae digwyddiadau A a B fel bod $P(A) = P(B) = p$ a $P(A \cup B) = 0.64$.

(a) O wybod bod A a B yn gydanghynhwysol, darganfyddwch werth p. [2]

(b) O wybod, yn hytrach, bod A a B yn annibynnol, dangoswch fod

$$25p^2 - 50p + k = 0,$$

lle mae k yn gysonyn y mae angen darganfod ei werth.

Trwy hyn, darganfyddwch werth p. [5]

Ateb

4 (a) $p + p = 0.64$

$2p = 0.64$

$p = 0.32$

(b) $P(A \cap B) = p \times p = p^2$

Mae defnyddio $P(A \cup B) = P(A) + P(B) - P(A \cap B)$ yn rhoi

$$0.64 = 2p - p^2$$

$$p^2 - 2p + 0.64 = 0$$

Mae lluosi pob ochr i'r hafaliad uchod â 25 yn rhoi

$$25p^2 - 50p + 16 = 0$$

Mae cymharu'r hafaliad hwn â'r un sy'n cael ei roi yn y cwestiwn yn rhoi

$$k = 16$$

Mae ffactorio $25p^2 - 50p + 16 = 0$ yn rhoi

$$(5p - 2)(5p - 8) = 0$$

Felly $p = \frac{2}{5}$ neu $\frac{8}{5}$

Ond, gan mai tebygolrwydd yw p, ni all fod yn fwy nag 1,

felly rydyn ni'n anwybyddu'r ateb $p = \frac{8}{5}$

Trwy hyn, $p = \frac{2}{5}$ (neu 0.4 fel degolyn).

---

5 Mae dau ddigwyddiad A a B fel bod $P(A) = 0.3$ a $P(B) = 0.6$.

Darganfyddwch werth $P(A \cup B)$ pan fydd

(a) A, B yn gydanghynhwysol

(b) A, B yn annibynnol

(c) $A \subset B$

Ateb

5 (a) $P(A \cup B) = P(A) + P(B)$

$= 0.3 + 0.6 = 0.9$

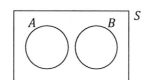

Gan fod A a B yn gydanghynhwysol, nid oes gorgyffwrdd rhwng digwyddiadau A a B. Trwy hyn, $P(A \cup B)$ yw'r tebygolrwydd bod A neu B yn digwydd, felly caiff y tebygolrwydd ar gyfer y naill a'r llall ei adio.

Gan fod digwyddiadau A a B nawr yn annibynnol, gallai fod gorgyffwrdd rhwng y ddau ddigwyddiad, felly gallai $A \cap B$ fodoli.

Hafaliad cwadratig yw hwn, a gallwn ei ddatrys drwy ffactorio, cwblhau'r sgwâr neu ddefnyddio'r fformiwla.

GWELLA Gradd

Pan fyddwch chi'n datrys hafaliad cwadratig, cewch chi ddau ateb gwahanol yn aml. Pan fydd hyn yn digwydd, gofynnwch i'ch hun a yw'r ddau ateb yn cael eu caniatáu, neu un yn unig.

Gan fod A a B yn gydanghynhwysol, ni all A a B ddigwydd, felly nid oes gorgyffwrdd rhwng y setiau. Noder nad oes gofyn i chi luniadu unrhyw ddiagramau Venn, ond gallech chi eu lluniadu os yw hynny'n eich helpu.

Sylwch y byddai'r gorgyffyrddiad yn cael ei adio ddwywaith pe baech chi'n ystyried P(A) + P(B) yn unig. Trwy hyn, mae angen i ni dynnu un gorgyffyrddiad (h.y. P($A \cap B$)).

(b)   P($A \cup B$) = P(A) + P(B) – P($A \cap B$)

$\qquad$ = 0.3 + 0.6 – (0.3 × 0.6) = 0.72

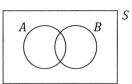

Mae set A wedi'i gynnwys yn set B, felly mae P(A) eisoes wedi'i gynnwys yn P(B).

(c)   P($A \cup B$) = P(B)

$\qquad$ = 0.6

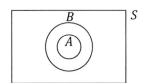

---

6   Mae'r digwyddiadau annibynnol A, B fel bod P(A) = 0.2, P($A \cup B$) = 0.4.

(a)   Darganfyddwch werth P(B).   [4]

(b)   Cyfrifwch y tebygolrwydd y bydd un yn union o'r digwyddiadau A, B yn digwydd.   [3]

. . . .

Ateb

6   (a)   P($A \cup B$) = P(A) + P(B) – P($A \cap B$)

$\qquad$ 0.4 = 0.2 + P(B) – P($A \cap B$)   (1)

Nawr P($A \cap B$) = P(A) × P(B) = 0.2 P(B)

Mae amnewid y gwerthoedd hyn i mewn i hafaliad (1) yn rhoi

$\qquad$ 0.4 = 0.2 + P(B) – 0.2 P(B)

$\qquad$ 0.2 = 0.8 P(B)

$\qquad$ P(B) = 0.25

(b)   Gallwch chi luniadu diagram Venn i ddangos y rhanbarth sydd ei angen (wedi'i ddangos wedi'i dywyllu).

Mae hyn yn cynrychioli tebygolrwydd A ond nid B neu'r tebygolrwydd nid A ond B.

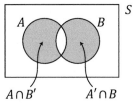

$\qquad A \cap B' \qquad A' \cap B$

Nawr P(B') = 1 – P(B) = 1 – 0.25 = 0.75

$\qquad$ P(A') = 1 – P(A) = 1 – 0.2 = 0.8

Y tebygolrwydd sydd ei angen = P($A \cap B'$) + P($A' \cap B$)

$\qquad$ = 0.2 × 0.75 + 0.8 × 0.25

$\qquad$ = 0.15 + 0.2 = 0.35

Dysgu Gweithredol

Lluniwch boster sy'n cynnwys crynodeb o ddefnyddio setiau i ddisgrifio tebygolrwydd. Dylai eich poster allu helpu myfyrwyr i ddeall sut mae defnyddio diagramau Venn i ddatrys problemau tebygolrwydd.

Profi eich hun

1. Mae digwyddiadau A a B fel bod:
   P(A) = 0.45, P(B) = 0.30, P(A ∩ B) = 0.25
   Cyfrifwch debygolrwydd:
   (a) P(A ∪ B)
   (b) P(A′ ∩ B′).

2. Mae Amy a Bethany yn taflu dis ciwbig teg â'i wynebau wedi'u rhifo,
   1, 2, 3, 4, 5, 6.
   (a) Cyfrifwch y tebygolrwydd bod y sgôr ar ddis Amy:
       (i) yn hafal i'r sgôr ar ddis Bethany
       (ii) yn fwy na'r sgôr ar ddis Bethany.
   (b) O wybod mai swm y sgoriau ar y ddau ddis yw 4, darganfyddwch y
       tebygolrwydd bod y ddau sgôr yn hafal.

3. Digwyddiadau annibynnol yw A a B fel bod:
   P(A) = 0.3 a P(A ∪ B) = 0.5.
   (a) Cyfrifwch P(B).
   (b) Cyfrifwch y tebygolrwydd y bydd un yn union o'r ddau ddigwyddiad
       yn digwydd.

4. Mae digwyddiadau A a B fel bod:
   P(A) = 0.4, P(B) = 0.35 a P(A′ ∩ B′) = 0.4.
   Darganfyddwch:
   (a) a yw A a B yn gydanghynhwysol
   (b) a yw A a B yn annibynnol.

5. Mae dau ddigwyddiad annibynnol A a B fel bod:
   P(A) = 0.4, P(B) = 0.3
   Darganfyddwch:
   (a) P(A ∩ B)   [1]
   (b) P(A ∪ B)   [3]
   (c) y tebygolrwydd nad yw A na B yn digwydd.   [3]

6. Mae dau ddigwyddiad A a B fel bod:
   P(A) = 0.4, P(B) = 0.2, P(A ∪ B) = 0.5
   (a) Cyfrifwch P(A ∩ B).   [2]
   (b) Darganfyddwch a yw A a B yn annibynnol.   [2]

7. Mae digwyddiadau A a B fel bod
   P(A) = 0·2, P(B) = 0·4, P(A ∪ B) = 0·52.
   (a) Dangoswch fod A a B yn annibynnol.   [5]
   (b) Cyfrifwch y tebygolrwydd y bydd un yn union o'r ddau ddigwyddiad
       yn digwydd.   [2]

8. Mae digwyddiadau A a B fel bod
   P(A) = 0·3, P(B) = 0·4.
   Enrhifwch P(A ∪ B) ym mhob un o'r achosion canlynol.
   (a) Mae A a B yn gydanghynhwysol.
   (b) Mae A a B yn annibynnol.

9. Mae digwyddiadau A a B fel bod P(A) = 0.2, P(B) = 0.3. Darganfyddwch
   werth P(A ∪ B) pan fo
   (a) A, B yn gydanghynhwysol,   [2]
   (b) A, B yn annibynnol,   [3]
   (c) A ⊂ B.   [1]

Crynodeb

Diagramau Venn

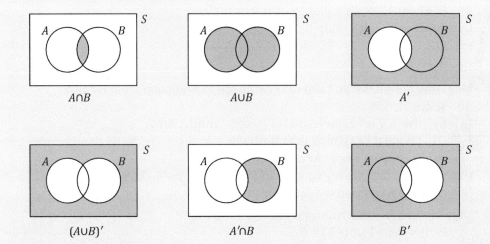

Digwyddiadau cyflenwol

Y tebygolrwydd nad yw A yn digwydd (h.y. A') yw un tynnu y tebygolrwydd bod A yn digwydd:

$$P(A') = 1 - P(A)$$

Ystyr digwyddiadau annibynnol a digwyddiadau cydanghynhwysol

Pan nad yw digwyddiad yn cael unrhyw effaith ar ddigwyddiad arall, rydyn ni'n dweud eu bod nhw'n ddigwyddiadau annibynnol. Er enghraifft, os yw digwyddiad A yn digwydd, ni fydd yn cael effaith ar ddigwyddiad B yn digwydd, ac i'r gwrthwyneb.

Os yw digwyddiadau A a B yn gydanghynhwysol, gall A neu B ddigwydd ond nid y ddau.

Y ddeddf adio ar gyfer digwyddiadau cydanghynhwysol

$$P(A \cup B) = P(A) + P(B)$$

Y ddeddf adio gyffredinol

$$P(A \cup B) = P(A) + P(B) - P(A \cap B)$$

Deddf lluosi ar gyfer digwyddiadau annibynnol

$$P(A \cap B) = P(A) \times P(B)$$

4 Dosraniadau ystadegol

Cyflwyniad

Pan gaiff data eu casglu, gallan nhw gael eu modelu fel un o'r nifer o ddosraniadau y gallwn ni eu defnyddio i ragfynegi ar sail y data. Mae hyn yn swnio ychydig yn gymhleth, ac mae disgrifio'r broses yn fwy cymhleth na'i gwneud.

4.1 Y dosraniad binomaidd, fel model

Profion Bernoulli

Mae prawf Bernoulli yn arbrawf lle mae'r canlyniad yn un ar hap a gall fod yn un o ddau ganlyniad posibl, 'llwyddiant' neu 'fethiant'.

Er mwyn cynnal prawf Bernoulli, mae angen i'r cwestiwn gael ei eirio mewn ffordd fel bod modd categoreiddio'r digwyddiad fel llwyddiant os yw'n digwydd, a methiant os nad yw'n digwydd.

Er enghraifft, gallech chi ofyn y cwestiwn, 'A wnaeth y dis lanio ar 6?' Os gwnaeth, byddai hyn yn cael ei ystyried yn llwyddiant, ac os na wnaeth, byddai'n cael ei ystyried yn fethiant. Mae profion annibynnol sy'n cael eu hailadrodd sydd â dau ganlyniad yn unig yn cael eu galw'n brofion Bernoulli.

Os p yw tebygolrwydd llwyddiant mewn prawf Bernoulli a q yw tebygolrwydd methiant, yna mae gennym ni'r canlyniad:

$$p + q = 1$$

> Bydd tebygolrwydd llwyddiant p wedi'i adio at debygolrwydd methiant q yn rhoi cyfanswm o un.

Dosraniad binomaidd

Mae arbrawf binomaidd yn perthyn yn agos i arbrawf Bernoulli. Mae'n cynnwys nifer sefydlog o brofion, n, a phob un â thebygolrwydd p o lwyddiant, ac mae'n cyfrif nifer y llwyddiannau, x. Weithiau, mae hyn yn cael ei dalfyrru i B(n, p). Mae'r dosraniad binomaidd yn ddosraniad tebygolrwydd arwahanol, ac mae tebygolrwydd nifer penodol o lwyddiannau, x, yn cael ei roi gan y fformiwla ganlynol:

$$P(X = x) = \binom{n}{x}p^x(1 - p)^{n - x}$$

> Noder bod y fformiwla hon wedi'i chynnwys yn y llyfryn fformiwlâu.

Noder y gall $\binom{n}{x}$ hefyd gael ei ysgrifennu fel ^nC_x felly pan fydd gwerthoedd rhifiadol i n ac x, gallwch chi amnewid y rhain i mewn i'ch cyfrifiannell ar gyfer n ac x er mwyn darganfod gwerth ar gyfer $\binom{n}{x}$. Mae'n bwysig nodi bod llawer o gyfrifianellau'n defnyddio r yn lle x i roi ^nC_r. Tebygolrwydd methiant ar gyfer pob prawf yw $1 - p = q$.

Gall y fformiwla dosraniad binomaidd gael ei defnyddio gyda'r canlynol yn unig:

- Profion annibynnol (h.y. pan nad yw tebygolrwydd un digwyddiad yn dibynnu ar un arall).
- Profion lle mae tebygolrwydd cyson o lwyddiant.
- Nifer sefydlog o brofion.
- Lle mae llwyddiant neu fethiant yn unig.

Defnyddiwch eich cyfrifiannell i gyfrifo'r canlynol a gwiriwch eich bod wedi cael yr atebion isod.

Enghreifftiau

1   Cyfrifwch y canlynol:

(a) $\binom{5}{0}$

(b) $\binom{5}{1}$

> ### GWELLA
> ⇧⇧⇧⇧ **Gradd**
>
> Mewn cwestiynau arholiad, yn aml bydd gofyn i chi sôn am yr amodau ar gyfer defnyddio'r dosraniad binomaidd. Mae angen i chi gofio'r amodau hyn.

(c) $\binom{8}{5}$

(ch) $\binom{10}{5}$

Ateb

(a) $\binom{5}{0} = 1$

(b) $\binom{5}{1} = 5$

(c) $\binom{8}{5} = 56$

(ch) $\binom{10}{5} = 252$

---

2 Mae gwerthwr yn gwneud 60 o alwadau i gwsmeriaid posibl yn ystod wythnos benodol. Mae'r tebygolrwydd o gael gwerthiant ym mhob galwad yn annibynnol ar alwadau eraill, a'r tebygolrwydd yw 0.3.

Darganfyddwch y tebygolrwydd y bydd, yn ystod wythnos benodol, yn cael:

(a) 10 gwerthiant yn union.

(b) 19 neu 20 gwerthiant yn union.

Ateb

2 (a) Mae defnyddio $P(X = x) = \binom{n}{x}p^x(1 - p)^{n-x}$

gydag $x = 10$, $n = 60$ a $p = 0.3$ yn rhoi

$$P(X = 10) = \binom{60}{10}0.3^{10}(1 - 0.3)^{60-10}$$

$$= \binom{60}{10}0.3^{10}(0.7)^{50}$$

$$= 0.008 \text{ (yn gywir i 3 lle degol)}$$

Noder y tybiaethau wrth ddefnyddio'r dosraniad binomaidd.

(b) Mae defnyddio $P(X = x) = \binom{n}{x}p^x(1 - p)^{n-x}$

gydag $x = 19$, $n = 60$ a $p = 0.3$ yn rhoi

$$P(X = 19) = \binom{60}{19}0.3^{19}(1 - 0.3)^{60-19}$$

$$= \binom{60}{19}0.3^{19}(0.7)^{41}$$

$$= 0.1059 \text{ (yn gywir i 4 lle degol)}$$

Defnyddiwch y fformiwla ar gyfer y dosraniad binomaidd, $P(X = x) = \binom{n}{x}p^x(1 - p)^{n-x}$ sydd i'w gweld yn y llyfryn fformiwlâu.

Mae defnyddio $P(X = x) = \binom{n}{x}p^x(1 - p)^{n-x}$

gydag $x = 20$, $n = 60$ a $p = 0.3$ yn rhoi

$$P(X = 20) = \binom{60}{20}0.3^{20}(1 - 0.3)^{60-20}$$

$$= \binom{60}{20}0.3^{20}(0.7)^{40}$$

$$= 0.0931 \text{ (yn gywir i 4 lle degol)}$$

Caiff y tebygolrwydd o gael 19 neu 20 ei ganfod drwy adio'r ddau debygolrwydd at ei gilydd.

Nawr, $P(X = 19 \text{ neu } 20) = P(X = 19) + P(X = 20)$

$= 0.1059 + 0.0931$

$= 0.199$ (yn gywir i 3 lle degol)

Defnyddio tablau dosraniad binomaidd i ganfod tebygolrwydd

Mae darganfod tebygolrwydd gan ddefnyddio'r fformiwla yn feichus mewn rhai sefyllfaoedd, ond yn ffodus mae ffordd gyflymach o'i darganfod na thrwy gyfrifo. Mae modd i ni ddefnyddio tablau'r ffwythiant dosraniad binomaidd. Mae'r tablau hyn yn cael eu darparu yn yr arholiad a rhaid i chi ymgyfarwyddo â'u defnyddio.

Mae tabl y ffwythiant dosraniad binomaidd yn rhoi'r tebygolrwydd o gael dim mwy nag x o lwyddiannau mewn dilyniant o n o brofion annibynnol, lle mae gan bob un debygolrwydd o lwyddiant p.

Mae'r fformiwla hon yn rhoi'r tebygolrwydd o gael llai na neu'n hafal i x o lwyddiannau.

Mae'r tabl yn cyfrifo'r tebygolrwydd ar gyfer y ffwythiant canlynol:

$$P(X \leq x) = \sum_{r=0}^{x} \binom{n}{r} p^r (1-p)^{n-r}$$

I ddefnyddio'r tablau, yn gyntaf mae angen i chi wirio'n ofalus eich bod chi'n defnyddio'r tabl cywir yn y llyfryn o dablau ystadegol. Gwnewch yn siŵr eich bod chi'n defnyddio Tabl 1 Y Ffwythiant Dosraniad Binomaidd.

Bydd angen tri swm arnoch er mwyn canfod y tebygolrwydd yn y tabl, sef:

- n, cyfanswm nifer y profion
- x, nifer y llwyddiannau
- p, y tebygolrwydd o lwyddiant

Noder, yn y cwestiwn, y byddai 3 neu lai yn cynnwys 3. Trwy hyn, rydyn ni'n darganfod y tebygolrwydd bod 0, 1, 2 neu 3 o gydrannau yn cael eu gwrthod.

Er enghraifft, cymerwch mai tebygolrwydd bod cydran benodol yn cael ei gwrthod mewn swp o gydrannau yw 0.3 yn annibynnol ar yr holl gydrannau eraill. Mewn swp o 10 o gydrannau, beth yw'r tebygolrwydd bod 3 neu lai o gydrannau yn cael eu gwrthod?

Yn yr achos hwn, mae gennym ni $n = 10$, $p = 0.3$ ac $x = 3$

Gadewch i ni archwilio allbynnau'r tablau ar gyfer y gwerthoedd hyn.

Dyma sut mae defnyddio'r tabl.

- Yn gyntaf, mae'n rhaid i chi ddarganfod y tabl cywir yn y llyfryn. Yma, rydych chi'n defnyddio tablau'r ffwythiant dosraniad binomaidd.

- Edrychwch am yr adran sy'n cyfeirio at werth n (h.y. 10 yn yr achos hwn).

- Rydych chi wedyn yn edrych i lawr y golofn ac yn dewis y gwerth ar gyfer x (h.y. 3 yn yr achos hwn).

- Yna, edrychwch ar benawdau'r tebygolrwydd ar frig y dudalen i ddod o hyd i'r gwerth sydd ei angen ar gyfer p (0.30 yn yr achos hwn). Darllenwch y croestoriad rhwng y gwerth ar gyfer x a'r gwerth ar gyfer p a dyna fydd y tebygolrwydd. Ar gyfer yr enghraifft hon, gwiriwch eich bod wedi cael tebygolrwydd o 0.6496.

Dyma dudalen o'r tabl tebygolrwydd y gallwch chi ei defnyddio i wirio'r ateb i'r broblem uchod.

5

FFWYTHIANT DOSRANIAD BINOMIAL

x\p	0.01	0.02	0.03	0.04	0.05	0.06	0.07	0.08	0.09	0.10	0.15	0.20	0.25	0.30	0.35	0.40	0.45	0.50	p\x
n = 9 0	.9135	.8337	.7602	.6925	.6302	.5730	.5204	.4722	.4279	.3874	.2316	.1342	.0751	.0404	.0207	.0101	.0046	.0020	0
1	.9966	.9869	.9718	.9522	.9288	.9022	.8729	.8417	.8088	.7748	.5995	.4362	.3003	.1960	.1211	.0705	.0385	.0195	1
2	.9999	.9994	.9980	.9955	.9916	.9862	.9791	.9702	.9595	.9470	.8591	.7382	.6007	.4628	.3373	.2318	.1495	.0898	2
3	1.000	1.000	.9999	.9997	.9994	.9987	.9977	.9963	.9943	.9917	.9661	.9144	.8343	.7297	.6089	.4826	.3614	.2539	3
4			1.000	1.000	1.000	.9999	.9998	.9997	.9995	.9991	.9944	.9804	.9511	.9012	.8283	.7334	.6214	.5000	4
5										.9999	.9994	.9969	.9900	.9747	.9464	.9006	.8342	.7461	5
6										1.000	1.000	.9997	.9987	.9957	.9888	.9750	.9502	.9102	6
7												1.000	.9999	.9996	.9986	.9962	.9909	.9805	7
8													1.000	1.000	.9999	.9997	.9992	.9980	8
9															1.000	1.000	1.000	1.000	9
n = 10 0	.9044	.8171	.7374	.6648	.5987	.5386	.4840	.4344	.3894	.3487	.1969	.1074	.0563	.0282	.0135	.0060	.0025	.0010	0
1	.9957	.9838	.9655	.9418	.9139	.8824	.8483	.8121	.7746	.7361	.5443	.3758	.2440	.1493	.0860	.0464	.0233	.0107	1
2	.9999	.9991	.9972	.9938	.9885	.9812	.9717	.9599	.9460	.9298	.8202	.6778	.5256	.3828	.2616	.1673	.0996	.0547	2
3	1.000	1.000	.9999	.9996	.9990	.9980	.9964	.9942	.9912	.9872	.9500	.8791	.7759	.6496	.5138	.3823	.2660	.1719	3
4			1.000	1.000	.9999	.9998	.9997	.9994	.9990	.9984	.9901	.9672	.9219	.8497	.7515	.6331	.5044	.3770	4
5										.9999	.9986	.9936	.9803	.9527	.9051	.8338	.7384	.6230	5
6										1.000	.9999	.9991	.9965	.9894	.9740	.9452	.8980	.8281	6
7											1.000	.9999	.9996	.9984	.9952	.9877	.9726	.9453	7
8												1.000	1.000	.9999	.9995	.9983	.9955	.9893	8
9														1.000	1.000	.9999	.9997	.9990	9
10																1.000	1.000	1.000	10
n = 11 0	.8953	.8007	.7153	.6382	.5688	.5063	.4501	.3996	.3544	.3138	.1673	.0859	.0422	.0198	.0088	.0036	.0014	.0005	0
1	.9948	.9805	.9587	.9308	.8981	.8618	.8228	.7819	.7399	.6974	.4922	.3221	.1971	.1130	.0606	.0302	.0139	.0059	1
2	.9998	.9988	.9963	.9917	.9848	.9752	.9630	.9481	.9305	.9104	.7788	.6174	.4552	.3127	.2001	.1189	.0652	.0327	2
3	1.000	1.000	.9998	.9993	.9984	.9970	.9947	.9915	.9871	.9815	.9306	.8389	.7133	.5696	.4256	.2963	.1911	.1133	3
4			1.000	1.000	.9999	.9997	.9995	.9990	.9983	.9972	.9841	.9496	.8854	.7897	.6683	.5328	.3971	.2744	4
5						1.000	1.000	1.000	.9999	.9997	.9973	.9883	.9657	.9218	.8513	.7535	.6331	.5000	5
6										1.000	.9997	.9980	.9924	.9784	.9499	.9006	.8262	.7256	6
7											1.000	.9998	.9988	.9957	.9878	.9707	.9390	.8867	7
8												1.000	.9999	.9994	.9980	.9941	.9852	.9673	8
9													1.000	1.000	.9998	.9993	.9978	.9941	9
10															1.000	1.000	.9998	.9995	10
11																	1.000	1.000	11
n = 12 0	.8864	.7847	.6938	.6127	.5404	.4759	.4186	.3677	.3225	.2824	.1422	.0687	.0317	.0138	.0057	.0022	.0008	.0002	0
1	.9938	.9769	.9514	.9191	.8816	.8405	.7967	.7513	.7052	.6590	.4435	.2749	.1584	.0850	.0424	.0196	.0083	.0032	1
2	.9998	.9985	.9952	.9893	.9804	.9684	.9532	.9348	.9134	.8891	.7358	.5583	.3907	.2528	.1513	.0834	.0421	.0193	2
3	1.000	.9999	.9997	.9990	.9978	.9957	.9925	.9880	.9820	.9744	.9078	.7946	.6488	.4925	.3467	.2253	.1345	.0730	3
4		1.000	1.000	.9999	.9998	.9996	.9991	.9984	.9973	.9957	.9761	.9274	.8424	.7237	.5833	.4382	.3044	.1938	4
5					1.000	1.000	.9999	.9998	.9996	.9995	.9954	.9806	.9456	.8822	.7873	.6652	.5269	.3872	5
6										1.000	.9999	.9961	.9857	.9614	.9154	.8418	.7393	.6128	6
7											1.000	.9994	.9972	.9905	.9745	.9427	.8883	.8062	7
8											1.000	.9999	.9996	.9983	.9944	.9847	.9644	.9270	8
9												1.000	1.000	.9998	.9992	.9972	.9921	.9807	9
10														1.000	1.000	.9997	.9989	.9968	10
11																1.000	1.000	.9998	11
12																		1.000	12
n = 13 0	.8775	.7690	.6730	.5882	.5133	.4474	.3893	.3383	.2935	.2542	.1209	.0550	.0238	.0097	.0037	.0013	.0004	.0001	0
1	.9928	.9730	.9436	.9068	.8646	.8186	.7702	.7206	.6707	.6213	.3983	.2336	.1267	.0637	.0296	.0126	.0049	.0017	1
2	.9997	.9980	.9938	.9865	.9755	.9608	.9422	.9201	.8946	.8661	.6920	.5017	.3326	.2025	.1132	.0579	.0269	.0112	2
3	1.000	.9999	.9995	.9986	.9969	.9940	.9897	.9837	.9758	.9658	.8820	.7473	.5843	.4206	.2783	.1686	.0929	.0461	3
4			1.000	1.000	.9997	.9993	.9987	.9976	.9959	.9935	.9658	.9009	.7940	.6543	.5005	.3530	.2279	.1334	4
5					1.000	1.000	.9999	.9997	.9995	.9991	.9925	.9700	.9198	.8346	.7159	.5744	.4268	.2905	5
6										1.000	.9987	.9930	.9757	.9376	.8705	.7712	.6437	.5000	6
7											1.000	.9988	.9944	.9818	.9538	.9023	.8212	.7095	7
8												1.000	.9990	.9960	.9874	.9679	.9302	.8666	8
9													.9999	.9993	.9975	.9922	.9797	.9539	9
10													1.000	.9999	.9997	.9987	.9959	.9888	10
11														1.000	1.000	.9999	.9995	.9983	11
12																1.000	1.000	.9999	12
13																		1.000	13

Trowch y dudalen.

Mae'n bwysig nodi bod y tablau'n rhoi tebygolrwydd o lai na neu'n *hafal* i rif penodol o lwyddiannau. Felly pe baech chi eisiau darganfod tebygolrwydd 4 llwyddiant *yn union*, byddai angen i chi ddefnyddio'r tablau i ddarganfod tebygolrwydd 4 llwyddiant neu lai drwy ddefnyddio'r tablau gydag $x = 4$. Byddai hyn yn rhoi tebygolrwydd 4, 3, 2, 1 neu 0 llwyddiant. Yna, gallech chi ddefnyddio'r tablau i ddarganfod tebygolrwydd 3 llwyddiant neu lai gan ddefnyddio $x = 3$. Byddai hyn yn rhoi tebygolrwydd 3, 2, 1 neu 0. Felly drwy dynnu'r ail debygolrwydd o'r cyntaf, byddai modd darganfod tebygolrwydd 4 llwyddiant yn union gan ddefnyddio'r tablau.

Trwy hyn, mae gennym ni $P(X = 4) = P(X \leq 4) - P(X \leq 3)$,

Yna ar gyfer $n = 10$, $p = 0.3$,

$$P(X = 4) = 0.8497 - 0.6496$$
$$= 0.2001$$

Gallech chi ddefnyddio'r fformiwla i ddarganfod y tebygolrwydd a byddai hyn yn ddull dilys os nad yw'r cwestiwn yn nodi pa ddull i'w ddefnyddio.

Defnyddio cyfrifiannell yn lle tablau

Mae manyleb CBAC yn dweud bod yn rhaid bod cyfrifianellau yn gallu gwneud rhai pethau penodol, gan gynnwys cyfrifo crynodeb o ystadegau a chael mynediad at debygolrwyddau dosraniadau ystadegol safonol. Mae'n rhaid i chi ddysgu sut i ddefnyddio'r gyfrifiannell oherwydd gallech chi gael cwestiynau nad oes modd eu hateb yn hawdd gan ddefnyddio'r tablau. Defnyddiwyd tablau i ateb rhannau o'r enghreifftiau canlynol. Rhowch gynnig ar gael yr atebion hyn gan ddefnyddio cyfrifiannell.

Dysgu Gweithredol

Gweithiwch drwy'r testun a phenderfynwch sut byddech chi'n cyfrifo'r gwerthoedd gan ddefnyddio eich cyfrifiannell.

Enghreifftiau

1 Pan gaiff toriadau planhigyn penodol eu cymryd, y tebygolrwydd bod un toriad yn bwrw gwreiddiau yw 0.25, yn annibynnol ar yr holl doriadau eraill.

Mae Joshua yn cymryd 20 o doriadau. Darganfyddwch y tebygolrwydd bod o leiaf 10 o'r toriadau yn bwrw gwreiddiau.

Ateb

Yma byddwn ni'n defnyddio tabl y ffwythiant dosraniad binomaidd i gyfrifo cyfanswm y tebygolrwydd bod 9 neu lai yn bwrw gwreiddiau. Wedi i ni ei ddarganfod, gallwn gymryd yr ateb oddi wrth 1 i ddarganfod y tebygolrwydd sydd ei angen.

1 Yma mae gennym ni $n = 20$, $p = 0.25$ ac $x = 10$.

Mae defnyddio'r tablau yn rhoi'r tebygolrwydd ar gyfer $P(X \leq 9) = 0.9861$

Y tebygolrwydd sydd ei angen, $P(X \geq 10) = 1 - 0.9861 = 0.0139$

---

2 Y tebygolrwydd bod darn o beiriant yn methu yn ei flwyddyn gyntaf yw 0.05 yn annibynnol ar yr holl ddarnau eraill. Mewn swp o 20 o ddarnau wedi'u hapddewis, darganfyddwch y tebygolrwydd bod:

(a) 1 darn yn union yn methu yn y flwyddyn gyntaf

(b) mwy na 2 ddarn yn methu yn y flwyddyn gyntaf.

Ateb

Noder nad yw'r cwestiwn yn dweud pa ddull i'w ddefnyddio, felly i ganfod yr ateb, gallwch chi ddefnyddio'r fformiwla dosraniad binomaidd neu ddefnyddio'r tablau.

2 (a) Mae defnyddio $P(X = x) = \binom{n}{x} p^x (1 - p)^{n-x}$,

gydag $x = 1$, $n = 20$ a $p = 0.05$ yn rhoi

$$P(X = 1) = \binom{20}{1} 0.05^1 (1 - 0.05)^{20-1}$$

$$= \binom{20}{1} 0.05^1 (0.95)^{19}$$

$$= 0.3773536$$

$$= 0.3774 \text{ (yn gywir i 4 ff.y.)}$$

Drwy ddull gwahanol, gan ddefnyddio'r tablau gydag $n = 20$ a $p = 0.05$ mae gennym ni

$$P(X = 1) = P(X \leq 1) - P(X \leq 0)$$

$$= 0.7358 - 0.3585$$

$$= 0.3773$$

Noder y gwahaniaeth bach yn yr atebion wrth gyfrifo'r tebygolrwydd a'r tebygolrwydd a ganfuwyd gan ddefnyddio'r tablau. Talgrynnu yn y tablau sy'n achosi hyn.

Cafodd y tablau eu defnyddio yma, ond gallai'r fformiwla dosraniad binomaidd gael ei defnyddio hefyd.

(b) $P(X > 2) = 1 - P(X \leq 2)$

$$= 1 - 0.9245 = 0.0755$$

Beth i'w wneud os yw *p* > 0.5, gan nad yw'r tablau'n dangos gwerthoedd uwch na *p* = 0.5

Dylid nodi, yn y tablau ar gyfer y dosraniad binomaidd, y gwerth uchaf sy'n cael ei ystyried ar gyfer *p* yw 0.50. Wrth ymdrin â dosraniadau binomaidd lle mae *p* > 0.5, nodwn fod tebygolrwydd methiant *q* = 1 − *p* < 0.5. Yn yr achos hwn, rydyn ni'n ystyried nifer y methiannau yn lle nifer y llwyddiannau.

Enghreifftiau

1 O wybod bod gan *X* y dosraniad binomaidd B(12, 0.6), darganfyddwch werthoedd:

(a) P(*X* = 8)

(b) P(6 ≤ *X* ≤ 10).

· ·

Ateb

1 Gadewch i *Y* = 12 − *X*

> *X* yw nifer y llwyddiannau.
> *Y* yw nifer y methiannau.

Yna mae gan *Y* y dosraniad B(12, 0.4)

(a) P(*X* = 8) = P(*Y* = 4) = P(*Y* ≤ 4) − P(*Y* ≤ 3)

$$= 0.4382 - 0.2253$$

$$= 0.2129$$

(b) P(6 ≤ *X* ≤ 10) = P(2 ≤ *Y* ≤ 6)

$$= P(Y \leq 6) - P(Y \leq 1)$$

$$= 0.8418 - 0.0196$$

$$= 0.8222$$

---

2 Y tebygolrwydd bod bwlb daffodil wedi'i hapddewis yn cynhyrchu blodyn yw 0.8. Os oes 20 o fylbiau o'r fath yn cael eu plannu, darganfyddwch y tebygolrwydd bod:

(a) 12 yn union ohonyn nhw'n cynhyrchu blodau

(b) llai nag 8 ohonyn nhw'n cynhyrchu blodau.

· ·

Ateb

2 Gadewch i *X* fod y nifer o fylbiau sy'n cynhyrchu blodyn, fel bod *X* wedi'i ddosrannu fel B(20, 0.8).

Gan fod *p* = 0.8 > 0.5, rydyn ni'n ystyried *Y* = 20 − *X* a nodwn fod *Y* wedi'i ddosrannu fel B(20, 0.2).

(a) P(*X* = 12) = P(*Y* = 8)

> *X* yw nifer y llwyddiannau.
> *Y* yw nifer y methiannau.

$$= P(Y \leq 8) - P(Y \leq 7)$$

$$= 0.9900 - 0.9679$$

$$= 0.0221$$

(b) P(*X* < 8) = P(*X* ≤ 7) = P(*Y* ≥ 13)

$$P(Y \geq 13) = 1 - P(Y \leq 12)$$

$$= 1 - 1$$

$$= 0$$

3 **(a)** Mae cyfres o brofion yn cael ei chynnal, gyda chanlyniad pob un naill ai'n llwyddiant neu'n fethiant. Nodwch ddau amod sy'n rhaid eu bodloni er mwyn i gyfanswm nifer y llwyddiannau gael ei fodelu gan y dosraniad binomaidd. [2]

(b) Bob tro mae Ann yn saethu saeth at darged, mae'n ei daro gyda thebygolrwydd o 0.4. Mae'n saethu 20 o saethau at y targed. Darganfyddwch y tebygolrwydd y bydd yn ei daro:

(i) 8 gwaith yn union

(ii) rhwng 6 a 10 gwaith (y ddau yn gynhwysol). [5]

Ateb

3 **(a)** Y ddau amod yw:

- profion annibynnol,
- profion lle mae tebygolrwydd cyson o lwyddiant.

(b) **(i)** $P(X = x) = \binom{n}{x}p^x(1 - p)^{n - x}$

Nawr $p = 0.4$, $n = 20$, $x = 8$, felly mae gennym ni

$P(X = 8) = \binom{20}{8}0.4^8(1 - 0.4)^{20 - 8}$

$P(X = 8) = \binom{20}{8}0.4^8(0.6)^{12}$

$= 0.1797$ (yn gywir i 4 ff.y.)

(ii) $P(6 \le X \le 10) = P(X \le 10) − P(X \le 5)$

$= 0.8725 − 0.1256$

$= 0.7469$ (yn gywir i 4 ff.y.)

4 Caiff gwydrau gwin eu pacio mewn bocsys, gydag 20 o wydrau ym mhob bocs. Mae gan bob gwydr debygolrwydd o 0.05 o dorri wrth iddo gael ei gludo, yn annibynnol ar bob gwydr arall.

Gadewch i X ddynodi nifer y gwydrau mewn bocs sydd wedi torri wrth gael eu cludo.

(a) Nodwch ddosraniad X.

(b) **Heb** ddefnyddio'r tablau, cyfrifwch $P(X = 1)$.

(c) **Gan ddefnyddio'r tablau**, darganfyddwch werth $P(X \ge 3)$. [5]

Ateb

4 **(a)** Y dosraniad yw $B(20, 0.05)$

(b) $P(X = 1) = \binom{20}{1}0.05^1(1 - 0.05)^{20 - 1}$

$= \binom{20}{1}0.05^1(0.95)^{19} = 0.377$ (yn gywir i 3 ff.y.)

(c) $P(X \geq 3) = 1 - P(X \leq 2) = 1 - 0.9245$

$= 0.0755$

---

5   Pan gaiff hadau math penodol o flodyn eu plannu, y tebygolrwydd bod hedyn unigol yn egino yw 0.8, yn annibynnol ar yr holl hadau eraill.

(a)   Mae David yn plannu 20 o'r hadau hyn. Darganfyddwch y tebygolrwydd bod:

(i)   15 o hadau yn union yn egino

(ii)   o leiaf 15 o hadau yn egino.   [6]

(b)   Mae Beti yn plannu n o'r hadau hyn ac mae'n cyfrifo'n gywir mai'r tebygolrwydd bod pob un ohonyn nhw'n egino yw 0.10737, yn gywir i bum lle degol. Darganfyddwch werth n.   [3]

. . . .

Ateb

5   (a)   (i)   Y dosraniad yw B(20, 0.8)

$P(X = 15) = \binom{20}{15} 0.8^{15}(1 - 0.8)^5$

$= 0.1746$

(ii)   Gadewch i nifer yr hadau sy'n methu egino = Y.

Mae Y wedi'i ddosrannu fel B(20, 0.2)

$P(X \geq 15) = P(Y \leq 5) = 0.8042$

(b)   Y dosraniad yw B(n, 0.8)

$P(X = n) = \binom{n}{n} 0.8^n (1 - 0.8)^0$

$0.10737 = 0.8^n$

Mae cymryd $\log_e$ y ddwy ochr yn rhoi

$\log_e 0.10737 = \log_e 0.8^n$

felly $\log_e 0.10737 = n \log_e 0.8$

$n = \dfrac{\log_e 0.10737}{\log_e 0.8}$

Trwy hyn, $n = 10$

Defnyddiwch y fformiwla
$P(X = x) = \binom{n}{x} p^x (1 - p)^{n-x}$
sydd i'w gweld yn y llyfryn fformiwlâu.

Neu Gadewch i Y = nifer yr hadau sy'n methu egino.

Mae Y wedi'i ddosrannu fel B(20, 0.2)

$P(X = 15) = P(Y = 5)$
$= P(Y \leq 5) - P(Y \leq 4)$
$= 0.8042 - 0.6296$
$= 0.1746$

Defnyddiwch dabl y ffwythiant dosraniad cronnus binomaidd gydag $n = 20$, $p = 0.2$ ac $x = 5$. Dewch o hyd i'r tebygolrwydd, sef 0.8042.

Noder y gallech chi hefyd gymryd logarithmau'r ddwy ochr i'r bôn 10 i ddatrys yr hafaliad hwn.

Noder, gan mai n yw nifer yr hadau a blannwyd, mae'n rhaid i n fod yn gyfanrif.

4.2 Y dosraniad Poisson, fel model

Mae'r dosraniad Poisson yn ddosraniad tebygolrwydd arwahanol, a chaiff ei ddefnyddio i fodelu nifer y digwyddiadau sy'n digwydd ar hap mewn cyfwng amser a gofod penodol.

Mewn cyfwng penodol, mae'r tebygolrwydd bod digwyddiad X yn digwydd x o weithiau yn cael ei roi gan y fformiwla ganlynol

> Noder bod y fformiwla hon yn cael ei rhoi yn y llyfryn fformiwlâu.

$$P(X = x) = e^{-\lambda}\frac{\lambda^x}{x!}$$

lle mae $\lambda = \mu = E(X)$ ac $x = 0, 1, 2, 3, 4, \ldots$

Os yw tebygolrwyddau X wedi'u dosrannu fel hyn, rydyn ni'n ysgrifennu

$$X \sim Po(\lambda)$$

Noder bod y symbol $\sim$ yn golygu 'wedi'i ddosrannu'.

Lambda, λ, yw paramedr y dosraniad. Weithiau, fe welwch y cymedr m yn lle lambda fel paramedr. Rydyn ni'n dweud bod X wedi'i ddosrannu â Poisson gyda pharamedr λ.

Enghraifft

1   Defnyddiwch yr hapnewidyn X $\sim$ Po (1.4) i ddarganfod:

(a) $P(X = 2)$

(b) $P(X \geq 1)$

(c) $P(2 < X \leq 4)$

> Mae'r fformiwla, $P(X = x) = e^{-\lambda}\dfrac{\lambda^x}{x!}$ i'w gweld yn y llyfryn fformiwlâu, ac mae'n cael ei ddefnyddio yma.

Ateb

1   (a) $P(X = 2) = e^{-1.4}\dfrac{1.4^2}{2!}$

$= 0.2417$

> Mae $P(X \geq 1)$ yn golygu'r tebygolrwydd bod x yn 1, 2, 3, ... Noder nad yw'n cynnwys y tebygolrwydd bod x yn 0. Trwy hyn, gallwn dynnu tebygolrwydd $P(X = 0)$ o 1.

(b) $P(X \geq 1) = 1 - P(X = 0)$

$= 1 - \left(e^{-1.4}\dfrac{1.4^0}{0!}\right)$

$= 1 - 0.2466$

$= 0.7534$

> Noder bod $1.4^0 = 1$ a hefyd bod $0! = 1$.

(c) $P(2 < X \leq 4) = P(X = 3) + P(X = 4)$

$= e^{-1.4}\dfrac{1.4^3}{3!} + e^{-1.4}\dfrac{1.4^4}{4!}$

$= 0.1128 + 0.0395$

$= 0.152$ (yn gywir i 3 lle degol)

Mae defnyddio'r tablau yn rhoi y canlyniadau canlynol

(a) $P(X = 2) = P(X \leq 2) - P(X \leq 1) = 0.8335 - 0.5918 = 0.2417$

(b) $P(X \geq 1) = 1 - P(X = 0) = 1 - 0.2466 = 0.7534$

(c) $P(2 < X \leq 4) = P(3 \leq X \leq 4) = P(X \leq 4) - P(X \leq 2) = 0.9857 - 0.8335$

$= 0.1522$

GWELLA
⇧⇧⇧⇧ **Gradd**

> Cofiwch ddarllen yr anhafaleddau yn ofalus iawn. Mae llawer o fyfyrwyr yn methu gwneud hyn. Yma, bydd llawer o fyfyrwyr, yn anghywir, hefyd yn cynnwys $P(X = 2)$.

Pryd i ddefnyddio'r dosraniad Poisson

Mae'r dosraniad binomaidd a'r dosraniad Poisson hefyd yn ddosraniadau tebygolrwydd arwahanol.

Yn gyffredinol, rydyn ni'n defnyddio'r dosraniad Poisson yn yr amgylchiadau canlynol:

- Os yw *n* yn fawr (fel arfer > 50) **ac**

- Os yw *p* yn fach (fel arfer <0.1).

Defnyddio tablau'r ffwythiant dosraniad Poisson i gyfrifo P($X \leq x$)

Gallwn ddefnyddio tablau'r ffwythiant dosraniad Poisson i gyfrifo P($X \leq x$). Er enghraifft, pe baech chi eisiau darganfod P($X \leq 3$) ar gyfer dosraniad Po(0.8), byddech chi'n edrych am y rhes lle mae *x* = 3 a'r golofn lle mae λ neu *m* = 0.8 i roi'r tebygolrwydd sydd ei angen, sef 0.9909.

Enghreifftiau

1 O wybod bod 5% o'r disgyblion mewn ysgol yn llaw chwith, defnyddiwch y dosraniad Poisson i amcangyfrif y tebygolrwydd y bydd hapsampl o 100 o ddisgyblion yn yr ysgol yn cynnwys dau neu ragor o ddisgyblion llaw chwith.

Ateb

1   $\lambda = np = 100 \times 0.05 = 5$

Mae *X* wedi'i ddosrannu fel Po(5)

$$P(X \geq 2) = 1 - P(X \leq 1)$$
$$= 1 - 0.0404$$
$$= 0.9596$$

2 Mae gan yr hapnewidyn *X* y dosraniad binomaidd B(300, 0.012). Defnyddiwch frasamcan Poisson i ddarganfod bras werth y tebygolrwydd bod *X* yn llai na 3.

Ateb

2   Cymedr = $np = 300 \times 0.012 = 3.6$

Mae *X* wedi'i ddosrannu fel Po(3.6) (h.y. $X \sim$ Po(3.6))

$$P(X < 3) = P(X \leq 2)$$
$$= 0.3027$$

> Mae cymharu B(300, 0.012) a B(n, p) yn rhoi $n = 300$ a $p = 0.012$.

> Noder bod hyn yn golygu bod y paramedr $\lambda = 3.6$.

3 Mae ceir yn cyrraedd gorsaf betrol yn y fath fodd fel bod gan y nifer sy'n cyrraedd yn ystod cyfwng o hyd *t* munud ddosraniad Poisson â chymedr 0.2*t*.

(a) Darganfyddwch y tebygolrwydd bod:

(i)   deg o geir yn union yn cyrraedd rhwng 9 a.m. a 10 a.m.,

(ii) mwy na phump o geir yn cyrraedd rhwng 11 a.m. a 11.30 a.m.   [6]

(b) Mae'r tebygolrwydd nad oes yr un car yn cyrraedd yn ystod cyfwng o hyd *t* munud yn hafal i 0.03. Heb ddefnyddio'r tablau, darganfyddwch werth *t*. [4]

P(X = 10)

   = P(X ≤ 10) – P(X ≤ 9)

   = 0.3472 – 0.2424

   = 0.1048

Noder bod P(X ≤ 5) yn cael ei ddarganfod drwy ddefnyddio tablau.

Noder bod $(0.2t)^0 = 1$ a hefyd bod 0! = 1

Noder ein bod wedi ymdrin â datrys hafaliadau gan ddefnyddio logarithmau yn Uned 1. Yn hytrach na chymryd $\log_e$ y ddwy ochr, gallech chi fod wedi defnyddio $\log_{10}$.

Yr hafaliad sy'n cael ei ddefnyddio yma yw

$P(X = x) = e^{-\lambda}\dfrac{\lambda^x}{x!}$

sydd i'w weld yn y llyfryn fformiwlâu.

Noder bod $2.5^0 = 1$ a hefyd bod 0! = 1.

Rydyn ni'n darganfod y tebygolrwydd bod 4 parsel yn cyrraedd, ac yn ei ychwanegu at y tebygolrwydd bod 5 parsel yn cyrraedd.

Ateb

3   (a)   (i)   Cymedr $\lambda = 0.2t$ a thros 60 munud (h.y. 1 awr) $\lambda = 0.2 \times 60 = 12$

Mae X wedi'i ddosrannu fel Po(12)

$P(X = 10) = e^{-12}\dfrac{12^{10}}{10!} = 0.1048$ (yn gywir i 4 ff.y.)

   (ii)   Cymedr = $0.2t$, a thros 30 munud (h.y. 0.5 awr) $\lambda = 0.2 \times 30 = 6$

Mae X wedi'i ddosrannu fel Po(6)

$P(X > 5) = 1 - P(X \le 5)$

$= 1 - 0.4457$

$= 0.5543$ (yn gywir i 4 ff.y.)

(b)   Cymedr $\lambda = 0.2t$

$P(X = 0) = e^{-0.2t}\dfrac{(0.2t)^0}{0!}$

$P(X = 0) = e^{-0.2t}$

Nawr, $P(X = 0) = 0.03$

Trwy hyn, $e^{-0.2t} = 0.03$

Mae cymryd $\log_e$ y ddwy ochr yn rhoi

$-0.2t = \log_e 0.03$

Mae datrys yn rhoi $t = 17.5$ munud (yn gywir i un lle degol).

---

4   Mae gan nifer y parseli sy'n cyrraedd ysgol bob dydd ddosraniad Poisson gyda chymedr 2.5, yn annibynnol ar bob diwrnod arall.

(a)   Heb ddefnyddio tablau, darganfyddwch y tebygolrwydd, ar ddiwrnod wedi'i hapddewis, bod:

   (i)   dim un parsel yn cyrraedd

   (ii)   naill ai 4 neu 5 o barseli'n cyrraedd.   [5]

(b)   Dros gyfnod o 3 diwrnod, cyfrifwch y tebygolrwydd bod:

   (i)   dim un parsel yn cyrraedd

   (ii)   y parsel cyntaf sy'n cyrraedd, yn cyrraedd ar y trydydd diwrnod.   [5]

Ateb

4   (a)   (i)   Mae defnyddio $P(X = x) = e^{-\lambda}\dfrac{\lambda^x}{x!}$ yn rhoi

$P(X = 0) = e^{-2.5}\dfrac{2.5^0}{0!}$

$= 0.0821$

   (ii)   Gan ddefnyddio $P(X = 4 \text{ neu } 5) = e^{-2.5}\dfrac{2.5^4}{4!} + e^{-2.5}\dfrac{2.5^5}{5!}$

$= 0.1336 + 0.0668$

$= 0.200$ (yn gywir i 3 lle degol)

(b) (i) P(dim un parsel yn cyrraedd dros 3 diwrnod)

$$= 0.0821 \times 0.0821 \times 0.0821$$

$$= 0.0821^3 = 0.00055$$

(ii) Rhaid bod dim un parsel yn cyrraedd ar y diwrnod cyntaf a'r ail ddiwrnod.

P(dim un parsel yn cyrraedd
hyd at y trydydd diwrnod) $= 0.0821 \times 0.0821 \times (1 - 0.0821)$
$= 0.0062$ (yn gywir i 4 lle degol)

Defnyddio'r tablau dosraniad am yn ôl

Yn yr enghreifftiau sy'n defnyddio tablau dosraniad tebygolrwydd, rydych wedi dod o hyd i'r tebygolrwydd. Gallwch chi hefyd ddefnyddio'r tablau am yn ôl pan fydd y tebygolrwydd wedi'i roi a bod yn rhaid i chi ddod o hyd i werth coll (x fel arfer).

Mewn ffair ardd elusennol, cymerwch fod gêm yn cael ei chynnal lle mae darn arian yn cael ei daflu 10 o weithiau ac mae'n rhaid i'r person sy'n taflu'r darn arian daflu x neu ragor o bennau er mwyn ennill gwobr. Mae wedi'i benderfynu bod yn rhaid i'r tebygolrwydd o ennill gwobr fod yn llai na 0.1.

Darganfyddwch y nifer lleiaf o bennau sydd ei angen i ennill gwobr.

Gadewch i X gynrychioli nifer y pennau sy'n cael eu taflu.

$P(X \geq x) < 0.1$

$P(X < x) > 1 - 0.1 > 0.9$

Gall y sefyllfa hon gael ei modelu fel B(10, 0.5)

Yma, $p = 0.5$, $n = 10$ a'r tebygolrwydd ym mhrif gorff y tabl yw 0.1.

Gan chwilio am x yn y tabl, cawn fod

$P(X \leq 6) = 0.8281$ felly $P(X > 6) = 1 - 0.8281 = 0.1719$ (mae hyn yn uwch na 0.1)

$P(X \leq 7) = 0.9453$ felly $P(X > 7) = 1 - 0.9453 = 0.0547$ (mae hyn yn is na 0.1)

Trwy hyn, dylai nifer y pennau sydd eu hangen i ennill gwobr gael ei gosod ar 7 neu ragor.

Defnyddio'r fformiwla finomaidd am yn ôl

Yn y rhan fwyaf o gwestiynau, byddwch yn gwybod beth yw n ac X neu ystod o werthoedd X a bydd yn rhaid i chi ddarganfod y tebygolrwydd. Yn yr enghraifft hon, mae'r tebygolrwydd ac X yn cael eu rhoi i chi, ac mae gofyn i chi ddarganfod n.

Enghreifftiau

1 Yn yr hydref, mae Chloe yn plannu bylbiau lili wen fach. Mae'n gwybod na fydd pob un ohonyn nhw'n tyfu, gan fod rhai bylbiau'n cael eu bwyta gan lygod. Y tebygolrwydd y bydd bwlb yn tyfu yn y gwanwyn yw 0.7, yn annibynnol ar bob bwlb arall yn tyfu.

Mae Chloe yn plannu n o fylbiau ac mae'n cyfrifo'n gywir mai'r tebygolrwydd y bydd pob un yn tyfu yn y gwanwyn yw 0.001628 yn gywir i bedwar ffigur ystyrlon. Darganfyddwch werth n.

Sylwch fod y tebygolrwyddau yn cael eu lluosi gyda'i gilydd. Ar gyfer digwyddiadau annibynnol yn unig y mae'n bosibl gwneud hyn (h.y. lle mae'r tebygolrwyddau yn aros yn gyson).

Mae angen i ni ddarganfod $P(X < x)$ gan fod y tablau yn rhoi gwerthoedd o leiaf x o lwyddiannau.

1    $P(X = x) = \binom{n}{x} p^x (1-p)^{n-x}$

Gan fod pob un yn tyfu, $x = n$ a $P(X = n) = 0.001628$

$P(X = n) = \binom{n}{n} 0.7^n (1 - 0.7)^{n-n}$

$= \binom{n}{n} 0.7^n (1 - 0.7)^0$

$= (0.7)^n$

$P(X = n) = 0.001628$

Felly $(0.7)^n = 0.001628$

Gan gymryd $\log_e$ y ddwy ochr

$\log_e 0.7^n = \log_e 0.001628$

$n \log_e 0.7 = \log_e 0.001628$

$n = \dfrac{\log_e 0.001628}{\log_e 0.7}$

$= 18$

> Noder bod $\binom{n}{n} = 1$
> a $(1 - 0.7)^0 = 1$

---

2   Mewn prawf amlddewis, mae'n rhaid i'r myfyrwyr ddewis ateb o blith A, B, C neu Ch. Hoffai'r bwrdd arholi i'r tebygolrwydd bod myfyriwr yn llwyddo yn y prawf drwy ddyfalu'r atebion fod yn 0.1 neu lai. Mewn prawf sy'n cynnwys 20 cwestiwn gydag un marc am bob ateb cywir, beth ddylai'r marc llwyddo fod fel bod llai na 0.1 o debygolrwydd o lwyddo yn y prawf drwy ddyfalu'r atebion?

2   Y tebygolrwydd o ddyfalu'r ateb cywir, p, yw 0.25 (h.y. 1 o 4 dewis).

Gall y sefyllfa lle mae'r myfyriwr yn dyfalu'r atebion i'r 20 cwestiwn gael ei fodelu fel y dosraniad binomaidd B(20, 0.25).

Gadewch i x fod y marc lle byddai'r tebygolrwydd o gael x neu fwy yn llai na 0.1.

Trwy hyn $P(X \geq x) < 0.1$

Gan fod y tablau'n cyfeirio at y tebygolrwydd o gael dim mwy nag x o lwyddiannau, mae angen i ni ddarganfod $P(X < x)$.

Nawr $P(X < x) > 1 - 0.1 = 0.9$

Caiff tablau'r ffwythiant dosraniad binomaidd eu defnyddio nawr i ddarganfod gwerthoedd x sy'n rhoi tebygolrwydd yn agos i, neu'n union hafal i, 0.9.

Felly mae angen i ni ganfod $n = 20$ a $p = 0.25$ i ddarganfod gwerth priodol x.

$P(x \leq 7) = 0.8982$ a $P(x \leq 8) = 0.9591$

Y tebygolrwydd o gael mwy na 7 ateb yn gywir drwy ddyfalu yw

$1 - 0.8982 = 0.1018$, sy'n fwy na 0.1

Tebygolrwydd cael mwy nag 8 ateb cywir drwy ddyfalu yw

$1 - 0.9591 = 0.0409$, sy'n llai na 0.1.

Mae hyn yn golygu bod angen i'r marc llwyddo gael ei osod ar fwy nag 8 marc.

Trwy hyn, mae angen i'r marc llwyddo fod yn lleiafswm o 9 marc fel bod y tebygolrwydd o lwyddo drwy ddyfalu yn 0.1.

---

3 Mae siop bapurau yn gwerthu papur newydd y *Daily Bugle*. Cewch dybio bod gan y galw dyddiol am y papur newydd hwn ddosraniad Poisson gyda chymedr 15. Ar ddechrau pob dydd, mae gan y siop bapurau 20 copi o'r papur newydd.

(a) Cyfrifwch y tebygolrwydd bod y siop bapurau, ar ddiwrnod wedi'i hapddewis, yn gwerthu:

  (i) 12 copi o'r papur newydd;

  (ii) pob un o'r 20 copi o'r papur newydd. [4]

(b) Darganfyddwch leiafswm nifer y copïau o'r *Daily Bugle* y dylai'r siop bapurau ei brynu bob dydd er mwyn ateb y galw gyda thebygolrwydd o 0.99 o leiaf. [2]

· ·

Ateb

3 (a) (i) $P(X = x) = e^{-\lambda} \dfrac{\lambda^x}{x!}$

  $P(X = 12) = e^{-15} \dfrac{(15)^{12}}{12!}$

  $= 0.083$

  (ii) $P(X \geq 20) = 1 - P(X \leq 19)$

  I ddarganfod $P(X \leq 19)$, defnyddiwch y tabl ar gyfer y ffwythiant dosraniad Poisson ac edrychwch am y tebygolrwydd ar gyfer $x = 19$ ac $m = 15$.

  O'r tabl, $P(X \leq 19) = 0.8752$

  $P(X \geq 20) = 1 - 0.8752$

  $= 0.1248$

(b) Mae tabl y dosraniad Poisson yn cael ei ddefnyddio gyda'r cymedr, $m = 15$ a $P(X \leq x) = 0.99$ i ddarganfod gwerth x.
Mae $x = 25$ yn rhoi tebygolrwydd o 0.9938, sef y gwerth agosaf at 0.99.

  Nifer y copïau = 25

Mae darllen a deall y cwestiwn bob amser yn beth pwysig iawn. Y galw sy'n dilyn y dosraniad Poisson, felly mae'n bosibl y gall y galw fod yn fwy na'r 20 papur sydd ar werth. Mae angen i ni ddarganfod y tebygolrwydd bod y galw am bapurau yn 20 neu fwy. Trwy hyn, mae angen i ni ddarganfod $P(X \geq 20)$.

Mae $P(X \leq x) = 0.99$ i'w weld yng nghorff y tabl.

GWELLA
⇧⇧⇧⇧ **Gradd**

Mae'n hawdd gwneud camgymeriad wrth ddarllen ar draws tablau. Defnyddiwch bren mesur i'ch helpu i ddarllen y rhifau ar draws y llinell.

4.3 Y dosraniad unffurf arwahanol, fel model

Mae dosraniad unffurf arwahanol yn ddosraniad lle mae pob canlyniad yn hafal debygol. Er enghraifft, mae gan ddis teg debygolrwydd hafal o lanio ar un o'r rhifau 1 i 6 pan gaiff ei daflu.

Gallwn ddangos y dosraniad unffurf arwahanol ar gyfer hyn gan ddefnyddio'r tabl hwn:

x	1	2	3	4	5	6
$P(X = x)$	$\frac{1}{6}$	$\frac{1}{6}$	$\frac{1}{6}$	$\frac{1}{6}$	$\frac{1}{6}$	$\frac{1}{6}$

Fel arall, gall y dosraniad gael ei ddangos fel diagram:

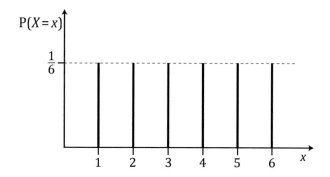

Mae gan hapnewidyn arwahanol ddosraniad unffurf arwahanol pan fydd pob gwerth yr hapnewidyn yn hafal debygol, ac mae'r gwerthoedd wedi'u dosrannu'n unffurf drwy gydol rhyw gyfwng. Yn yr achos uchod, y cyfwng yw o 1 i 6.

Os yw X yn newidyn arwahanol ac wedi'i ddosrannu'n unffurf ar y set {1,2,3,4...,N} wedyn mae'r fformiwla ganlynol yn berthnasol:

$$P(x) = \frac{1}{N}$$

Enghraifft

1 Caiff troellwr hecsagonal wedi'i rifo o 1 i 6 ei droelli a chaiff y rhif a geir, X, ei gofnodi. Mae'r broses hon yn cael ei hailadrodd nifer penodol o weithiau.

   (a) Esboniwch pa amodau mae'n rhaid eu bodloni er mwyn i'r rhif a geir, X, gael ei fodelu fel dosraniad unffurf arwahanol.

   (b) Darganfyddwch $P(1 \leq X < 4)$

. . . .

Ateb

1 (a) Rhaid i'r rhifau a geir fod ar hap (h.y. dim tuedd) fel bod gan bob rhif 1 i 6 debygolrwydd hafal o ddigwydd (h.y. $\frac{1}{6}$).

   (b) Mae $P(1 \leq X < 4)$ yn golygu'r tebygolrwydd y bydd troelliad yn rhoi 1, 2 neu 3.

   $$P(1 \leq X < 4) = \frac{1}{6} + \frac{1}{6} + \frac{1}{6} = \frac{1}{2}$$

4.4 Dewis dosraniad tebygolrwydd priodol

Mewn cwestiynau arholiad, ni fyddwch chi o anghenraid yn cael gwybod pa ddosraniad tebygolrwydd i'w ddefnyddio yn eich ateb. Yn hytrach, bydd yn rhaid i chi benderfynu pa un i'w ddefnyddio. Dyma rywfaint o arweiniad y gallwch ei ddefnyddio i'ch helpu i benderfynu.

Y dosraniad unffurf arwahanol

Pan fydd gan bob gwerth hapnewidyn arwahanol X yr un tebygolrwydd o ddigwydd, mae'r dosraniad yn cael ei alw'n ddosraniad unffurf arwahanol.

Y dosraniad binomaidd

Gall y dosraniad binomaidd gael ei ddefnyddio i gyfrifo tebygolrwydd pan fydd yr amodau canlynol yn cael eu bodloni:

1 Rhaid bod nifer penodol o brofion (wedi'i ddynodi yn y fformiwla fel n).

2 Rhaid bod tebygolrwydd union o'r digwyddiad yn digwydd.

3 Rhaid i bob prawf fod yn annibynnol (h.y. ni ddylai unrhyw brawf gael unrhyw effaith ar unrhyw brawf arall).

4 Rhaid mai dau ganlyniad yn unig sydd (h.y. llwyddiant a methiant).

5 Rhaid i'r tebygolrwydd o lwyddo fod yn gyson (h.y. bod gwerth cyson i p, y llythyren sy'n cael ei defnyddio ar gyfer tebygolrwydd llwyddo).

Y dosraniad Poisson

Mae'r dosraniad Poisson yn cael ei ddefnyddio i fodelu digwyddiadau prin sy'n digwydd dros gyfnod o ofod neu amser. Nid yw Poisson yn rhoi ystyriaeth i a fydd digwyddiad penodol yn digwydd neu beidio.

Fel arfer, awgrym o pryd i ddefnyddio'r dosraniad Poisson yw pan fydd y geiriau 'cyfartaledd' neu 'gymedr' yn ymddangos yn y cwestiwn, gan fod hyn yn golygu bod gennych chi werth ar gyfer λ.

Byddech chi'n defnyddio Poisson os yw'r amodau canlynol yn cael eu bodloni:

1 Mae nifer anfeidraidd o brofion.

2 Rydych chi'n gwybod y gyfradd gymedrig/cyfartalog ar gyfer y digwyddiadau sy'n digwydd.

3 Rhaid i bob prawf fod yn annibynnol.

4 Mae llwyddiant neu fethiant.

Caiff y dosraniad Poisson ei ddefnyddio, felly, pan fydd hapddigwyddiadau'n digwydd un ar y tro ar gyfradd gyson.

Enghreifftiau

Mewn rhai cwestiynau arholiad, ni fydd y cwestiwn yn dweud pa ddosraniad i'w ddefnyddio.

1 Meddyliwch am y sefyllfaoedd canlynol a phenderfynwch ai dosraniad binomaidd neu ddosraniad Poisson sydd orau i'w modelu. Dylech esbonio eich ateb.

(a) Mae adran gwasanaeth cwsmeriaid yn derbyn 15 o gwynion yr awr ar gyfartaledd. Beth yw'r tebygolrwydd nad oes mwy na 10 o gwynion mewn cyfnod penodol o un awr?

(b) Mae gan y galw am geir llogi o gwmni llogi ceir gymedr o 8 y diwrnod. Darganfyddwch y tebygolrwydd, ar ddiwrnod wedi'i hapddewis, bod galw am 8 neu fwy o geir.

(c) Mae bag yn cynnwys 6 o beli coch a 4 o beli du. Mae un bêl yn cael ei thynnu allan, caiff ei lliw ei nodi, ac wedyn caiff ei dychwelyd i'r bag. Caiff y broses ei hailadrodd hyd nes bod lliwiau 5 o beli wedi'u cofnodi. Beth yw'r tebygolrwydd bod pob un o'r 5 pêl yn goch?

(ch) Mae 5% o swp o gydrannau yn ddiffygiol. Mewn swp wedi'i hapddewis o 20 o gydrannau, darganfyddwch y tebygolrwydd bod 4 o gydrannau yn ddiffygiol.

(d) Mae prawf sy'n cynnwys cwestiynau amlddewis, gyda dewis o atebion A, B, C neu Ch, yn cynnwys 20 o gwestiynau. Mae angen i'r un sy'n gosod y cwestiynau fod yn siŵr bod y siawns o lwyddo yn y prawf drwy ddyfalu'r atebion yn unig yn llai na 0.05. Beth yw nifer y marciau ddylai gael ei osod yn farc llwyddo er mwyn i'r tebygolrwydd o lwyddo drwy ddyfalu fod yn llai na 0.05?

(dd) Mae llygad y dydd yn tyfu ar hap mewn dôl. Ar gyfartaledd, mae chwech o blanhigion llygad y dydd ym mhob metr sgwâr o ddôl. Darganfyddwch y tebygolrwydd bod ardal o $0.5m^2$ o ddôl wedi'i hapddewis yn cynnwys dim un llygad y dydd.

(e) Ar gyfartaledd mae gwerthwr ceir mewn garej gwerthu ceir yn gwerthu 12 o geir bob wythnos. Beth yw'r tebygolrwydd y bydd yn gwerthu llai na 5 o geir mewn wythnos wedi'i hapddewis?

(f) Mae un filltir o heol ar gyfartaledd yn cynnwys 3 thwll. Darganfyddwch y tebygolrwydd na fydd unrhyw dwll mewn darn hanner milltir o'r un heol.

(ff) Rydyn ni'n gwybod bod gan becyn o hadau debygolrwydd o 0.95 y bydd yr holl hadau'n egino. Mewn pecyn o 50 o hadau, darganfyddwch y tebygolrwydd na fydd mwy na 5 o hadau heb egino.

(g) Mewn adran ddamweiniau ac achosion brys, mae'n hysbys bod yn rhaid aros 2 awr ar gyfartaledd i gael gweld meddyg. Darganfyddwch y tebygolrwydd bod claf yn cyrraedd ar ddiwrnod wedi'i hapddewis ac yn aros llai nag 1 awr.

. . . .

Ateb

1 (a) Mae'r cliw yn y gair 'cyfartaledd' yn y cwestiwn. Gan ein bod yn gwybod y gyfradd gyfartalog, rydyn ni'n datrys hyn gan ddefnyddio Poisson.

(b) Yma, mae'r gair 'cymedr' yn cael ei ddefnyddio, ac mae cyfradd o 8 y dydd yn cael ei rhoi, felly gall hyn gael ei ddatrys gan ddefnyddio Poisson.

(c) Yma, mae nifer penodol o brofion (h.y. 5) gyda thebygolrwydd union o lwyddiant $\left(\text{h.y. siawns o bêl goch} = \frac{6}{10} \text{ neu } \frac{3}{5}\right)$. Gallwn ddatrys hyn gan ddefnyddio dosraniad binomaidd.

(ch) Mae union debygolrwydd llwyddiant (h.y. cydran ddiffygiol) yn hysbys, ac mae nifer y profion yn hysbys, felly gall hyn gael ei ddatrys gan ddefnyddio dosraniad binomaidd.

(d) Mae tebygolrwydd hysbys o ddewis yr ateb cywir i gwestiwn drwy ddyfalu $\left(\text{h.y. } \frac{1}{4}\right)$. Dyma fydd tebygolrwydd llwyddo. Mae cyfanswm nifer y profion yn hysbys (h.y. 20) felly gallwn ddatrys hyn gan ddefnyddio dosraniad binomaidd.

(dd) Yma, cewch wybod mai'r gyfradd yw 6 ym mhob metr sgwâr felly mae hyn yn awgrymu Poisson. Hefyd, mae'r gair cyfartaledd yn yr ail frawddeg yn awgrymu Poisson.

(e) Mae cyfradd gyfartalog yn cael ei rhoi yma, felly Poisson sydd yma.

(f) Sylwch fod y gair cyfartaledd yn cael ei ddefnyddio a hefyd mae cyfradd yn cael ei chrybwyll (h.y. 3 thwll y filltir) felly Poisson sydd yma.

(ff) Sylwch ar y tebygolrwydd cywir o 0.95 yn ogystal â nifer yr hadau yn y pecyn. Mae hyn yn golygu bod p ac n yn hysbys felly dosraniad binomaidd sydd yma.

(g) Mae'r cyfartaledd yn cael ei roi ac nid oes tebygolrwydd union, felly Poisson sydd yma.

---

2 Mae ceir yn cyrraedd tollbont ar hap ar gyfradd gymedrig o 15 yr awr.

(a) Esboniwch yn fras pam mae'n bosibl i'r dosraniad Poisson gael ei ddefnyddio i fodelu nifer y ceir sy'n cyrraedd mewn cyfwng amser penodol. [1]

(b) Mae Phil yn sefyll wrth y bont am 20 munud. Darganfyddwch y tebygolrwydd mai 6 o geir yn union mae'n eu gweld yn cyrraedd. [3]

(c) Gan ddefnyddio'r tablau ystadegol sydd ar gael i chi, darganfyddwch y cyfwng amser (mewn munudau) fel bod tebygolrwydd o tua 0.3 y bydd mwy na 10 car yn cyrraedd. [3]

· ·

Ateb

2 (a) Gall y dosraniad Poisson gael ei ddefnyddio i fodelu digwyddiadau sy'n digwydd ar hap mewn cyfwng penodol o amser pan fyddan nhw'n digwydd yn annibynnol ac ar gyfradd gymedrig.

(b) Mae 15 o geir yn cyrraedd yr awr felly mewn 20 munud ($\frac{1}{3}$ o awr) byddai cyfradd gymedrig o 5 car yn cyrraedd.

Cyfradd gyrraedd gymedrig $\lambda = 5$

Edrychwn ar y fformiwla Poisson: $P(X = x) = e^{-\lambda}\dfrac{\lambda^x}{x!}$

$$P(X = 6) = e^{-5}\dfrac{5^6}{6!}$$

$$= 0.1462 \text{ (i 4 ff.y.)}$$

> Mae hon yn y llyfryn fformiwla felly does dim rhaid i chi ei chofio.

(c) $P(X > 10) = 1 - P(X \le 10)$

Nawr $P(X > 10) \approx 0.3$ (cewch wybod hyn yn y cwestiwn)

Trwy hyn, $0.3 \approx 1 - P(X \le 10)$ felly $P(X \le 10) \approx 0.7$

Rydyn ni nawr yn defnyddio tablau'r ffwythiant dosraniad Poisson i ddarganfod gwerth y cymedr ar gyfer $X \le 10$ gyda thebygolrwydd o tua 0.7.

Yr agosaf i 0.7 y gallwn ei ganfod yw 0.7060 ac mae hyn yn rhoi cymedr o 9.

Y gyfradd gyrraedd gymedrig yw 15 yr awr, sef 1 bob 4 munud.

Felly amser wrth y bont = 9 × 4 = 36 munud.

Profi eich hun

1 Rydyn ni'n gwybod bod 25% o'r bylbiau mewn bocs yn cynhyrchu blodau melyn. Mae cwsmer yn prynu 20 o'r bylbiau hyn. Darganfyddwch y tebygolrwydd bod:
(a) union 4 o'r bylbiau yn cynhyrchu blodau melyn
(b) llai nag 8 o'r bylbiau yn cynhyrchu blodau melyn.

2 Gall nifer yr eitemau o bost sothach sy'n cyrraedd tŷ drwy'r post bob dydd gael ei fodelu gan ddosraniad Poisson â chymedr 3.4.
(a) Heb ddefnyddio tablau, cyfrifwch:
  (i) $P(X = 4)$
  (ii) $P(X \leq 2)$.
(b) Gan ddefnyddio tablau, darganfyddwch $P(4 \leq X \leq 7)$.

3 Bob tro y mae chwaraewr dartiau yn taflu dart at lygad y tarw, mae'n taro llygad y tarw â thebygolrwydd o 0.08. Mae'r chwaraewr dartiau'n taflu 100 o ddartiau at lygad y tarw. Defnyddiwch frasamcan Poisson i ddarganfod y tebygolrwydd y bydd yn taro llygad y tarw lai na 5 o weithiau.

4 Ar fferm grwbanod, mae crwbanod yn cael eu bridio a'u deor o wyau o dan amodau wedi'u rheoli.
(a) Tebygolrwydd cynhyrchu crwban benyw o wy yw 0.4 o dan amodau wedi'u rheoli. Mae tebygolrwydd cynhyrchu crwban benyw o wy yn annibynnol ar wyau eraill yn deor i gynhyrchu crwbanod benyw. Pan fydd 20 o wyau yn cael eu cadw o dan amodau wedi'u rheoli, darganfyddwch y tebygolrwydd y bydd:
  (i) 10 o grwbanod benyw yn union yn cael eu cynhyrchu
  (ii) mwy na 7 o grwbanod benyw yn cael eu cynhyrchu.   [5]
(b) Yn ystod y broses ddeor, y tebygolrwydd bod wy yn methu deor yw 0.05. Pan fydd 300 o wyau yn cael eu cadw o dan amodau wedi'u rheoli, defnyddiwch frasamcan Poisson i ddarganfod y tebygolrwydd bod nifer yr wyau sy'n methu deor yn llai na 10.   [3]

5 (a) Mae ffatri yn gweithgynhyrchu cwpanau. O brofiad blaenorol, mae'r rheolwr yn gwybod bod 5% o'r cwpanau sy'n cael eu cynhyrchu yn ddiffygiol. O gael hapsampl o 50 o'r cwpanau hyn, darganfyddwch y tebygolrwydd bod nifer y cwpanau diffygiol yn y sampl hwn:
  (i) yn 2 yn union
  (ii) rhwng 3 ac 8 (y ddau yn gynhwysol).   [6]
(b) Mae'r ffatri hefyd yn gweithgynhyrchu platiau. Mae'r rheolwr yn gwybod bod 1.5% o'r platiau sy'n cael eu cynhyrchu yn ddiffygiol. Caiff hapsampl o 250 o blatiau eu cymryd.
  (i) Esboniwch pam y gall y dosraniad Poisson gael ei ddefnyddio fel brasamcan i'r dosraniad binomaidd, i fodelu nifer y platiau sy'n ddiffygiol.
  (ii) Defnyddiwch ddosraniad Poisson priodol i ddarganfod brasamcan o'r tebygolrwydd y bydd y sampl o blatiau'n cynnwys 4 yn union o blatiau diffygiol.   [5]

6 (a) Mae gan yr hapnewidyn X y dosraniad binomaidd B(20, 0·2).
   (i) Heb ddefnyddio tablau, cyfrifwch P($X = 6$),
   (ii) Darganfyddwch P($2 \leq X \leq 8$). [5]

(b) Mae gan yr hapnewidyn Y y dosraniad binomaidd B(200, 0·0123).
   Defnyddiwch y dosraniad Poisson i ddarganfod bras werth P($Y = 3$). [3]

7 (a) Pan fydd math penodol o hedyn yn cael ei blannu, mae tebygolrwydd
   o 0.7 y bydd yn cynhyrchu blodau coch. Mae garddwr yn plannu 20 o'r
   hadau hyn.
   Cyfrifwch y tebygolrwydd y bydd:
   (i) 15 yn union o hadau yn cynhyrchu blodau coch
   (ii) dim mwy na 12 o hadau yn cynhyrchu blodau coch. [6]

(b) Pan fydd math gwahanol o hedyn yn cael ei blannu, mae tebygolrwydd
   o 0.09 y bydd yn cynhyrchu blodau gwyn. Mae'r garddwr yn plannu
   150 o'r hadau hyn. Defnyddiwch ddosraniad Poisson priodol i
   ddarganfod brasamcan o'r tebygolrwydd y bydd 10 yn union o hadau
   yn cynhyrchu blodau gwyn. [3]

Crynodeb

Y dosraniad binomaidd

Ar gyfer nifer penodol o brofion, n, a phob un â thebygolrwydd p o ddigwydd, mae tebygolrwydd o nifer x o lwyddiannau'n digwydd yn cael ei roi gan y fformiwla:

$$P(X = x) = \binom{n}{x}p^x (1 - p)^{n-x}$$

Gwnewch yn siŵr eich bod yn gwybod y ffeithiau canlynol:

Yr amodau ar gyfer defnyddio'r dosraniad binomaidd

Dyma'r amodau ar gyfer defnyddio'r dosraniad binomaidd:

- Profion annibynnol (h.y. lle nad yw tebygolrwydd un digwyddiad yn dibynnu ar ddigwyddiad arall).
- Profion lle mae tebygolrwydd llwyddiant cyson.
- Nifer pendol o brofion.
- Lle mae llwyddiant neu fethiant yn unig.

Y dosraniad Poisson

Mewn cyfwng penodol, mae'r tebygolrwydd bod digwyddiad X yn digwydd x o weithiau yn cael ei roi gan y fformiwla ganlynol:

$$P(X = x) = e^{-\lambda}\frac{\lambda^x}{x!}$$

lle mae $\lambda = \mu = E(X)$ ac $x = 0, 1, 2, 3, 4, \dots$

Cymedr y dosraniad Poisson

Os $X \sim Po(\lambda)$, yna cymedr, $\mu = \lambda$

Pryd i ddefnyddio'r dosraniad Poisson

Yn gyffredinol, rydyn ni'n defnyddio'r dosraniad Poisson yn yr amgylchiadau canlynol:

- Os yw n yn fawr (fel arfer > 50) *ac*
- os yw p yn fach (fel arfer <0.1).

Y dosraniad unffurf arwahanol

Dyma ddosraniad lle mae pob canlyniad yn hafal debygol.

Felly os oes N canlyniad posibl, tebygolrwydd canlyniad penodol $= \dfrac{1}{N}$.

5 Profi rhagdybiaethau ystadegol

Cyflwyniad

Diben casglu data yw eu dadansoddi a gofyn cwestiynau amdano a gweld a yw rhagdybiaethau am baramedr (e.e. tebygolrwydd, cymedr) y boblogaeth yn gywir neu'n anghywir. Er enghraifft, gallai pennaeth ysgol wneud gosodiad bod '90% o holl ddisgyblion yr ysgol yn credu bod yr addysgu yn yr ysgol yn rhagorol'. Gellid gofyn i sampl o'r disgyblion a ydyn nhw'n credu bod yr addysgu'n rhagorol a gallai'r canlyniadau gael eu profi i weld a oes modd cyfiawnhau'r gosodiad neu beidio. Mae profi rhagdybiaethau yn defnyddio data o'r fath i brofi a ddylai rhagdybiaeth gael ei derbyn neu ei gwrthod o blaid rhagdybiaeth arall.

Mae'r testun hwn yn ymdrin â'r canlynol:

5.1 Deall a chymhwyso iaith profi rhagdybiaethau

5.2 Darganfod gwerthoedd critigol a rhanbarthau critigol a defnyddio lefelau arwyddocâd

5.3 Profion 1-gynffon a 2-gynffon

5.4 Dehongli a chyfrifo gwallau math I a math II

5.5 Cynnal rhagdybiaeth gan ddefnyddio gwerthoedd-p

5.1 Deall a chymhwyso iaith profi rhagdybiaethau

Mae cryn nifer o dermau arbenigol yn cael eu defnyddio wrth brofi rhagdybiaethau ac mae angen i chi gofio beth mae pob un yn ei feddwl.

Beth yw paramedr?

A ydych chi'n cofio'r termau **poblogaeth** a **sampl**? **Poblogaeth** yw popeth sydd o dan ystyriaeth (e.e. disgyblion mewn ysgol, pobl sy'n gymwys i bleidleisio mewn etholiad, gwiwerod coch mewn coedwig, etc.) ac mae **sampl** yn nifer cynrychioliadol llai y gallwn gasglu data amdano. Os yw'r sampl wedi'i gasglu'n gywir, dylai unrhyw ystadegau, casgliadau ac ati a gafwyd wrth ddefnyddio'r sampl fod yn berthnasol i'r boblogaeth lawer mwy.

Nodwedd benodol yw **paramedr** y gallwn ei defnyddio i ddisgrifio poblogaeth. Y paramedr a gaiff ei ddefnyddio yn y testun hwn fydd y tebygolrwydd p, sef y tebygolrwydd o lwyddiant mewn prawf unigol. Er enghraifft, os yw darn arian teg yn cael ei daflu 30 o weithiau, y tebygolrwydd p fyddai 0.5 gan mai dyma'r tebygolrwydd o gael pen (neu gynffon fel arall) mewn prawf unigol (h.y. taflu darn arian).

Beth yw profi rhagdybiaeth?

Mae **rhagdybiaeth** yn dybiaeth neu'n honiad am werth penodol paramedr poblogaeth. Yn y testun hwn, paramedr y boblogaeth a fydd yn cael ei ddefnyddio fydd p.

Gallai'r rhagdybiaeth fod yn gywir neu'n anghywir, a gweithdrefn ystadegol yw profi rhagdybiaeth sy'n caniatáu i ni ddarganfod a ddylai rhagdybiaeth gael ei derbyn neu ei gwrthod.

Mae dau fath o ragdybiaeth ystadegol:

Rhagdybiaeth nwl

Caiff y symbol $\mathbf{H}_0$ ei roi i'r rhagdybiaeth nwl a dyma'r gwerth sy'n cael ei dderbyn yn bresennol ar gyfer y paramedr. Er enghraifft, os ydyn ni'n gwirio i weld a yw darn arian â thuedd o blaid pennau, y rhagdybiaeth nwl fyddai nad yw'r darn arian â thuedd ac mai'r tebygolrwydd p o gael pen yw 0.5.

Y rhagdybiaeth nwl yw'r rhagdybiaeth lle nad oes dim wedi newid neu lle nad oes dim â thuedd. Gallai data sy'n cael eu casglu o'r boblogaeth ar ffurf sampl achosi i chi wrthod y rhagdybiaeth nwl. Er enghraifft, wrth daflu'r darn arian nifer penodol o weithiau, gallech chi gael nifer mwy o bennau na'r hyn y byddech yn disgwyl sy'n gwneud i chi feddwl y gallai'r darn arian fod â thuedd o blaid pennau.

Rhagdybiaeth arall

Caiff y symbol $\mathbf{H}_1$ ei roi i'r rhagdybiaeth arall, ac rydyn ni'n ystyried mai dyma yw rhagdybiaeth yr ymchwil, ac mae hyn yn golygu bod honiad mae angen ei brofi. Y rhagdybiaeth arall yw lle mae rhywbeth wedi newid neu â thuedd.

Yn yr enghraifft o daflu darn arian, y rhagdybiaeth arall yw bod y darn arian â thuedd o blaid pennau, felly byddai'r tebygolrwydd o gael pen yn fwy na 0.5. Trwy hyn, y rhagdybiaeth arall yw $p > 0.5$.

Gallwn fynegi'r ddwy ragdybiaeth hyn fel hyn:

$$\mathbf{H}_0 : p = 0.5$$
$$\mathbf{H}_1 : p > 0.5$$

lle $\mathbf{H}_0$ yw'r rhagdybiaeth nwl ac $\mathbf{H}_1$ yw'r rhagdybiaeth arall.

Cofiwch ei bod fel arfer yn rhy anodd ac weithiau'n amhosibl casglu data am yr holl boblogaeth. Yn hytrach, caiff data eu casglu am sampl cynrychioliadol llai. Gall y data gael eu casglu drwy gynnal arolwg neu arbrawf.

Mae'r rhagdybiaeth arall bob amser yn wrthwyneb i'r rhagdybiaeth nwl.

Noder mai'r rhagdybiaeth nwl yw'r *status quo*, y sefyllfa bresennol (h.y. nid oes dim wedi newid felly mae'r darn arian yn ddiduedd). Y rhagdybiaeth arall yw bod rhywbeth wedi newid (h.y mae'r darn arian â thuedd).

Gan mai un anhafaledd mae angen i'r rhagdybiaeth arall ei ystyried (h.y. $H_1: p > 0.5$), rydyn ni'n ymchwilio'r tebygolrwydd i un cyfeiriad yn unig ac rydyn ni'n galw hyn yn brawf 1-gynffon. Byddwn yn edrych ar hyn yn fanylach yn nes ymlaen.

Ystadegyn prawf

Er mwyn profi rhagdybiaeth, mae angen ystadegyn prawf arnoch, sef ystadegyn sy'n cael ei gasglu o ddata'r sampl i weld a ddylai'r rhagdybiaeth nwl gael ei gwrthod neu beidio.

Tybiwch fod arbrawf yn cael ei gynnal i weld faint o weithiau, X, mae'r darn arian yn disgyn ar ben pan gaiff ei daflu 50 o weithiau.

Yr ystadegyn prawf yn yr achos hwn yw X, y nifer o bennau mewn 50 o dafliadau.

Beth os ydyn ni'n meddwl y gallai'r darn arian fod â thuedd ond nad ydyn ni'n gwybod a yw â thuedd o blaid pennau neu gynffonnau?

Tybiwch ein bod yn amau bod y darn arian â thuedd ond nad ydyn ni'n gwybod a yw â thuedd o blaid pennau neu gynffonau.

Os yw'r darn arian yn ddiduedd, mae'r tebygolrwydd o gael pen, p yn 0.5 felly'r rhagdybiaeth nwl yw $p = 0.5$, a gall hyn gael ei ysgrifennu gan ddefnyddio symbolau fel $H_0: p = 0.5$.

Os yw'r darn arian â thuedd, nid yw'r tebygolrwydd o gael pen, p, yn hafal i 0.5, felly'r rhagdybiaeth arall yw $p \neq 0.5$, sef $H_1: p \neq 0.5$. Ffordd arall o ystyried y rhagdybiaeth arall yw dweud, os nad yw p yn hafal i 0.5, mae'n rhaid ei fod naill ai'n fwy na 0.5 neu'n llai na 0.5. Trwy hyn, gall $H_1: p \neq 0.5$ gael ei ysgrifennu fel y ddau brawf:

$$H_1: p > 0.5 \quad \text{neu} \quad p < 0.5.$$

Gan fod dau debygolrwydd i'w hystyried nawr, rydyn ni'n galw hyn yn **brawf 2-gynffon**. Byddwn yn edrych ar hyn yn fanylach yn nes ymlaen.

Enghreifftiau

1 Mae troellwr pedair ochr, gyda'r ochrau wedi'u rhifo 1 i 4, yn cael eu defnyddio mewn gêm. Mae Jack yn amau bod y troellwr â thuedd o blaid y rhif un. Mae eisiau cynnal arbrawf i brofi a yw'r troellwr â thuedd tuag at un. Mae'n troelli'r troellwr 10 o weithiau ac yn cofnodi'r nifer o weithiau y mae'n disgyn ar rif un.

(a) Ysgrifennwch osodiad ar gyfer y rhagdybiaeth nwl y mae modd ei brofi.

(b) Ysgrifennwch osodiad ar gyfer y rhagdybiaeth arall.

(c) Disgrifiwch ystadegyn prawf y gallai Jack ei ddefnyddio.

Ateb

1 (a) $H_0: p = \frac{1}{4}$

(b) $H_1: p > \frac{1}{4}$

(c) Yr ystadegyn prawf yw X, y nifer o weithiau mae'r troellwr yn glanio ar rif un mewn deg troelliad.

2   Mae'n cael ei honni bod dis chwe ochr â thuedd o blaid y rhif tri. Caiff y dis ei daflu 300 o weithiau a chaiff y nifer o weithiau mae'n glanio ar dri ei gofnodi.

(a)   Ysgrifennwch osodiad ar gyfer y rhagdybiaeth nwl y mae modd ei brofi.

(b)   Ysgrifennwch osodiad ar gyfer y rhagdybiaeth arall.

(c)   Disgrifiwch ystadegyn prawf a allai gael ei ddefnyddio i brofi'r honiad.

Ateb

> Noder ein bod, ar gyfer y rhagdybiaeth nwl, yn tybio nad yw'r dis â thuedd, felly'r tebygolrwydd o gael 3 yw $\frac{1}{6}$.

2   (a) $H_0 : p = \frac{1}{6}$

(b) $H_1 : p > \frac{1}{6}$

(c)   Yr ystadegyn prawf yw X, y nifer o weithiau mae'r dis yn glanio ar y rhif 3 mewn tri chant o dafliadau.

3   Mae etholiad cyffredinol am gael ei gynnal. Mae ymgeisydd A yn dweud bod ganddi 47% o'r bleidlais ond mae'r papur newydd lleol yn meddwl ei bod yn goramcangyfrif y gefnogaeth iddi. Mae'r papur newydd yn cynnal arolwg gan ddefnyddio sampl o 500 o bobl sy'n gymwys i bleidleisio, gan ofyn iddyn nhw dros bwy maen nhw am bleidleisio.

(a)   Ysgrifennwch osodiad ar gyfer y rhagdybiaeth nwl y mae modd ei brofi.

(b)   Ysgrifennwch osodiad ar gyfer y rhagdybiaeth arall.

(c)   Disgrifiwch ystadegyn prawf a allai gael ei ddefnyddio i brofi'r honiad y mae ymgeisydd A wedi'i wneud.

Ateb

3   (a) $H_0 : p = 0.47$

(b) $H_1 : p < 0.47$

(c)   Yr ystadegyn prawf yw X, nifer y bobl a ddywedodd y bydden nhw'n pleidleisio dros ymgeisydd A o'r sampl.

4   Mae John o'r farn bod darn arian â thuedd, felly mae'n cynnal arbrawf gan ddefnyddio 100 o dafliadau o'r darn arian ac mae'n cofnodi'r nifer o weithiau mae'n disgyn ar ben a chynffon.

(a)   Ysgrifennwch ragdybiaeth nwl addas y gallai ei ddefnyddio i brofi'r darn arian.

(b)   Ysgrifennwch ragdybiaeth arall y gallai ei ddefnyddio i brofi'r darn arian.

(c)   Disgrifiwch yr ystadegyn prawf y gallai ei ddefnyddio i wirio am duedd.

Ateb

> Noder bod y rhagdybiaeth arall yn defnyddio $p > 0.5$ a $p < 0.5$ sy'n golygu bod y tebygolrwydd yn cael ei brofi i'r ddau gyfeiriad. Pan fydd hyn yn digwydd, mae'n cael ei alw'n brawf 2-gynffon.

4   (a) $H_0 : p = 0.5$

(b) $H_1 : p \neq 0.5$

(c)   Yr ystadegyn prawf yw X, y nifer o weithiau y cafodd pen ei daflu mewn 100 o dafliadau. (Noder y gallech chi, yn lle hynny, fod wedi defnyddio'r nifer o weithiau y cafodd cynffon ei daflu.)

5.2 Darganfod gwerthoedd critigol a rhanbarthau critigol a defnyddio lefelau arwyddocâd

Wrth ddechrau profi rhagdybiaeth byddwn yn tybio bod y rhagdybiaeth nwl yn wir. Rydyn ni wedyn yn edrych am dystiolaeth i'w gwrthod neu fethu ei gwrthod. I wneud hyn, mae angen i ni gyfrifo'r tebygolrwydd bod gan ystadegyn prawf (sy'n cael ei ddynodi ag X fel arfer) werthoedd penodol.

n yw maint y sampl ac X yw'r nifer o weithiau mae'r ystadegyn prawf yn digwydd.

I gychwyn ar y broses hon, mae'n rhaid i ni benderfynu ar y gwerthoedd ar gyfer n a p fel y gallwn ni fodelu'r sefyllfa gan ddefnyddio dosraniad binomaidd (h.y. B(n, p)).

Gallwn ddefnyddio'r dosraniad hwn wedyn i ddarganfod tebygolrwyddau a rhanbarthau critigol. Rhanbarthau critigol yw'r rhanbarthau hynny a fyddai, pe bai gwerth X yn glanio ynddynt, yn achosi i'r rhagdybiaeth nwl $\mathbf{H}_0$ gael ei gwrthod.

Cymerwch ein bod eisiau gwirio a yw darn arian â thuedd o blaid pennau neu beidio a chynnal arbrawf drwy daflu 10 darn arian. Gallai'r rhagdybiaethau nwl ac arall fod yn $\mathbf{H}_0: p = 0.5$ a $\mathbf{H}_1: p > 0.5$

Tybiwn fod y rhagdybiaeth nwl yn gywir a modelwn y sefyllfa gan ddefnyddio B(10,0.5).

Gallwn ddarganfod y tebygolrwydd o gael 0 i 10 pen gan ddefnyddio'r fformiwla. Gall y tebygolrwyddau hyn gael eu defnyddio i lunio'r tabl a'r graff canlynol.

Nifer y pennau	0	1	2	3	4	5	6	7	8	9	10
Tebygolrwydd	0.0010	0.0098	0.0439	0.1172	0.2051	0.2461	0.2051	0.1172	0.0439	0.0098	0.0010

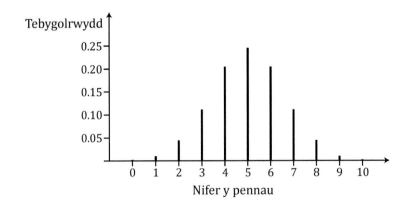

Sylwch o'r graff a'r tabl fod y dosraniad tebygolrwydd yn gymesur ac mai'r nifer mwyaf tebygol o bennau yw 5 os yw'r darn arian yn ddiduedd.

Mae pob tebygolrwydd yn y tabl hwn wedi'u cyfrifo gan ddefnyddio'r fformiwla finomaidd:

$$P(X = x) = \binom{n}{x}p^x(1 - p)^{n - x}$$

Dysgu Gweithredol

Er hynny, gallwch chi gyfrifo pob un o'r gwerthoedd hyn ar unwaith drwy roi'r gwerthoedd-x (h.y. 0 i 10 fel rhestr ac wedyn rhoi gwerthoedd n a p (h.y. 10 a 0.5 yn eu trefn) i mewn i gyfrifiannell ystadegol.

Yna, byddwch chi'n cael y rhestr uchod o debygolrwyddau. Gwnewch hyn ac edrychwch i wneud yn siŵr bod eich rhestr yn debyg i'r un uchod.

O'r tabl, gallwn gyfrifo'r tebygolrwydd o gael 'yn cynnwys' a 'mwy na' nifer penodol o bennau. Er enghraifft, os ydyn ni eisiau'r tebygolrwydd o gael 9 neu 10 pen, gallwn adio'r tebygolrwydd o gael 9 pen a'r tebygolrwydd o gael 10 pen.

Trwy hyn $P(9 \text{ neu } 10 \text{ pen}) = P(X \geq 9) = P(9 \text{ pen}) + P(10 \text{ pen})$

$$= 0.0098 + 0.0010 = 0.0108$$

$$P(8, 9 \text{ neu } 10 \text{ pen}) = P(X \geq 8) = P(8 \text{ pen}) + P(9 \text{ pen}) + P(10 \text{ pen})$$

$$= 0.0439 + 0.0098 + 0.0010 = 0.0547$$

Rydych chi eisoes wedi gweld ei bod yn bosibl defnyddio tabl o werthoedd sy'n cael ei alw'n **dabl ffwythiant dosraniad binomaidd** i ddarganfod y tebygolrwyddau uchod.

Mae lefel arwyddocâd prawf (sy'n cael ei roi gan y symbol Groegaidd α) yn dweud wrthych chi pa mor annhebygol y mae angen i werth yr ystadegyn prawf X fod cyn y caiff y rhagdybiaeth nwl $\mathbf{H}_0$ ei gwrthod.

Y lefel arwyddocâd yw'r tebygolrwydd bod y rhagdybiaeth nwl $\mathbf{H}_0$ yn cael ei gwrthod er ei bod yn wir. Mae'n bwysig cofio y gall hapsampl gynnwys data eithafol a all achosi i'r rhagdybiaeth nwl gael ei gwrthod yn anghywir. Yn y rhan fwyaf o gwestiynau, bydd y lefel arwyddocâd yn cael ei rhoi ac fel arfer y lefel fydd 1% ($\alpha = 0.01$), 5% ($\alpha = 0.05$) neu 10% ($\alpha = 0.1$).

Gan barhau â'n harbrawf o daflu darn arian, byddwn ni'n defnyddio lefel arwyddocâd o 5%, sef 0.05 fel degolyn. Nawr, mae angen i ni ddarganfod gwerth lleiaf X a fyddai'n golygu bod y tebygolrwydd yn 0.05 neu fwy.

Felly ar gyfer $X \geq 9$, $p(X \geq 9) = 0.0108$ sy'n llai na'r lefel arwyddocâd o 0.05 sy'n golygu, pe baen ni'n cael gwerth o 9 neu 10 ar gyfer yr ystadegyn prawf X, dylai'r rhagdybiaeth nwl gael ei gwrthod.

Ar gyfer $X \geq 8$, $p(X \geq 8) = 0.0547$ sy'n fwy na'r lefel arwyddocâd o 0.05. Os gwerth yr ystadegyn prawf X yw 8 neu lai (h.y. 8, 7, 6, 5, 4, 3, 2, 1 neu 0), ni fyddai'r rhagdybiaeth nwl yn cael ei gwrthod. Os yw gwerth X yn y rhanbarth y tu allan i'r rhanbarth critigol, ni fyddai'r rhagdybiaeth nwl yn cael ei gwrthod.

Y gwerth critigol a'r rhanbarth critigol

Y rhanbarth critigol yw'r set o werthoedd X a fyddai'n achosi i'r rhagdybiaeth nwl gael ei gwrthod. Fel arfer, mae'r rhanbarth hwn yn cael ei fynegi fel anhafaledd megis $X \geq 8$ neu $X \leq 2$.

Mae'r gwerthoedd 9 neu 10 ar gyfer X felly yn y rhanbarth critigol, felly gallwn ysgrifennu'r rhanbarth critigol fel yr anhafaledd $X \geq 9$. Mae'r gwerthoedd 0, 1, 2, 3, 4, 5, 6, 7 ac 8 yn gorwedd y tu allan i'r rhanbarth critigol sy'n golygu pe bai'r ystadegyn prawf yn gorwedd yn y rhanbarth hwn, bydden ni'n methu gwrthod y rhagdybiaeth nwl.

Y gwerth critigol yw'r gwerth cyntaf y dewch chi iddo wrth fynd i mewn i'r rhanbarth critigol

Yn ein henghraifft ni, y gwerth critigol fyddai 9 am mai dyma'r gwerth cyntaf y dewch chi iddo wrth fynd i mewn i'r rhanbarth critigol.

Mae'r gwerth critigol a'r rhanbarth critigol wedi'u dangos ar y graff ar frig y dudalen gyferbyn.

Noder y gallech chi hefyd ddefnyddio cyfrifiannell i ddarganfod y tebygolrwyddau hyn.

Noder bod un gwerth critigol mewn prawf 1-gynffon a bod dau werth critigol mewn prawf 2-gynffon. Byddwn yn ymdrin â hyn yn fanylach yn nes ymlaen.

5.2 Darganfod gwerthoedd critigol a rhanbarthau critigol a defnyddio lefelau arwyddocâd

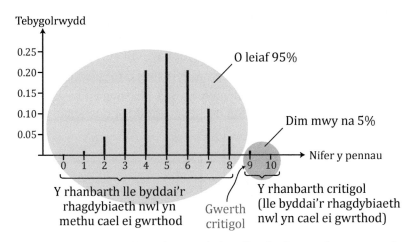

O leiaf 95%

Dim mwy na 5%

Nifer y pennau

Y rhanbarth lle byddai'r rhagdybiaeth nwl yn methu cael ei gwrthod

Gwerth critigol

Y rhanbarth critigol (lle byddai'r rhagdybiaeth nwl yn cael ei gwrthod)

Unwaith mae'r gwerth critigol wedi'i ganfod, gallwch chi gymharu gwerth yr ystadegyn prawf (X) gyda hwn i weld a ddylai'r rhagdybiaeth nwl gael ei gwrthod.

Mae hyn yn golygu, wrth daflu deg darn arian a'n bod yn cael naill ai 9 neu 10 pen ar lefel arwyddocâd o 5%, y bydden ni'n dod i gasgliad bod y darn arian yn fwy na thebyg â thuedd o blaid pennau, sy'n golygu ein bod ni'n gwrthod y rhagdybiaeth nwl o blaid y rhagdybiaeth arall.

Darganfod rhanbarthau a gwerthoedd critigol gan ddefnyddio tablau dosraniad binomaidd

Mae cyfrifo'r tebygolrwyddau unigol gan ddefnyddio'r fformiwla dosraniad binomaidd yn feichus, yn arbennig os oes llawer o werthoedd i'r ystadegyn prawf X. Yn ffodus, mae dulliau haws ar gael gan ddefnyddio'r tablau dosraniad binomaidd neu gyfrifiannell.

Bydd copi o set o dablau ystadegol elfennol ar gyfer eich cwrs ar gael i chi a byddwch yn cael copi glân yn yr arholiad. Y tabl y bydd angen i ni ei ddefnyddio yng ngweddill y testun hwn yw 'Tabl 1 Ffwythiant Dosraniad Binomaidd'.

97

Bydd angen y set uchod o dablau ar gyfer gweddill y testun hwn. Bydd eich athro/darlithydd yn rhoi copi i chi, neu gallwch chi lawrlwytho copi o wefan CBAC.

Roedd yr enghraifft flaenorol wedi'i chynrychioli gan B(10, 0.5).

Dyma sut i ddefnyddio'r tabl i ddarganfod y gwerth critigol. Gan fod $H_1: p > 0.5$ mae'r rhagdybiaeth arall yn cynnwys arwydd 'mwy na' (>). Mae hyn yn golygu bod angen i ni edrych ar y gynffon uchaf. Mae'r gynffon uchaf ar ochr dde'r dosraniad tebygolrwydd.

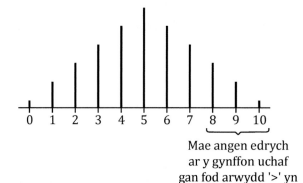

Mae angen edrych
ar y gynffon uchaf
gan fod arwydd '>' yn
y rhagdybiaeth arall.

Nawr mae'r tabl yn rhoi'r tebygolrwydd o o leiaf x o lwyddiannau o leiaf, felly maen nhw'n rhoi'r tebygolrwydd cronnus gan weithio o'r gynffon chwith tuag at y gynffon dde. Mae hyn yn golygu ein bod yn tynnu 0.05 o 1 i roi gwerth o 0.95 ac yna ein bod yn mynd ymlaen i ddefnyddio'r tablau yn y ffordd ganlynol.

Edrychwch ar y rhan o'r tabl lle mae $n = 10$ ac wedyn edrychwch i lawr y golofn ar gyfer $p = 0.5$.

Nawr mae angen i ni edrych i lawr y golofn a dod o hyd i'r tebygolrwydd cyntaf yn y golofn sy'n fwy na 0.95 (h.y. 1 – 0.05) ac wedyn y gwerth critigol yw'r gwerth X sy'n ei ddilyn.

Felly yma, wrth edrych i lawr y golofn, gallwn weld mai'r gwerth cyntaf sy'n fwy na 0.95 yw 0.9893 sy'n cyfateb i werth X o 8. Nawr mae angen i ni ddewis y gwerth X ar ôl hyn i roi gwerth a. Trwy hyn $a = 9$. Trwy hyn, y gwerth critigol yw 9 a'r rhanbarth critigol yw $X \geq 9$.

FFWYTHIANT DOSRANIAD BINOMIAL

x \ p	0.01	0.02	0.03	0.04	0.05	0.06	0.07	0.08	0.09	0.10	0.15	0.20	0.25	0.30	0.35	0.40	0.45	0.50	p \ x
n=9 0	.9135	.8337	.7602	.6925	.6302	.5730	.5204	.4722	.4279	.3874	.2316	.1342	.0751	.0404	.0207	.0101	.0046	.0020	0
1	.9966	.9869	.9718	.9522	.9288	.9022	.8729	.8417	.8088	.7748	.5995	.4362	.3003	.1960	.1211	.0705	.0385	.0195	1
2	.9999	.9994	.9980	.9955	.9916	.9862	.9791	.9702	.9595	.9470	.8591	.7382	.6007	.4628	.3373	.2318	.1495	.0898	2
3	1.000	1.000	.9999	.9997	.9994	.9987	.9977	.9963	.9943	.9917	.9661	.9144	.8343	.7297	.6089	.4826	.3614	.2539	3
4			1.000	1.000	1.000	.9999	.9998	.9997	.9995	.9991	.9944	.9804	.9511	.9012	.8283	.7334	.6214	.5000	4
5						1.000	1.000	1.000	1.000	.9999	.9994	.9969	.9900	.9747	.9464	.9006	.8342	.7461	5
6										1.000	1.000	.9997	.9987	.9957	.9888	.9750	.9502	.9102	6
7												1.000	.9999	.9996	.9986	.9962	.9909	.9805	7
8													1.000	1.000	.9999	.9997	.9992	.9980	8
9															1.000	1.000	1.000	1.000	9
n=10 0	.9044	.8171	.7374	.6648	.5987	.5386	.4840	.4344	.3894	.3487	.1969	.1074	.0563	.0282	.0135	.0060	.0025	.0010	0
1	.9957	.9838	.9655	.9418	.9139	.8824	.8483	.8121	.7746	.7361	.5443	.3758	.2440	.1493	.0860	.0464	.0233	.0107	1
2	.9999	.9991	.9972	.9938	.9885	.9812	.9717	.9599	.9460	.9298	.8202	.6778	.5256	.3828	.2616	.1673	.0996	.0547	2
3	1.000	1.000	.9999	.9996	.9990	.9980	.9964	.9942	.9912	.9872	.9500	.8791	.7759	.6496	.5138	.3823	.2660	.1719	3
4			1.000	1.000	.9999	.9998	.9997	.9994	.9990	.9984	.9901	.9672	.9219	.8497	.7515	.6331	.5044	.3770	4
5					1.000	1.000	1.000	1.000	.9999	.9999	.9986	.9936	.9803	.9527	.9051	.8338	.7384	.6230	5
6									1.000	1.000	.9999	.9991	.9965	.9894	.9740	.9452	.8980	.8281	6
7											1.000	.9999	.9996	.9984	.9952	.9877	.9726	.9453	7
8												1.000	1.000	.9999	.9995	.9983	.9955	.9893	8
9														1.000	1.000	.9999	.9997	.9990	9
10																1.000	1.000	1.000	10
n=11 0	.8953	.8007	.7153	.6382	.5688	.5063	.4501	.3996	.3544	.3138	.1673	.0859	.0422	.0198	.0088	.0036	.0014	.0005	0
1	.9948	.9805	.9587	.9308	.8981	.8618	.8228	.7819	.7399	.6974	.4922	.3221	.1971	.1130	.0606	.0302	.0139	.0059	1
2	.9998	.9988	.9963	.9917	.9848	.9752	.9630	.9481	.9305	.9104	.7788	.6174	.4552	.3127	.2001	.1189	.0652	.0327	2
3	1.000	1.000	.9998	.9993	.9984	.9970	.9947	.9915	.9871	.9815	.9306	.8389	.7133	.5696	.4256	.2963	.1911	.1133	3
4			1.000	1.000	.9999	.9997	.9995	.9990	.9983	.9972	.9841	.9496	.8854	.7897	.6683	.5328	.3971	.2744	4
5					1.000	1.000	1.000	.9999	.9998	.9997	.9973	.9883	.9657	.9218	.8513	.7535	.6331	.5000	5
6								1.000	1.000	1.000	.9997	.9980	.9924	.9784	.9499	.9006	.8262	.7256	6
7											1.000	.9998	.9988	.9957	.9878	.9707	.9390	.8867	7

5.2 Darganfod gwerthoedd critigol a rhanbarthau critigol a defnyddio lefelau arwyddocâd

Rydyn ni bellach yn gwybod y canlynol:

- Y gwerth critigol yw $X = 9$
- Y rhanbarth critigol yw $X \geq 9$
- Y rhanbarth derbyn yw $X \leq 8$

Mae hyn yn golygu, pe baen ni'n cael 9 pen, fod tystiolaeth y dylai'r rhagdybiaeth nwl gael ei gwrthod o blaid y rhagdybiaeth arall.

Pe baen ni'n cael 10 pen, mae tystiolaeth y dylai'r rhagdybiaeth nwl gael ei gwrthod o blaid y rhagdybiaeth arall.

Mae'r ddau werth yn gorwedd yn y rhanbarth critigol.

Pe baen ni, er enghraifft, yn cael 5 pen, byddai hyn yn gorwedd yn y rhanbarth derbyn, felly prin yw'r dystiolaeth dros wrthod y rhagdybiaeth nwl. Trwy hyn, bydden ni'n methu gwrthod y rhagdybiaeth nwl.

Darganfod y gwerth critigol a'r rhanbarth critigol pan fydd arwydd '<' yn y rhagdybiaeth arall

Wrth ddod o hyd i'r gwerth critigol a'r rhanbarth critigol pan fydd arwydd '<' yn y rhagdybiaeth arall, mae angen i chi ymchwilio i gynffon isaf y dosraniad tebygolrwydd.

Mae'r dull rydyn ni'n ei ddefnyddio yn cael ei ddisgrifio orau drwy edrych ar yr enghraifft ganlynol.

Enghraifft

1 Mae gan yr ystadegyn prawf X ddosraniad binomaidd B(10, 0.40). Os y rhagdybiaeth nwl yw $H_0 : p = 0.40$ a'r rhagdybiaeth arall yw $H_1 : p < 0.40$, darganfyddwch y rhanbarth critigol os y lefel arwyddocâd yw 5%.

Ateb

1   Gan dybio bod y rhagdybiaeth nwl yn gywir, rydyn ni'n defnyddio B(10, 0.40).

Gan ddefnyddio tabl y ffwythiant dosraniad binomaidd, rydyn ni'n darganfod y tebygolrwydd cyntaf wrth fynd i lawr y golofn sy'n fwy na 0.05.

Gan ddefnyddio'r tabl, $P(X \leq 2) = 0.1673$, felly a, y gwerth critigol, yw'r gwerth cyn hyn (h.y. 1). Trwy hyn, y gwerth critigol yw 1 a'r rhanbarth critigol yw $X \leq 1$ felly mae hyn yn cyfateb i werthoedd 0 ac 1 i X.

Darganfod y gwerth critigol a'r rhanbarth critigol pan fydd arwydd '>' yn y rhagdybiaeth arall

I ddarganfod y gwerth critigol a'r rhanbarth critigol pan fydd arwydd '>' yn y rhagdybiaeth arall, mae angen i chi ymchwilio i gynffon uchaf y dosraniad tebygolrwydd. Gan fod y tablau'n rhoi'r tebygolrwydd bod o leiaf x o lwyddiannau, er mwyn defnyddio'r tablau mae angen tynnu'r lefel arwyddocâd o 1 i ddarganfod y tebygolrwydd mae angen i ni ei ddefnyddio gyda'r tabl. Felly os y lefel arwyddocâd $\alpha = 0.05$ (h.y. 5%), rydyn ni'n defnyddio $1 - \alpha = 1 - 0.05 = 0.95$.

Mae'r enghraifft ganlynol yn dangos sut i gyfrifo'r gwerth critigol a'r rhanbarth critigol ar gyfer prawf rhagdybiaeth sy'n ymwneud â'r gynffon uchaf.

Enghreifftiau

1 Mae gan yr ystadegyn prawf X y dosraniad binomaidd B(10, 0.20). Os y rhagdybiaeth nwl yw $H_0 : p = 0.20$ a'r rhagdybiaeth arall yw $H_1 : p > 0.20$, darganfyddwch y rhanbarth critigol os y lefel arwyddocâd yw 5%.

> Sylwch mai 9 yw'r gwerth cyntaf y down ato wrth fynd o'r rhanbarth derbyn i'r rhanbarth critigol. Gan mai dyma'r gwerth cyntaf yn y rhanbarth critigol, dyma yw'r gwerth critigol.

> Sylwch, gan mai'r rhagdybiaeth arall yw $H_1 : p < 0.40$, fod angen i ni edrych ar gynffon isaf y dosraniad.

> Sylwch fod gwerthoedd 2, 3, 4, 5, 6, 7, 8, 9 a 10 o X oll yn y rhanbarth derbyn. Pe baen ni'n canfod bod gwerth yr ystadegyn prawf X o sampl yn gorwedd y tu mewn i'r rhanbarth hwn, bydden ni'n methu gwrthod y rhagdybiaeth nwl.

Gan ein bod ni'n ymchwilio i'r gynffon uchaf, rydyn ni'n tynnu'r lefel arwyddocâd o 1 i roi'r tebygolrwydd.

Cofiwch – mae'r gwerth sydd ar ffin y rhanbarth critigol yn cael ei alw'n werth critigol.

Edrychwn am y gwerth cyntaf o X lle mae'r tebygolrwydd yn fwy na 0.95. Yma, $P(X \leq 4) = 0.9672$.

Y gwerth critigol nawr yw'r gwerth ar ôl y gwerth hwn o X. Felly yn yr achos hwn, $X = 5$ yw'r gwerth critigol.

Ateb

1　Am mai $\mathbf{H_1} : p > 0.20$, mae angen i ni ddefnyddio cynffon uchaf y dosraniad tebygolrwydd.

Gan dybio bod y rhagdybiaeth nwl yn gywir, rydyn ni'n defnyddio $B(10, 0.20)$ i ddarganfod gwerthoedd X sydd â thebygolrwydd yn agos at 0.95.

$$P(X \leq 3) = 0.8791$$

sy'n llai na 0.95, felly byddai 4 yn gorwedd yn y rhanbarth derbyn.

$$P(X \leq 4) = 0.9672$$

sy'n 0.95 o leiaf.

Mae hyn yn golygu mai $X = 5$ yw'r gwerth critigol ac mai $X \geq 5$ yw'r rhanbarth critigol. Y gwerthoedd yn y rhanbarth critigol yw 5, 6, 7, 8, 9, 10.

2　Mae gan yr ystadegyn prawf X y dosraniad binomaidd $B(30, 0.4)$. Os y rhagdybiaeth nwl yw $\mathbf{H_0} : p = 0.4$ a'r rhagdybiaeth arall yw $\mathbf{H_1} : p > 0.4$, darganfyddwch y rhanbarth critigol a'r gwerth critigol os y lefel arwyddocâd yw 1%.

Ateb

2　Y rhagdybiaeth arall yw $\mathbf{H_1} : p > 0.4$ a gan fod arwydd '>' ynddi, mae angen i ni edrych ar gynffon uchaf y dosraniad tebygolrwydd.

Gan dybio bod y rhagdybiaeth nwl yn gywir, rydyn ni'n defnyddio $B(30, 0.4)$ ac yn gweithio i lawr y golofn debygolrwydd nes i ni ddarganfod y gwerth cyntaf sy'n fwy na 0.99 (h.y. 1 − 0.01).

O'r tabl, $P(X \leq 9) = 0.9903$ sy'n fwy na 0.99. Mae'r gwerth critigol, a, un yn fwy na'r gwerth hwn felly'r gwerth critigol yw 10. Trwy hyn $X = 10$ yw'r gwerth critigol ac $X \geq 10$ yw'r rhanbarth critigol.

3　Mae Amy yn ddisgybl poblogaidd a fyddai'n hoffi cael ei hethol yn ddisgybl-lywodraethwr yr ysgol. Mae'r etholiad ar gyfer y disgybl-lywodraethwr cyn hir, ac mae Amy'n credu y bydd ganddi gefnogaeth 45% o'r disgyblion sy'n gymwys i bleidleisio. Mae ffrind gorau Amy yn credu bod Amy yn goramcangyfrif y gefnogaeth iddi. Mae ei ffrind gorau yn penderfynu gwneud prawf drwy gymryd hapsampl o 20 disgybl a gofyn iddyn nhw dros bwy maen nhw'n bwriadu pleidleisio a dywedodd 5 eu bod am bleidleisio dros Amy.

(a)　Ysgrifennwch ystadegyn prawf addas.

(b)　Ysgrifennwch ragdybiaeth nwl a rhagdybiaeth arall addas.

(c)　Amcangyfrifwch ar lefel arwyddocâd o 5% a yw Amy yn goramcangyfrif y gefnogaeth iddi.

Gan eich bod yn profi i un cyfeiriad yn unig (h.y. $p < 0.45$), prawf 1-gynffon yw hon a chan fod arwydd '<', byddwn yn edrych ar gynffon isaf y dosraniad tebygolrwydd.

Ateb

3　(a)　Yr ystadegyn prawf yw X, nifer y disgyblion sy'n bwriadu pleidleisio dros Amy.

(b)　Y rhagdybiaeth nwl yw $\mathbf{H_0} : p = 0.45$
Y rhagdybiaeth arall yw $\mathbf{H_1} : p < 0.45$

(c) Edrychwch yn y tabl ar gyfer $n = 20$, $p = 0.45$.

Edrychwch am y tebygolrwydd cyntaf yn y tabl sy'n fwy na 0.05, gan ddefnyddio'r tabl $P(X \leq 5) = 0.0553$

Nawr a yw'r gwerth X cyn hyn, felly'r gwerth critigol, $a = 4$

Mae hyn yn golygu mai'r gwerth critigol $X \leq 4$ (noder bod anhafaledd y rhanbarth critigol i'r un cyfeiriad ag anhafaledd y rhagdybiaeth arall).

Nawr gan mai canlyniad y sampl yw $X = 5$, mae hyn yn gorwedd yn y rhanbarth derbyn sy'n golygu nad oes digon o dystiolaeth i wrthod y rhagdybiaeth nwl, H_0. Felly mae tystiolaeth i awgrymu, yn wir, fod gan Amy 45% o'r bleidlais.

> Gwnewch yn siŵr eich bod yn gwneud gosodiad clir ynglŷn â'r canlyniadau yng nghyd-destun y cwestiwn.

5.3 Profion 1-gynffon a 2-gynffon

Gall rhagdybiaeth arall naill ai fod yn 1-gynffon neu'n 2-gynffon. Hyd yn hyn, mae pob rhagdybiaeth wedi bod yn 1-gynffon am eu bod wedi edrych ar un pen o'r dosraniad tebygolrwydd yn unig (h.y. y gynffon uchaf neu'r gynffon isaf).

Rhagdybiaeth 1-gynffon / prawf 1-gynffon

Mae rhagdybiaeth arall 1-gynffon yn rhagdybiaeth lle mae'r paramedr sy'n cael ei archwilio naill ai'n llai na neu'n fwy na'r gwerth sy'n cael ei ddefnyddio ar gyfer y rhagdybiaeth nwl H_0. Felly, yn enghraifft y darn arian, rhagdybiaeth arall allai fod bod y darn arian â thuedd o blaid pennau, felly'r prawf 1-gynffon fyddai $H_1 : p > 0.5$.

Os oeddech eisiau trefnu mai'r rhagdybiaeth arall oedd bod y darn arian â thuedd o blaid cynffonau, y prawf 1-gynffon fyddai $H_1 : p < 0.5$ (h.y. mae'r tebygolrwydd o gael pen yn llai am fod y darn arian â thuedd tuag at gynffonau).

Rhagdybiaeth 2-gynffon / prawf 2-gynffon

Rhagdybiaeth arall 2-gynffon yw rhagdybiaeth lle nad yw'r paramedr sy'n cael ei archwilio yn hafal i'r gwerth sy'n cael ei ddefnyddio ar gyfer y rhagdybiaeth nwl H_0 ac mae'r prawf ar gyfer hyn yn cael ei alw'n brawf 2-gynffon.

Y prawf 2-gynffon fyddai $H_1 : p \neq 0.5$ (noder bod hyn yn cynnwys y ddau brawf canlynol: $H_1 : p < 0.5$ a $H_1 : p > 0.5$).

Darganfod y gwerthoedd critigol a'r rhanbarthau critigol ar gyfer prawf 2-gynffon

Ar gyfer profion 2-gynffon, rydyn ni'n rhannu'r lefel arwyddocâd â 2 ac yn cymhwyso'r canlyniad i'r naill gynffon a'r llall. Felly os 5% oedd y lefel arwyddocâd, byddai 2.5% o debygolrwydd yn y gynffon isaf a 2.5% o debygolrwydd yn y gynffon uchaf. Byddai dau werth critigol a dau ranbarth critigol yn y ddwy gynffon.

Mae'r enghraifft ganlynol yn dangos y dechneg ar gyfer darganfod y gwerthoedd critigol a'r rhanbarthau critigol.

Enghraifft

1 Mae gan yr ystadegyn prawf X y dosraniad binomaidd B(10, 0.50). Os y rhagdybiaeth nwl yw $H_0 : p = 0.50$ a'r rhagdybiaeth arall yw $H_1 : p \neq 0.50$, darganfyddwch y gwerthoedd critigol a'r rhanbarthau critigol os y lefel arwyddocâd yw 5%.

. . . .

Ateb

1   Gan mai prawf 2-gynffon yw hwn, yn gyntaf rydyn ni'n rhannu'r lefel arwyddocâd (h.y. 0.05 yn yr achos hwn) â 2 i roi 0.025 yn y naill gynffon a'r llall.

Yn gyntaf, ystyriwch y gynffon ar y chwith a defnyddiwch dablau'r ffwythiant dosraniad binomaidd i ddarganfod y gwerth cyntaf yn y golofn lle mae'r tebygolrwydd yn fwy na 0.025.

Gan ddefnyddio'r tablau, mae gennym ni $P(X \leq 2) = 0.0547$ fel y gwerth cyntaf sy'n mynd y tu hwnt i 0.025. Y gwerth critigol yw'r gwerth cyn hynny, felly $X = 1$ yw'r gwerth critigol a'r rhanbarth critigol ar gyfer y gynffon hon yw $X \leq 1$.

Nawr, gan ystyried y gynffon uchaf, rydyn ni'n defnyddio B(10, 0.50) a'r tablau i ddarganfod y tebygolrwydd cyntaf yn y golofn sy'n mynd y tu hwnt i 0.975 (h.y. $1 - 0.025$).

Gan ddefnyddio'r tablau, mae gennym ni $P(X \leq 8) = 0.9893$, felly'r gwerth critigol yw'r gwerth ar ôl hyn, sef $X = 9$. Y rhanbarth critigol yw $X \geq 9$.

Trwy hyn, y gwerthoedd critigol yw 1 a 9 a'r rhanbarthau critigol yw $X \leq 1$ ac $X \geq 9$.

5.4   Dehongli a chyfrifo gwallau math I a math II

Mae dau fath o wall mewn profi rhagdybiaethau ystadegol nad oes modd eu hosgoi yn gyfan gwbl: gwallau math I a gwallau math II.

Gwall math I – Caiff gwall math I ei wneud pan fyddwch, yn anghywir, yn gwrthod rhagdybiaeth nwl cywir.
Gwall math II – Caiff gwall math II ei wneud pan fyddwch chi'n derbyn rhagdybiaeth anghywir.

Dyma grynodeb o'r canlyniadau posibl os yw'r rhagdybiaeth nwl yn gywir neu'n anghywir.

	H_0 yn gywir	H_0 yn anghywir
Methu gwrthod H_0	Penderfyniad cywir	Gwall math II
Gwrthod H_0	Gwall math I	Penderfyniad cywir

Dyma rai enghreifftiau o'r mathau hyn o wallau i'ch helpu i ddeall y gwahaniaethau.

Enghraifft 1

Mae tabled newydd sy'n cynnwys cyffur, ac sy'n cael ei rhoi i glaf i wella cyflwr, yn cael ei chymharu â thabled nad yw'n cynnwys unrhyw gyffur (sy'n cael ei galw'n blasebo).

Rhagdybiaeth nwl (H_0) – nid yw cyflwr y claf ar ôl cymryd y cyffur yn dangos unrhyw welliant o gymharu â'r plasebo.

Rhagdybiaeth arall (H_1) – mae cyflwr y claf yn gwella o gymharu â'r plasebo.

Byddai gwall math I yn dynodi bod y cyffur yn fwy effeithiol na'r plasebo pan nad yw mewn gwirionedd. Byddai hyn yn golygu gwrthod y rhagdybiaeth nwl yn anghywir.

Byddai gwall math II yn digwydd pan fyddai'r sampl yn dynodi nad yw'r cyffur yn dangos gwelliant yn y cleifion o gymharu â'r plasebo, pan fydd gwelliant mewn gwirionedd. Byddai'r rhagdybiaeth nwl yn cael ei gadw yn anghywir.

Enghraifft 2

Cymerwch eich bod eisiau darganfod a yw ychwanegu fflworid at ddŵr yfed yn lleihau pydredd dannedd.

Rhagdybiaeth nwl (H_0) – nid yw ychwanegu fflworid yn cael effaith ar bydredd dannedd.

Rhagdybiaeth arall (H_1) – mae ychwanegu fflworid yn lleihau pydredd dannedd.

Mae gwall math II yn digwydd pan fydd y sampl yn methu canfod effaith (h.y. lleihad yn nifer y llenwadau pan gaiff fflworid ei ychwanegu) sydd yn bresennol mewn gwirionedd. Mae hyn yn golygu bod data'r arbrawf a gasglwyd yn barnu bod y rhagdybiaeth nwl yn cael ei gadw / heb ei wrthod, yn anghywir.

Beth yw'r tebygolrwydd o wall math I?

Mae gwall math I yn digwydd pan fyddwn ni'n gwrthod rhagdybiaeth nwl sy'n gywir a phan fydd tebygolrwydd gwall math I yn hafal i'r lefel arwyddocâd a ddefnyddiwyd ar gyfer y prawf. Dim ond pan fydd y rhagdybiaeth nwl yn fathemategol gywir y mae'n bosibl darganfod y tebygolrwydd o wall math I, gan y bydd y dosraniad tebygolrwydd yn hysbys (h.y. B(n, p)) a'r paramedr dan sylw yn hysbys.

Yn achos gwall math II, mae'r rhagdybiaeth nwl yn anghywir ac nid yw'n cael ei gwrthod. Gan ei bod yn anghywir, nid ydych yn gwybod pa ddosraniad sy'n berthnasol ac nid ydych yn gwybod pa baramedr sydd dan sylw.

Pan fyddwch chi'n gosod y lefel arwyddocâd, rydych chi'n gosod y tebygolrwydd mwyaf ar gyfer gwall math I. Yn anffodus, wrth i'r tebygolrwydd o wall math I leihau, mae'r tebygolrwydd o wall math II yn cynyddu. Mae gwallau math I a math II yn rhan o broses profi rhagdybiaethau ac mae eu gwaredu'n gyfan gwbl yn amhosibl. Gallech chi leihau'r lefel arwyddocâd o 5% i 1%, ond er bod y tebygolrwydd o wneud gwall math I yn lleihau, mae'r tebygolrwydd o wneud gwall math II yn cynyddu.

Yr unig ffordd o leihau'r tebygolrwydd o wallau o'r ddau fath yr un pryd yw defnyddio sampl mwy o faint a fydd, gobeithio, yn fwy cynrychioliadol o'r boblogaeth. Y problemau gyda sampl o faint mwy yw bod y samplau yn cymryd mwy o amser i'w casglu a'u bod nhw'n costio mwy.

5.5 Cynnal rhagdybiaeth gan ddefnyddio gwerthoedd-p

Mae ffordd arall o gynnal prawf rhagdybiaeth nad yw'n cynnwys darganfod gwerthoedd critigol a rhanbarthau critigol, drwy ddefnyddio gwerthoedd tebygolrwydd, sy'n cael eu galw'n werthoedd-p. Daw'r gwerthoedd-p hyn o dablau'r dosraniad binomaidd. Caiff y gwerthoedd wedyn eu cymharu â'r lefelau arwyddocâd er mwyn penderfynu ar arwyddocâd y canlyniadau (h.y. a ddylen ni wrthod neu fethu gwrthod y rhagdybiaeth nwl). Gall gwerth-p fod rhwng 0 ac 1.

Yn gyffredinol, rydyn ni'n dehongli gwerthoedd-p ar hyd y llinellau canlynol:

$$p < 0.01 \qquad \text{mae tystiolaeth gref iawn dros wrthod } H_0$$
$$0.01 \leq p \leq 0.05 \qquad \text{mae tystiolaeth gref dros wrthod } H_0.$$
$$p > 0.05 \qquad \text{mae tystiolaeth annigonol dros wrthod } H_0.$$

Mae siop prydau parod Indiaidd yn addo i'w gwsmeriaid y bydd o leiaf hanner y prydau ar glud yn cyrraedd y cartrefi mewn 30 munud neu lai. Mae'r perchennog, a ddilynodd gwrs Safon Uwch Mathemateg yn yr ysgol, yn credu bod y gyfran yn is na hyn ac yn penderfynu profi'r rhagosodiad hwn drwy gynnal prawf rhagdybiaeth.

Yr ystadegyn prawf mae'n ei ddefnyddio yw X = nifer y prydau ar glud sy'n cymryd 30 munud neu lai.

> Y gwerth-p yw'r tebygolrwydd y bydd y canlyniad a arsylwyd, neu un mwy eithafol, yn digwydd o dan y rhagdybiaeth nwl H_0.

Y rhagdybiaeth nwl yw $H_0 : p = 0.5$ a'r rhagdybiaeth arall yw $H_1 : p < 0.5$. Mae'r perchennog yn samplu 30 o amserau cludo prydau ac yn darganfod i 9 achos gymryd 30 munud neu lai. Mae'n profi ar lefel arwyddocâd o 5% a dyma ei ganfyddiadau:

$$p(X \leq 9) = 0.0214$$

Y gwerth-p yw 0.0214 sy'n llai na'r lefel arwyddocâd o 0.05. Mae'r gwerth-p yn golygu bod tebygolrwydd o 0.0214 y bydd y perchennog yn gwrthod, yn anghywir, y rhagosodiad bod 50% o'r amserau cludo prydau yn 30 munud neu lai.

Rydyn ni nawr yn edrych ar y tabl gwerth-p ac rydyn ni'n cymharu'r gwerth-p i weld ym mha amrediad y mae'n gorwedd. Mae'n gorwedd yn $0 \cdot 01 \leq p \leq 0 \cdot 05$, felly mae tystiolaeth gref dros wrthod H_0.

Daw'r perchennog i'r casgliad bod tystiolaeth gref bod y rhagosodiad yn anghywir, ond mae posibilrwydd bob amser nad oedd y sampl a gasglwyd yn gynrychioliadol o'r boblogaeth.

> Mae α, y lefel arwyddocâd, fel arfer yn cael ei gosod naill ai ar 5% (h.y. 0.05) neu 1% (h.y. 0.01).

Dyma'r camau mae angen eu cymryd i gynnal prawf arwyddocâd gan ddefnyddio gwerthoedd-p:

1   Ysgrifennwch y rhagdybiaeth nwl a'r rhagdybiaeth arall.

2   Nodwch yr ystadegyn prawf rydych chi am ei ddefnyddio.

3   Tybiwch fod y rhagdybiaeth nwl yn gywir a phenderfynwch ar werth yr ystadegyn prawf (caiff hwn ei roi yn y cwestiwn fel arfer).

4   Defnyddiwch ddosraniad yr ystadegyn prawf (yn y testun hwn, y dosraniad fydd $B(n, p)$) a chanfyddwch y tebygolrwydd gan ddefnyddio'r tablau. Y tebygolrwydd yw'r tebygolrwydd o arsylwi ystadegyn prawf mwy eithafol yng nghyfeiriad y rhagdybiaeth arall na'r hyn a arsylwyd gennym ni.

5   Cymharwch y tebygolrwydd â'r lefel arwyddocâd α. Os yw'r tebygolrwydd yn llai na neu'n hafal i α, mae'r rhagdybiaeth nwl yn cael ei gwrthod o blaid y rhagdybiaeth arall. Os yw gwerth y tebygolrwydd yn fwy nag α, nid yw'r rhagdybiaeth nwl yn cael ei gwrthod.

Enghreifftiau

1   Ar sail profiad blaenorol, mae gan gwmni siawns o $\frac{3}{10}$ o ennill contract. Mae gan y rheolwr-gyfarwyddwr brofiad blaenorol o ddefnyddio meddalwedd gyfrifiadurol newydd, ac mae arbrofion a gynhaliwyd yn awgrymu, gyda'r feddalwedd newydd hon, y gallan nhw ennill 9 o bob 20 contract. Mae'n dweud y bydd hyn yn welliant.

Gan ddefnyddio lefel arwyddocâd o 5%, profwch yr honiad y mae'r rheolwr-gyfarwyddwr yn ei wneud.

Ateb

1   Yn yr ateb canlynol, rydyn ni wedi defnyddio'r camau sydd wedi'u hamlinellu uchod. Wrth ateb cwestiynau, does dim rhaid i chi ysgrifennu pob cam – dim ond y 'gwaith cyfrifo' o dan y camau.

Cam 1: Ysgrifennwch y rhagdybiaeth nwl a'r rhagdybiaeth arall.

   p yw'r tebygolrwydd o ennill contract unigol.

   $H_0 : p = 0.3$
   $H_1 : p > 0.3$

Cam 2: Enwch yr ystadegyn prawf sy'n cael ei ddefnyddio.

   X yw nifer y contractau sy'n cael eu hennill gan ddefnyddio'r feddalwedd gyfrifiadurol newydd.

Cam 3: Gan gymryd bod H_0 yn gywir, cyfrifwch y tebygolrwydd o ennill 9 neu ragor o gontractau. Noder, gan fod arwydd '>' yn y rhagdybiaeth arall, byddwch chi'n edrych ar gynffon uchaf y dosraniad tebygolrwydd.

Cam 4: Gan ddefnyddio B(n, p), cyfrifwch y tebygolrwydd o arsylwi gwerth mwy eithafol o'r ystadegyn prawf yng nghyfeiriad y rhagdybiaeth arall (h.y. y gynffon uchaf yn yr achos hwn).

   Mae X yn B$(20, 0.3)$

   $P(X \geq 9) = 1 - P(X \leq 8)$

   $\qquad\qquad = 1 - 0.8867 = 0.1133$

Cam 5: Cymharwch werth y tebygolrwydd â'r lefel arwyddocâd α

   $\alpha = 5\% = 0.05$

   $0.1133 > 0.05$ felly gan fod y gwerth-p yn fwy nag α, nid oes digon o dystiolaeth i wrthod y rhagdybiaeth nwl.

Mae hyn yn golygu nad oes digon o dystiolaeth i awgrymu bod y feddalwedd newydd yn gwella'r arfer o ennill contractau, felly rydyn ni'n cymryd nad oes gwelliant wedi bod.

2   Mae gan gyffur hŷn i drin diabetes debygolrwydd o $\frac{3}{10}$ o lwyddo mewn cleifion sydd â'r afiechyd. Mae gwaith ymchwil wedi'i wneud a datblygwyd cyffur newydd a fu'n llwyddiannus yn achos 19 o 50 o gleifion sydd â'r afiechyd. Mae'r cwmni cyffuriau sy'n gwneud y cyffur newydd yn dweud bod y cyffur newydd yn cynnig gwelliant o'i gymharu â'r hen gyffur.

   (a)   Ysgrifennwch ragdybiaeth nwl a rhagdybiaeth arall addas.

   (b)   Disgrifiwch ystadegyn prawf addas a ddylai gael ei ddefnyddio.

   (c)   Ysgrifennwch ddosraniad yr hapnewidyn X sy'n cynrychioli nifer y cleifion sy'n cael eu trin yn llwyddiannus gan y cyffur os oedd y rhagdybiaeth nwl yn gywir.

   (ch) Gan ddefnyddio'r tablau neu fel arall, darganfyddwch y tebygolrwydd bod gwerth X yn fwy na neu'n hafal i 19.

   (d)   Mae prawf arwyddocâd yn cael ei gynnal gyda lefel arwyddocâd o 5%. Gan ddefnyddio'r lefel arwyddocâd hon, a yw 19 o 50 yn darparu tystiolaeth y dylai'r rhagdybiaeth nwl H_0 gael ei gwrthod? Esboniwch eich ateb.

Sylwch ar y gair 'siawns' yn y cwestiwn. Mae hyn yn golygu ein bod ni'n gwybod mai'r tebygolrwydd o ennill contract p yw 0.3.

Mae'n bwysig dweud beth yw'r model ar gyfer y prawf ystadegol. Yn y testun hwn, y dosraniad binomaidd yn unig y byddwn ni'n ei ddefnyddio (h.y. B(n, p)).

Mae'r tablau binomaidd yn cwmpasu gwerthoedd o ddim mwy nag x o lwyddiannau. Felly os ydyn ni eisiau mwy na neu'n hafal i 9 o lwyddiannau, mae angen i ni dynnu'r tebygolrwydd o 8 neu lai o lwyddiannau, o 1.

0.1133 yw'r gwerth-p. Peidiwch â chymysgu rhwng y gwerth-p a'r tebygolrwydd binomaidd o lwyddiant ar gyfer pob prawf p.

Yma, mae'n rhaid i chi wneud gosodiad ar sail eich prawf rhagdybiaeth. Mae'n rhaid i hyn fod yng nghyd-destun y cwestiwn.

H_0: Mae'r cyffur newydd yn cynnig yr un tebygolrwydd o lwyddiant â'r hen gyffur.

H_1: Mae mwy o debygolrwydd o lwyddiant gyda'r cyffur newydd.

Mae'r ystadegyn prawf yn defnyddio nifer y llwyddiannau yn y sampl.

Cofiwch fod y tablau'n rhoi tebygolrwydd o lai na neu'n hafal i werth penodol o X.

GWELLA

 **Gradd**

Mae'n bwysig cofio nad yw rhagdybiaeth yn gallu darparu prawf cadarn – darparu tystiolaeth yn unig mae'n gallu ei wneud.

Dysgu Gweithredol

Ateb

2   Ar gyfer yr ateb hwn, byddwn ni'n darganfod tebygolrwyddau gan ddefnyddio'r tablau yn unig, ac ni fyddwn ni'n darganfod y gwerth critigol na'r rhanbarth critigol. Gan nad oes unrhyw ddull wedi'i nodi yn y cwestiwn, mae hyn yn rhoi ffordd wahanol o ateb y cwestiwn.

(a) $H_0 : p = \dfrac{3}{10}$.

   $H_1 : p > \dfrac{3}{10}$

(b)   Yr ystadegyn prawf yw X, nifer y cleifion yr oedd eu cyflwr wedi gwella drwy gymryd y cyffur newydd.

(c)   Mae X yn B(50,0.3)

(ch) $P(X \geq 19) = 1 - P(X \leq 18)$

   $= 1 - 0.8594$

   $= 0.1406$

(d)   Gan fod $0.1406 > 0.05$, nid oes digon o dystiolaeth i wrthod y rhagdybiaeth nwl H_0.

   Mae hyn yn golygu nad oes digon o dystiolaeth i awgrymu bod y cyffur newydd yn well na'r hen gyffur.

Yn hytrach nag ateb rhannau (ch) a (d) y cwestiwn uchod yn y ffordd sy'n cael ei dangos, ceisiwch ail-wneud yr ateb, ond y tro hwn darganfyddwch y gwerthoedd critigol a'r rhanbarth critigol. Gwerthuswch pa ddull sy'n well gennych chi.

Darganfod y lefel arwyddocâd o'r gwerth critigol

Os ydych chi'n gwybod beth yw'r gwerth critigol, yna gallwch chi weithio am yn ôl a chyfrifo beth yw'r lefel arwyddocâd. Cofiwch mai'r lefel arwyddocâd yw'r tebygolrwydd o wneud gwall math I (h.y. y gwall sy'n cael ei wneud pan fyddwch, yn anghywir, yn gwrthod rhagdybiaeth nwl cywir). Er mwyn darganfod y tebygolrwydd o wall math II, byddai angen i chi wybod yr union debygolrwydd ac mae'r enghreifftiau canlynol yn dangos y dull sy'n cael ei ddefnyddio.

Enghreifftiau

1   Mae gan yr ystadegyn prawf X y dosraniad binomaidd B(20, 0.30). Os y rhagdybiaeth nwl yw $H_0 : p = 0.30$ a'r rhagdybiaeth arall yw $H_1 : p < 0.30$.

   Os yw'r rhanbarth critigol wedi'i ddiffinio fel $X \leq 2$:

   (a)   Darganfyddwch lefel arwyddocâd y rhanbarth critigol.

   (b)   Esboniwch beth mae gwall math II yn ei olygu.

   (c)   Mae'n cael ei ddarganfod nad 0.30 yw'r gwir debygolrwydd fel y meddyliwyd. Yn hytrach, mae'n 0.25. Cyfrifwch y tebygolrwydd o wall math II.

Ateb

1 O dan y rhagdybiaeth nwl, H_0, mae X yn B(20, 0.30)

(a) Lefel arwyddocâd, α, = P($X \leq 2$) = 0.0355

(b) Gwall math II yw'r gwall sy'n digwydd pan fyddwch chi'n cadw (h.y. yn methu gwrthod) rhagdybiaeth nwl sydd mewn gwirionedd yn anghywir.

(c) Mae X yn B(20, 0.25)

Tebygolrwydd gwall math II = P($X \geq 3$) = 1 – P($X \leq 2$) = 1 – 0.0912 = 0.9088

Yma, y lefel arwyddocâd yw'r tebygolrwydd o gael gwerth ar gyfer yr ystadegyn prawf X sy'n llai na neu'n hafal i'r gwerth critigol. Noder ei fod yn ≤ oherwydd $y <$ yn y rhagdybiaeth arall.

Noder bod gwerth p wedi newid i 0.25.

2 Mae Dewi, ymgeisydd mewn etholiad, yn credu bod 45% o'r etholwyr yn bwriadu pleidleisio drosto. Ond mae ei asiant yn credu bod y gefnogaeth iddo yn is na hyn. O wybod bod p yn dynodi cyfran yr etholwyr sy'n bwriadu pleidleisio dros Dewi,

(a) Nodwch y rhagdybiaethau sydd i'w defnyddio i ddatrys y gwahaniaeth barn hwn. [1]

Maen nhw'n penderfynu holi hapsampl o 60 o etholwyr. Maen nhw'n diffinio'r rhanbarth critigol fel $X \leq 20$, lle mae X yn dynodi'r nifer yn y sampl sy'n bwriadu pleidleisio dros Dewi.

(b) (i) Darganfyddwch lefel arwyddocâd y rhanbarth critigol hwn.

(ii) Os 0.35 yw p mewn gwirionedd, cyfrifwch y tebygolrwydd o wall math II.

(iii) Mewn cyd-destun, esboniwch ystyr gwall math II.

(iv) Esboniwch yn fras pam mae'r prawf hwn yn anfoddhaol. Sut gallai gael ei wella a chadw tua'r un lefel arwyddocâd yr un pryd? [8]

Ateb

2 (a) $H_0 : p = 0.45$

$H_1 : p < 0.45$

(b) (i) O dan y rhagdybiaeth nwl, H_0, mae X yn B(60, 0.45).

Os edrychwch chi ar dablau'r dosraniad binomaidd, fe sylwch chi fod y gwerthoedd ar gyfer n yn mynd hyd at 50 yn unig. Yn y cwestiwn hwn, $n = 60$ felly mae angen i chi ddefnyddio cyfrifiannell i ddarganfod y tebygolrwyddau.

Lefel arwyddocâd = P($X \leq 20$) = 0.0446

(ii) Mae X yn B(60, 0.35)

Tebygolrwydd gwall math II = P($X \geq 21$)

= 1 – P($X \leq 20$)

= 1 – 0.4516

= 0.5484

(iii) Yma, mae gwall math II yn golygu derbyn bod cefnogaeth o 45% i Dewi (h.y. nid yw'r rhagdybiaeth nwl yn cael ei gwrthod), ond mewn gwirionedd mae'n 35% felly mae'n anghywir a dylai gael ei gwrthod.

Mae hyn yn golygu bod angen i ni edrych ar gynffon isaf y dosraniad tebygolrwydd.

GWELLA

⇧⇧⇧⇧ **Gradd**

Nid yw'n bosibl datrys rhai cwestiynau gan ddefnyddio tablau, felly yn lle hynny bydd angen i chi ddefnyddio cyfrifiannell sy'n gallu ymdrin â dosraniadau ystadegol.

Noder yma fod angen i ni ddarganfod y tebygolrwydd sy'n cyfateb i $X \leq 20$ gan mai'r lefel arwyddocâd yw'r tebygolrwydd bod X yn y rhanbarth critigol.

Mae gwall math II yn cael ei wneud pan fydd rhagdybiaeth nwl yn cael ei gadw er ei bod yn anghywir. Os yw $X \leq 20$, byddai'r rhagdybiaeth nwl yn cael ei chadw, felly tebygolrwydd gwall math II yw P($X \geq 21$).

Cofiwch: Mae gwall math II yn golygu methu gwrthod rhagdybiaeth nwl sy'n anghywir. Ond mae'n rhaid i chi ei esbonio yng nghyd-destun y cwestiwn.

(iv) Mae'n werth mawr am debygolrwydd gwall. Gallai gael ei leihau drwy gymryd sampl mwy o faint (mae 60 o bobl yn sampl bach iawn ar gyfer etholiad).

3 Dywedwch a yw pob un o'r gosodiadau canlynol ynglŷn â phrofi rhagdybiaethau yn gywir neu'n anghywir.

(a) Mae rhagdybiaeth yn osodiad rydyn ni'n ei wneud am boblogaeth ystadegol y byddwn naill ai'n methu ei wrthod neu'n ei wrthod pan gawn ni dystiolaeth.

(b) Mae'r rhagdybiaeth nwl bob amser yn cael ei galw'n H_1.

(c) Mae'r rhagdybiaeth arall bob amser yn gwrth-ddweud y rhagdybiaeth nwl.

(ch) Mae prawf ar sampl o'r boblogaeth yn cael ei ddefnyddio naill ai i wrthod, neu i fethu gwrthod, y rhagdybiaeth nwl.

(d) Y gwerth critigol yw'r gwerth lle rydych yn derbyn y rhagdybiaeth nwl.

(dd) Mae'r rhanbarth critigol yn cynnwys y gwerthoedd hynny a fyddai'n achosi i'r rhagdybiaeth nwl gael ei gwrthod.

(e) Y mwyaf yw'r lefel arwyddocâd, y llymaf yw'r prawf rhagdybiaeth.

(f) Y lefel arwyddocâd yw'r tebygolrwydd lle rydych yn penderfynu bod yn fodlon nad yw digwyddiad wedi digwydd drwy siawns.

. . . .

Ateb

3 (a) Cywir

(b) Anghywir

(c) Cywir

(ch) Cywir

(d) Anghywir

(dd) Cywir

(e) Anghywir

(f) Cywir

Profi eich hun

1. Mae'n cael ei amau bod darn o arian â thuedd tuag at bennau.

   (a) Ysgrifennwch ystadegyn prawf addas.

   (b) Ysgrifennwch y canlynol:
   (i) Rhagdybiaeth nwl addas
   (ii) Rhagdybiaeth arall addas.

   (c) Os yw'r darn arian yn cael ei daflu 9 o weithiau, sawl pen byddai ei angen ar lefel arwyddocâd o 5% er mwyn i'r rhagdybiaeth nwl gael ei gwrthod?

2. Mae Asha yn amau bod troellwr pum ochr sydd â'r rhifau 1 i 5 â thuedd tuag at y rhif 5. Mae'n penderfynu cynnal arbrawf i weld ai dyma'r achos. Troellwyd y troellwr 10 o weithiau a glaniodd ar rif 5 bedair gwaith. Cynhaliwch brawf arwyddocâd ar lefel arwyddocâd o 5% i benderfynu a yw'r troellwr â thuedd tuag at y rhif 5.

3. Y tebygolrwydd bod galwad yn cael ei hateb mewn canolfan alwadau mewn 5 munud neu fwy yw 0.4. Mae'r rheolwr yn dweud y bu lleihad yn nifer y galwyr sy'n gorfod aros am fwy na 5 munud. Mae'n cynnal arbrawf ac ar gyfer yr 20 galwad nesaf, mae'n cofnodi bod 4 galwr wedi aros mwy na 5 munud. A oes cefnogaeth ar lefel arwyddocâd o 5% bod y rheolwr yn gywir?

4. Mae Jack yn chwarae gêm gyfrifiadur a'r tebygolrwydd y bydd yn ennill yw 0.4. Gydag ymarfer, mae o'r farn ei fod wedi gwella ei debygolrwydd o ennill. Yn yr 8 gêm nesaf y mae'n eu chwarae, mae'n ennill 6 ohonyn nhw. A oes cefnogaeth ar lefel arwyddocâd o 5% ei fod wedi gwella?

5. Mae pennaeth ysgol yn credu bod o leiaf 50% o'r disgyblion yn cael o leiaf 1 awr o waith cartref bob nos ar ddiwrnod ysgol. Mae'r dirprwy bennaeth yn credu bod y ffigur hwn yn is na 50%.
   Mae'r pennaeth yn penderfynu profi'r hyn mae'n ei gredu drwy ofyn i grŵp o ddisgyblion Ffiseg Safon Uwch mewn gwers y mae'n ei chymryd. Mae'n gofyn i bob un o'r 10 o ddisgyblion yn y dosbarth ddweud wrtho a oedden nhw wedi cael o leiaf 1 awr o waith cartref bob dydd yn ystod yr wythnos flaenorol.

   (a) (i) Rhowch enw'r dull samplu a ddefnyddiodd y pennaeth.
   (ii) Disgrifiwch wendid y dull samplu hwn.

   (b) (i) Mae'r pennaeth yn penderfynu profi ei ragdybiaeth gan ddefnyddio canlyniadau ei sampl.
   Ysgrifennwch ragdybiaeth nwl a rhagdybiaeth arall y gallai eu defnyddio.

   (ii) Darganfyddwch y tebygolrwydd, yn y dosbarth o ddeg o ddisgyblion, fod dau neu lai o ddisgyblion yn cael o leiaf un awr o waith cartref bob nos.

   (iii) Darganfyddwch y tebygolrwydd, yn y dosbarth o ddeg o ddisgyblion, fod llai na phedwar yn cael o leiaf un awr o waith cartref bob nos.

   (c) Gan dybio bod y 10 o ddisgyblion Ffiseg yn hapsampl a bod 2 o ddisgyblion wedi cael mwy nag un awr o waith cartref bob nos yn yr wythnos flaenorol, gan ddefnyddio prawf rhagdybiaeth ar lefel arwyddocâd o 5%, darganfyddwch a yw'r hyn mae'r pennaeth yn ei gredu yn cael ei gefnogi gan y dystiolaeth.

6 Mae Alex yn ymgeisydd yn yr etholiadau lleol sydd ar fin digwydd. Ar hyn o bryd, mae Alex yn honni bod ganddi 35% o'r bleidlais ond mae ei phartner yn credu bod ganddi lai na hyn. Mae ei phartner yn cynnal arolwg byr. Mae'n gofyn i 20 o bobl yn yr etholaeth dros bwy maen nhw am bleidleisio yn yr etholiad, ac o'r 20 o bobl y gofynnodd iddyn nhw, dywedodd 6 eu bod nhw'n bwriadu pleidleisio dros Alex.

(a) Ysgrifennwch ragdybiaeth nwl a rhagdybiaeth arall addas a fyddai'n caniatáu iddi brofi ei honiad.

(b) Nodwch ddosraniad yr hapnewidyn X sy'n cynrychioli'r nifer a fyddai'n pleidleisio drosti pe bai'r rhagdybiaeth nwl yn gywir.

(c) Os y lefel arwyddocâd yw 5%, darganfyddwch:

(i)   y gwerth critigol

(ii) y rhanbarth critigol.

(ch) Gan ddefnyddio eich ateb i ran (c), a yw'r ffaith bod 6 o 20 o bobl wedi dweud eu bod nhw am bleidleisio drosti yn y sampl yn golygu y byddai angen gwrthod y rhagdybiaeth nwl? Rhowch reswm am eich ateb.

7 Mae pêl-droediwr o'r farn bod ganddo 45% o siawns o sgorio gôl o gic o'r smotyn. Mae ei reolwr o'r farn ei fod yn well na hyn. Mae'n cael golwg ar ei gofnodion o goliau ac yn nodi iddo sgorio 10 gôl mewn 15 cic o'r smotyn. Profwch, ar lefel arwyddocâd o 5%, a yw'r chwaraewr wedi tanamcangyfrif ei siawns o sgorio.

8 Mewn swp o fylbiau golau LED, mae'r rheolwr cynhyrchu yn honni bod 15% o siawns bod un ohonyn nhw'n ddiffygiol yn ystod gweithgynhyrchu. Mae'r rheolwr ansawdd yn dweud bod hyn yn goramcangyfrif y tebygolrwydd o gael bwlb diffygiol. Caiff prawf ei gynnal gan ddefnyddio hapsampl o 50 o fylbiau a chanfuwyd bod 3 ohonyn nhw'n ddiffygiol. Ar lefel arwyddocâd o 5%, profwch i weld a yw'r rheolwr cynhyrchu'n gywir yn ei honiad bod 15% o'r bylbiau yn ddiffygiol.

(a) Ysgrifennwch ragdybiaeth nwl a rhagdybiaeth arall addas a allai ganiatáu iddi brofi ei honiad.

(b) Ar lefel arwyddocâd o 5%, profwch i weld a yw'r rheolwr cynhyrchu'n gywir yn ei honiad bod 15% o'r bylbiau'n ddiffygiol.

9 Gwerthwr ceir yw Hope, ac mae'n ceisio gwerthu ceir newydd i gwsmeriaid sydd wedi profi car drwy ei yrru. Mae Hope o'r farn ei bod yn gwerthu ceir newydd i 43% o gwsmeriaid sy'n profi car drwy ei yrru. Mae ei rheolwr yn sylwi o'r cofnodion fod Hope, yn achos y 30 o gwsmeriaid diwethaf brofodd gar drwy ei yrru, wedi gwerthu 18 o geir newydd, ac mae'n credu bod y ganran mewn gwirionedd yn uwch na'r hyn mae Hope yn ei gredu.

Profwch honiad Hope ar lefel arwyddocâd o 1%.

10 Mae cwmni'n gweithgynhyrchu sgriniau cyffwrdd. Mae'n defnyddio technoleg o'r radd flaenaf, ond mae'r rheolwr ansawdd yn honni bod 25% o'r sgriniau sy'n cael eu cynhyrchu yn ddiffygiol.

Er mwyn profi'r honiad hwn, mae nifer y sgriniau diffygiol mewn swp ar hap o 50 o sgriniau yn cael eu cofnodi.

(a) Rhowch **ddau** reswm pam mae modd modelu'r sefyllfa hon gan ddefnyddio dosraniad binomaidd.

(b) Os y rhagdybiaeth nwl yw: 'y tebygolrwydd bod sgrin yn ddiffygiol yw 0.25', ar lefel arwyddocâd o 5%, darganfyddwch y rhanbarth critigol ar gyfer prawf 2-gynffon.

Crynodeb

Gwnewch yn siŵr eich bod yn gwybod y ffeithiau canlynol:

Profi rhagdybiaethau

Mae prawf rhagdybiaeth yn cael ei ddefnyddio i brofi rhagdybiaeth ynglŷn â thebygolrwydd y nifer o weithiau (X) y mae nodwedd benodol yn codi.

Mae'r ystadegyn prawf X yn cael ei fodelu gan ddosraniad binomaidd B(n, p) lle p yw'r tebygolrwydd bod y digwyddiad yn digwydd mewn un prawf ac n yw cyfanswm nifer y profion.

Rhagdybiaeth nwl a rhagdybiaeth arall

Rhagdybiaeth nwl H_0 : p = gwerth

Rhagdybiaeth arall ar gyfer prawf 1-gynffon yw H_1 : p < gwerth neu H_1 : p > gwerth

Rhagdybiaeth arall ar gyfer prawf 2-gynffon yw H_1 : p ≠ gwerth

Lefel arwyddocâd

Gan dybio bod y rhagdybiaeth nwl yn gywir, mae'r lefel arwyddocâd yn dynodi pa mor annhebygol mae angen i werth fod cyn y gall y rhagdybiaeth nwl H_0 gael ei gwrthod.

Ar gyfer y testun hwn, gall y lefel arwyddocâd fod yn:
1% (α = 0.01), yn 5% (α = 0.05) neu'n 10% (α = 0.1).

Y gwerth critigol a'r rhanbarth critigol

Yma, rydych chi'n defnyddio'r lefel arwyddocâd ynghyd â gwerthoedd n a p i ddarganfod y set o werthoedd X a fyddai'n achosi i'r rhagdybiaeth nwl gael ei gwrthod.

Ym mhob un o'r achosion canlynol, rydyn ni'n cymryd mai 5% yw'r lefel arwyddocâd, ond gall hyn gael ei newid i 1% neu 10% neu unrhyw lefel arwyddocâd arall.

- Os yw H_0 yn cynnwys arwydd <, y rhanbarth critigol fydd y 5% isaf o werthoedd X (h.y. yn y gynffon isaf), felly defnyddiwch y tablau a dewch o hyd i'r gwerth-p cyntaf yn y golofn sy'n fwy na 0.05 a dewiswch y gwerth X **cyn** hynny. Dyma'r gwerth critigol, a, a'r rhanbarth critigol fydd $X \leq a$.

- Os yw H_0 yn cynnwys arwydd >, y rhanbarth critigol fydd y 5% uchaf o werthoedd X (h.y. yn y gynffon uchaf), felly defnyddiwch y tablau a dewch o hyd i'r gwerth-p cyntaf yn y golofn sy'n fwy na 0.05 a dewiswch y gwerth X **ar ôl** hynny. Dyma'r gwerth critigol, a, a'r rhanbarth critigol fydd $X \geq a$.

- Os yw H_0 yn cynnwys arwydd ≠, y rhanbarth critigol fydd y 2.5% uchaf a'r 2.5% isaf o werthoedd X (h.y. yn y cynffonau uchaf ac isaf). Rydyn ni'n defnyddio'r technegau sydd wedi'u hamlinellu yn y ddau baragraff blaenorol i ddod o hyd i'r ddau werth critigol a'r rhanbarthau critigol yn y naill gynffon a'r llall.

Gwallau math I a math II

Mae **gwall math I** yn cael ei wneud pan fyddwch, yn anghywir, yn gwrthod rhagdybiaeth nwl sy'n gywir.

Mae **gwall math II** yn cael ei wneud pan fyddwch yn methu gwrthod rhagdybiaeth nwl sy'n anghywir.

Gwerthoedd-p

Y gwerth-p yw'r tebygolrwydd bod y canlyniad a arsylwyd neu ganlyniad mwy eithafol yn digwydd o dan y rhagdybiaeth nwl.

Gan dybio mai dosraniad tebygolrwydd X yw B(n, p), mae modd dod o hyd i'r tebygolrwydd o gael gwerth (sy'n cael ei alw'n werth-p) yr ystadegyn prawf neu werth mwy eithafol gan ddefnyddio tablau. Os yw'r gwerth hwn yn llai na neu'n hafal i'r lefel arwyddocâd, mae'r rhagdybiaeth nwl yn cael ei gwrthod.

6 Meintiau ac unedau mewn mecaneg

Cyflwyniad

Testun byr iawn yw hwn sy'n edrych ar feintiau ac unedau mewn mecaneg a fydd yn cael eu defnyddio yn yr holl destunau mecaneg ar gyfer UG ac U2.

Mae'r system unedau ryngwladol (sy'n cael eu galw'n unedau SI yn fyr) yn defnyddio saith o feintiau sylfaenol ynghyd â'u hunedau. Dim ond tri ohonyn nhw mae angen i chi eu deall a'u defnyddio ar gyfer mecaneg, sef hyd, amser a màs. Mae meintiau eraill gyda'u hunedau eu hun y mae modd eu deillio o'r meintiau sylfaenol.

6.1   Meintiau ac unedau sylfaenol yn y system SI

Mae saith o feintiau sylfaenol yn system unedau SI, ond ar gyfer Mathemateg UG, dim ond am y tri sydd i'w gweld yn y tabl y mae angen i ni wybod:

Maint sylfaenol	Uned	Symbol
Hyd	metr	m
Màs	cilogram	kg
Amser	eiliad	s

6.2   Defnyddio meintiau ac unedau deilliadol

Meintiau sylfaenol SI yw elfennau sylfaenol y system SI ac mae pob maint arall yn deillio ohonyn nhw. Mae'r meintiau deilliedig yn cael eu ffurfio gan bwerau, lluosymiau neu gyniferyddion o'r meintiau sylfaenol.

Er enghraifft, mae cyflymder yn deillio o feintiau sylfaenol hyd (h.y. pellter) wedi'i rannu ag amser, felly'r fformiwla yw:

$$\text{cyflymder} = \frac{\text{hyd}}{\text{amser}} \text{ a'r unedau fydd } \frac{\text{m}}{\text{s}} = \text{m s}^{-1}$$

Weithiau, caiff uned cwbl newydd ei chreu. Er enghraifft, cyflymiad yw'r newid mewn cyflymder wedi'i rannu â'r amser, a'r unedau yw m s^{-2}:

$$\text{cyflymiad} = \frac{\text{newid mewn cyflymder}}{\text{amser}} \text{ a'r unedau fydd } \frac{\text{m s}^{-1}}{\text{s}} = \text{m s}^{-2}$$

Mae grym yn cael ei ddeillio gan ddefnyddio'r fformiwla:

$$\text{grym} = \text{màs} \times \text{cyflymiad}$$

ac yn nhermau'r meintiau sylfaenol, bydden ni'n defnyddio'r unedau kg m s^{-2}. Ond mae gan rym ei uned ei hun, sef newton (N). Trwy hyn, gallwn ddweud $1\text{ N} = 1\text{ kg m s}^{-2}$.

Pwysau yw grym disgyrchiant yn gweithredu ar fàs ac mae'n bosibl ei ddeillio gan ddefnyddio'r fformiwla:

$$\text{pwysau} = \text{màs} \times \text{cyflymiad oherwydd disgyrchiant}$$

Rydyn ni'n defnyddio'r uned N, ac yn nhermau'r meintiau sylfaenol, bydden ni'n defnyddio kg m s^{-2}

Mae llawer o feintiau deilliadol, ac mae'r rhai mae angen i chi wybod amdanyn nhw yn y tabl isod:

Maint deilliadol	Enw	Symbol
Arwynebedd	metr sgwâr	m^2
Cyfaint	metr ciwb	m^3
Dwysedd	cilogram y metr ciwb	kg m^{-3}
Cyflymder	metr yr eiliad	m s^{-1}
Cyflymiad	metr yr eiliad sgwâr	m s^{-2}
Grym	newton	N
Pwysau (Grym disgyrchiant)	newton	N
Moment	newton metr	N m

Sylwch ar y ffordd mae rheolau indecsau yn cael eu defnyddio yma i ganfod yr uned derfynol ar gyfer cyflymiad.

Mae grym yn faint deilliadol, gan ei fod yn deillio o feintiau sylfaenol màs, hyd ac amser.

Newid unedau

Weithiau bydd angen newid unedau fel bod yr unedau wedi'u mynegi yn nhermau'r unedau sylfaenol.

Er enghraifft, mae buanedd/cyflymder yn aml yn cael ei fynegi mewn $km\,h^{-1}$ ac yn aml bydd angen i ni ei fynegi yn yr unedau $m\,s^{-1}$.

I drawsnewid $5\,km\,h^{-1}$, dyma'r camau rydyn ni'n eu cymryd:

- Yn gyntaf, newidiwch y pellter i m, fel bod $5\,km = 5 \times 1000\,m = 5000\,m$

- Yna, newidiwch yr amser o oriau i eiliadau. Mae $60 \times 60 = 3600$ eiliad mewn un awr:

Trwy hyn, $5\,km\,h^{-1} = \frac{5000}{3600}\,m\,s^{-1} = 1.39\,m\,s^{-1}$ (2 le degol)

Profi eich hun

Ni fydd cwestiynau arholiad ar y testun hwn yn unig oherwydd y bydd gwybodaeth am y deunydd hwn wedi'i chynnwys yn yr holl destunau mewn mecaneg.

Crynodeb

Gwnewch yn siŵr eich bod yn gwybod y ffeithiau canlynol:

Y meintiau sylfaenol a'u hunedau yw:

Hyd (m)

Amser (s)

Màs (kg)

Meintiau deilliadol yw'r meintiau hynny sy'n deillio o'r meintiau sylfaenol gan ddefnyddio fformiwla, ac maen nhw'n cynnwys:

$$\text{cyflymder} = \frac{\text{hyd neu bellter}}{\text{amser}}\ (\text{m s}^{-1})$$

$$\text{cyflymiad} = \frac{\text{newid mewn cyflymder}}{\text{amser a gymerwyd}}\ (\text{m s}^{-2})$$

$$\text{grym} = \text{màs} \times \text{cyflymiad}\ (\text{N})$$

7 Cinemateg

Cyflwyniad

Mae cinemateg yn ymdrin â mudiant gwrthrychau heb ystyried y masau na'r grymoedd sy'n cynhyrchu'r mudiant. Yn y testun hwn, byddwch chi'n ystyried mudiant mewn llinell syth naill ai o dan gyflymiad cyson neu gyflymiad amrywiol. Bydd y testun hwn yn caniatáu i chi ddeall a chynhyrchu graffiau sy'n cynrychioli mudiant mewn llinell syth a defnyddio graffiau i ddod o hyd i werthoedd cyflymderau, cyflymiadau a phellteroedd. Byddwch hefyd yn defnyddio hafaliadau mudiant y byddwch chi, efallai, wedi'u defnyddio o'r blaen yn Ffiseg TGAU. Byddwch chi hefyd yn ymdrin â phroblemau sy'n ymwneud â chyflymiad sydd ddim yn gyson ac wrth wneud y problemau hyn mae'n rhaid defnyddio calcwlws (differu ac integru).

7.1 Y termau sy'n cael eu defnyddio mewn cinemateg (safle, dadleoliad, pellter a deithiwyd, cyflymder, buanedd a chyflymiad)

Mae'r termau canlynol yn cael eu defnyddio i ddisgrifio mudiant ac mae angen i chi ddeall eu hystyr:

Safle – lle mae'r gwrthrych wedi'i leoli gan gyfeirio at bwynt sefydlog, a all fod yn darddbwynt neu'n bwynt sefydlog ar linell.

Pellter – dyma'r hyd sy'n cael ei deithio ac mae'n cael ei fesur mewn metrau (m). Pe baech chi'n cerdded mewn llinell syth o A i B ac wedyn yn ôl i A, byddai'r pellter a deithiwyd yn ddwywaith y pellter o A i B. Mae pellter yn fesur sgalar am mai maint yn unig sydd ganddo.

Dadleoliad – mesur o bellter yw dadleoliad, ond mae hefyd yn rhoi ystyriaeth i gyfeiriad. Mae dadleoliad yn fesur fector am fod ganddo faint a chyfeiriad. Gall dadleoliad felly fod yn bositif neu'n negatif. Er enghraifft, pe baech chi'n cerdded mewn llinell syth o A i B ac wedyn yn ôl i A, byddai'r dadleoliad yn sero. Y rheswm am hyn yw y byddai'r dadleoliad yn bositif un ffordd, a'r dadleoliad i'r cyfeiriad dirgroes yn negatif. Mae dadleoliad yn cael ei fesur mewn metrau (m).

Buanedd – mesur sgalar yw buanedd felly mae ganddo faint ond nid cyfeiriad. Buanedd yw'r pellter a deithiwyd wedi'i rannu â'r amser a gymerwyd, ac mae'n cael ei fesur mewn metr yr eiliad (m s^{-1}).

Trwy hyn $\quad$ buanedd $= \dfrac{\text{pellter a deithiwyd}}{\text{amser a gymerwyd}}$ neu gan ddefnyddio symbolau, $s = \dfrac{d}{t}$

Cyflymder – mesur fector yw cyflymder, felly mae ganddo faint a chyfeiriad. Os yw'r cyflymder yn unffurf, cyflymder yw'r newid mewn dadleoliad wedi'i rannu â'r newid mewn amser (h.y. cyfradd newid dadleoliad gydag amser) ac mae'n cael ei fesur mewn metr yr eiliad (m s^{-1}).

Trwy hyn $\quad$ cyflymder $= \dfrac{\text{newid mewn dadleoliad}}{\text{newid mewn amser}}$

Cyflymiad – mesur fector yw cyflymiad, sef y newid mewn cyflymder wedi'i rannu â'r newid mewn amser. Mae'n cael ei fesur mewn metr yr eiliad sgwâr (m s^{-2}). Mae cyflymiad negatif yn cael ei alw'n arafiad.

Trwy hyn $\quad$ cyflymiad $= \dfrac{\text{newid mewn cyflymder}}{\text{newid mewn amser}}$

Tybiaethau modelu

Mae model yn golygu cynrychioliad mathemategol o sefyllfa real. Yn y testun hwn, fe welwch amrywiaeth o sefyllfaoedd y mae modd eu modelu gan ddefnyddio graffiau, hafaliadau neu'r ddau.

Wrth ddefnyddio modelau mathemategol, mae angen i ni gadw pethau'n syml, felly mae rhai tybiaethau yn cael eu gwneud:

- Gall corff (e.e. car, awyren, cwch, trên, carreg, pêl) gael ei fodelu fel gronyn. Mae gan ronyn ddimensiynau dibwys, ond mae ganddo fàs.

Gall buanedd hefyd gael ei fesur mewn km h^{-1}. I newid y buaneddau hyn i mewn i m s^{-1}, lluoswch â 1000 (h.y. nifer y metrau mewn un cilomedr) a rhannwch â 3600 (h.y. nifer yr eiliadau mewn awr).
Trwy hyn:

$$40 \text{ km h}^{-1} = \frac{40 \times 1000}{3600}$$
$$= 11.1 \text{ m s}^{-1} \quad \text{(i 3 ff.y.)}$$

Gall cyflymder i un cyfeiriad gael ei gymryd i fod yn bositif felly byddai'r cyflymder i'r cyfeiriad arall yn negatif.

Dysgu Gweithredol

Defnyddiwch y geiriau dadleoliad, cyflymder a chyflymiad i ddisgrifio mudiant gronyn mewn ychydig frawddegau.

- Mae gwrthiant aer a grymoedd ffrithiannol eraill yn ddibwys ac felly rydyn ni'n cymryd eu bod nhw'n sero.

- Mae disgyrchiant yn gweithredu'n syth i lawr, ar ongl sgwâr i arwyneb y Ddaear, ac rydyn ni'n tybio bod arwyneb y Ddaear yn wastad.

- Nid yw disgyrchiant yn ddibynnol ar uchder (mae hyn yn dybiaeth realistig dros uchderau bach lle mae'r newid gwirioneddol yn fach).

7.2 Graffiau dadleoliad–amser

Mae graffiau dadleoliad–amser yn dibynnu ar y math o fudiant.

Gwrthrych yn llonydd

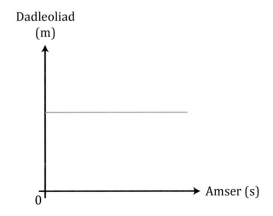

> Mae graddiant graff dadleoliad–amser yn cynrychioli'r cyflymder.

Sylwch fod y dadleoliad yn aros yr un peth gydag amser, felly mae'r gwrthrych yn sefydlog. Graddiant y llinell yw sero, ac mae hyn yn cynrychioli cyflymder o sero.

Gwrthrych yn symud â chyflymder cyson

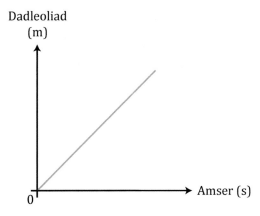

> Mae'r graddiant yn bositif, felly mae'r cyflymder yn bositif.

Mae graddiant y llinell yn gyson ac yn cynrychioli cyflymder cyson. Mae cyflymder cyson yn golygu bod y cyflymiad yn sero.

119

Gwrthrych yn cyflymu

Mae graddiant y gromlin hon yn newid gydag amser felly mae'r cyflymder yn newid.

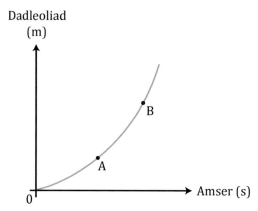

Mae graddiant y gromlin yn A yn llai na'r graddiant yn B. Gan fod y graddiant yn cynrychioli'r cyflymder, mae'r cyflymder yn cynyddu, gan ddangos bod y gwrthrych yn cyflymu.

Gwrthrych yn arafu

Mae'r graddiant a thrwy hynny y cyflymder yn lleihau gydag amser.

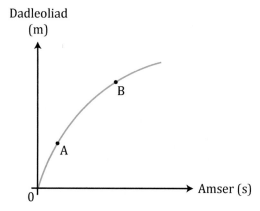

Mae'r graddiant yn A yn fwy na'r graddiant yn B, gan ddangos bod cyflymder y gwrthrych yn lleihau. Mae'r gwrthrych felly yn arafu.

7.3 Graffiau cyflymder–amser

Mae graffiau cyflymder–amser yn dibynnu ar y math o fudiant.

Gwrthrych yn symud â chyflymder cyson (h.y. dim cyflymiad)

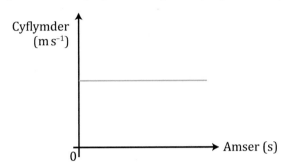

Llinell lorweddol syth yw'r graff, sy'n dangos bod y cyflymder yn aros yn gyson gydag amser. Mae graddiant y llinell yn sero felly mae'r cyflymiad yn sero. Mae llinellau llorweddol yn cynrychioli cyflymder cyson.

Gwrthrych yn symud â chyflymiad cyson

Mae llinell syth â graddiant positif yn cynrychioli mudiant â chyflymiad cyson. Yn y graff cyflymder–amser isod, mae'r gwrthrych yn dechrau â chyflymder u ac wedyn yn cyflymu â chyflymiad cyson i gyflymder uwch v.

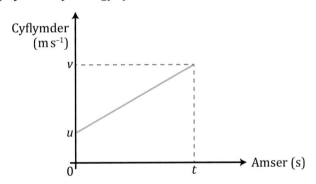

Mae'r graddiant yn cynrychioli'r cyflymiad. O'r graff, mae'r cyflymiad

$$a = \frac{v - u}{t}$$

lle u yw'r cyflymder cychwynnol, v yw'r cyflymder terfynol a t yw'r amser.

Gwrthrychau yn symud ag arafiad cyson

Mae'r graff cyflymder–amser hwn yn cynrychioli mudiant ag arafiad cyson gan ei bod yn llinell syth sydd â graddiant negatif. Trwy hyn, mae'r gwrthrych yn dechrau â chyflymder cychwynnol u ac wedyn yn arafu i gyflymder is v.

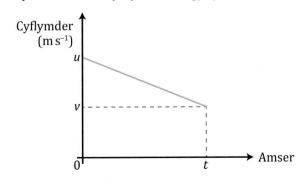

7.4 Braslunio a dehongli graffiau cyflymder–amser

Mae'r graff canlynol yn cynrychioli taith:

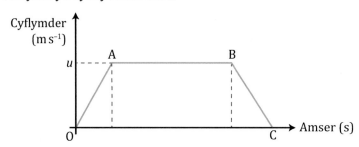

Mae graddiant llinell OA yn cynrychioli cyflymiad cyson. Mae graddiant llinell BC yn negatif gan ddangos arafiad cyson.

Mae llinell AB yn cynrychioli teithio ar gyflymder cyson.

Mae'r arwynebedd o dan y llinell yn cynrychioli'r pellter a deithiwyd neu'r dadleoliad. O'r graff, y pellter a deithiwyd / dadleoliad = yr arwynebedd o dan y graff (h.y. arwynebedd trapesiwm OABC). Os yw'r arwynebedd o dan yr echelin amser, mae'r arwynebedd yn cynrychioli dadleoliad negatif.

> Arwynebedd trapesiwm = $\frac{1}{2}$(swm y ddwy ochr baralel) × y pellter perpendicwlar rhyngddyn nhw.

Enghreifftiau

1   Mae gronyn sy'n cychwyn o ddisymudedd ac yn teithio mewn llinell syth, yn cyflymu'n unffurf am 2 s ac yn cyrraedd cyflymder cyson o u m s^{-1}. Mae'n teithio ar u m s^{-1} am 10 s cyn arafu'n unffurf i ddisymudedd mewn 3 s. Cyfanswm y pellter a deithiwyd gan y gronyn oedd 50 m.

  (a)   Lluniadwch graff cyflymder–amser i ddangos mudiant y gronyn.

  (b)   Darganfyddwch werth u.

  (c)   Darganfyddwch faint yr arafiad.

Ateb

1   (a)

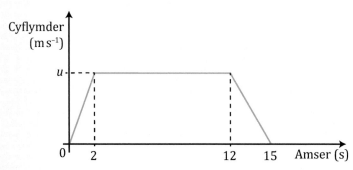

> Wrth luniadu graff cyflymder–amser, gwnewch yn siŵr bod yr echelinau wedi'u labelu â meintiau ac unedau. Nodwch unrhyw werthoedd a llythrennau ar gyfer meintiau mae angen eu canfod, ar y graff.

  (b)   Cyfanswm y pellter a deithiwyd = arwynebedd o dan y graff cyflymder–amser

$$= \tfrac{1}{2}(15 + 10) \times u$$

Ond cyfanswm y pellter a deithiwyd = 50 m

Trwy hyn, $50 = \tfrac{1}{2}(15 + 10) \times u$ felly $u = 4$ m s^{-1}

> Mae'r fformiwla ar gyfer arwynebedd trapesiwm yn cael ei defnyddio yma.

  (c)   Arafiad = $\frac{4}{3}$ = 1.33 m s^{-2}

> Dyma raddiant y llinell rhwng $t = 12$ a $t = 15$ s. Noder nad oes arwydd minws wedi'i gynnwys gan ein bod wedi dweud mai arafiad ydyw.

2 Mae'r graff cyflymder–amser sy'n cael ei ddangos isod yn cynrychioli'r pedwar cam sydd i fudiant cerbyd sy'n symud ar hyd heol lorweddol syth. Cyflymder cychwynnol y cerbyd yw 20 m s^{-1}.

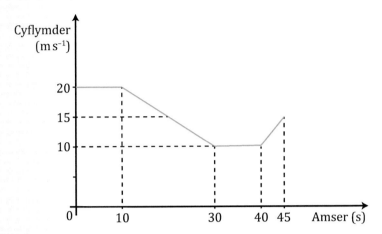

(a) Darganfyddwch y pellter a deithiwyd wrth i'r car arafu.

(b) Darganfyddwch gyfanswm y pellter a deithiwyd wrth i'r car deithio ar gyflymder cyson.

(c) Yn ystod cam olaf y mudiant, mae'r car yn cyflymu. Cyfrifwch faint y cyflymiad.

(ch) Cyfrifwch gyfanswm y pellter a deithiwyd yn ystod y mudiant sy'n cael ei ddisgrifio gan y graff.

. . . .

Ateb

2 (a) Pellter = arwynebedd y trapesiwm

$$= \frac{1}{2}(20 + 10) \times 20 = 300 \text{ m}$$

(b) Cyfanswm y pellter a deithiwyd wrth deithio ar gyflymder cyson
$$= 20 \times 10 + 10 \times 10 = 300 \text{ m}$$

(c) Cyflymiad = graddiant = $\dfrac{15 - 10}{5} = 1 \text{ m s}^{-2}$

(ch) Pellter a deithiwyd wrth i'r car gyflymu = $\frac{1}{2}(10 + 15) \times 5 = 62.5$ m

Cyfanswm y pellter a deithiwyd = 300 + 300 + 62.5 = 662.5 m

> Arwynebedd trapesiwm =
> $\frac{1}{2}$(swm y ddwy ochr baralel)
> × y pellter rhyngddyn nhw.
>
> Fel arall, gallech chi rannu'r siâp yn driongl a phetryal ac adio'r ddau arwynebedd. Noder na fydd y fformiwla ar gyfer arwynebedd trapesiwm yn cael ei rhoi i chi, felly bydd angen i chi ei chofio.

> **Noder:** gan fod gofyn i chi roi *maint* y cyflymiad, does dim rhaid i chi roi ei gyfeiriad.

3 Mae Ceir A a B yn teithio ar hyd heol syth hir. Ar amser $t = 0$, mae Car A yn teithio ar gyflymder o 20 m s^{-1} ac ar yr amser hwn mae'n goddiweddyd (*overtakes*) Car B sy'n teithio ar gyflymder o 15 m s^{-1}. Ar unwaith, mae Car B yn cyflymu'n unffurf ac mae'r ddau gar yn teithio am bellter o 600 m cyn bod Ceir A a B yn lefel ac yn pasio unwaith eto.

(a) Lluniadwch graff cyflymder–amser sy'n dangos mudiant y ceir o'r amser pan fyddan nhw'n lefel gyntaf hyd nes eu bod yn lefel unwaith eto.

(b) Dangoswch mai'r amser rhwng goddiweddyd y tro cyntaf a'r ail dro yw 30 s.

(c) Cyfrifwch faint cyflymder Car B ar ôl 30 s.

(ch) Cyfrifwch gyflymiad Car B.

Noder bod pwynt P yn ymwneud â phan fydd cyflymder Car B yn hafal i gyflymder Car A, nid pan fydd Car B yn goddiweddyd Car A.

Ateb

3 (a)

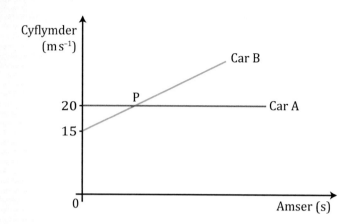

(b) Gan ystyried mudiant Car A, tybiwch fod y ceir yn lefel ar ôl amser *t* eiliad.

Yr arwynebedd o dan y graff cyflymder–amser ar gyfer Car A = 600

Trwy hyn, 20 × *t* = 600

sy'n rhoi   *t* = 30 s

(c) Ar ôl 30 s, y pellter a deithiwyd gan Gar B yw 600 m

Gadewch i gyflymder Car B ar ôl 30 s = *v*

Arwynebedd o dan y graff = arwynebedd trapesiwm = $\frac{1}{2}(15 + v) \times 30$

Nawr, pellter a deithiwyd = arwynebedd o dan y graff

Trwy hyn, $600 = \frac{1}{2}(15 + v) \times 30$

Gan ddatrys yr hafaliad, $v = 25$ m s^{-1}

Dyma'r arwynebedd o dan y graff, sy'n betryal o hyd 20 a lled *t*.

(ch)

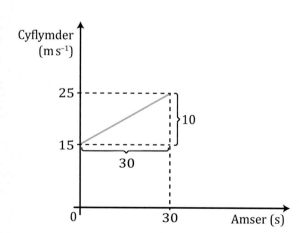

Cyflymiad = graddiant = $\frac{10}{30}$ = 0.33 m s^{-2}

Dehongli graffiau cyflymder–amser

Mae'r diagram isod yn dangos graff cyflymder–amser. Mae'n rhaid i chi allu dehongli'r graff a disgrifio'r mudiant y mae'n ei gynrychioli.

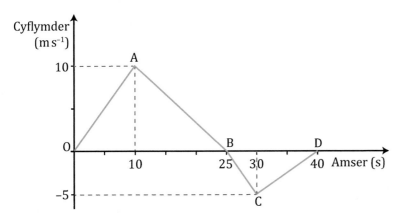

Mae'r graff wedi'i rannu'n adrannau.

Mae OA yn cynrychioli cyflymiad o 0 i 10 m s^{-1}.

Cyflymiad = graddiant llinell OA = $\frac{10}{10}$ = 1 m s^{-2}.

Mae AB yn cynrychioli cyflymiad negatif. Y cyflymiad = $-\frac{10}{15}$ = -0.67 m s^{-2}.

Noder y gall yr arwydd negatif gael ei waredu os yw'n cael ei ddisgrifio fel arafiad.

Mae BC yn cynrychioli cyflymiad, ond y tro hwn, am fod y cyflymder yn negatif, mae'n golygu bod y mudiant i'r cyfeiriad dirgroes.

Y cyflymiad = $\frac{-5}{5}$ = -1 m s^{-2}. Sylwch, am fod y cyflymiad negatif yn yr un cyfeiriad â'r cyflymder, mae'n cynrychioli cyflymiad yn hytrach nag arafiad.

Y dadleoliad o O i B yw'r arwynebedd o dan y graff cyflymder–amser rhwng O a B.

Arwynebedd = arwynebedd triongl = $\frac{1}{2}$ × sail × uchder = $\frac{1}{2}$ × 25 × 10 = 125 m

Y dadleoliad o B i D = $-\frac{1}{2}$ × 15 × 5 = -37.5 m

Noder, am fod yr arwynebedd yn gorwedd o dan yr echelin amser, mae'n cynrychioli dadleoliad negatif. Mae hyn yn golygu bod y gwrthrych yn symud yn ôl i'r cyfeiriad dirgroes felly mae nawr yn symud yn agosach at O.

Y dadleoliad o O i D = 125 – 37.5 = 87.5 m

Cyfanswm y pellter a deithiwyd o O i D = 125 + 37.5 = 162.5 m

---

Paratowch gwis i'ch ffrindiau Mathemateg. Lluniwch gyfres o graffiau pellter–amser, dadleoliad–amser a chyflymder–amser a gofynnwch iddyn nhw ddisgrifio'r mudiant sy'n cael ei ddangos. Wedyn gallan nhw lunio graffiau i'ch profi chi.

Dysgu Gweithredol

7.5 Defnyddio hafaliadau mudiant (h.y. hafaliadau *suvat*)

Os yw corff yn symud â chyflymiad cyson mewn llinell syth, gall y fformiwlâu canlynol, sy'n cael eu galw'n hafaliadau mudiant (neu'n hafaliadau *suvat*) gael eu defnyddio. Mae ystyr y termau sy'n cael eu defnyddio yn yr hafaliadau i'w gweld yn y tabl:

$$v = u + at$$

$$s = ut + \tfrac{1}{2}at^2$$

$$v^2 = u^2 + 2as$$

$$s = \tfrac{1}{2}(u + v)t$$

s = dadleoliad

u = cyflymder cychwynnol

v = cyflymder terfynol

a = cyflymiad

t = amser

> **Nodyn pwysig**
>
> Mae angen i chi gofio'r holl hafaliadau *suvat* am na fyddan nhw'n cael eu rhoi yn yr arholiad.

Sylwch fod pedwar newidyn ym mhob hafaliad, felly byddai angen i chi wybod tri ohonyn nhw er mwyn darganfod gwerth y pedwerydd. Os oes dau newidyn anhysbys, yna mae angen i chi ddod o hyd i hafaliad arall sy'n eu cysylltu er mwyn eu datrys yn gydamserol.

Mae dadleoliad, cyflymder cychwynnol, cyflymder terfynol, a chyflymiad, oll yn fesurau fector, sy'n golygu bod ganddyn nhw faint a chyfeiriad.

Fel arfer, rydyn ni'n cymryd bod y cyfeiriad yn bositif o'r chwith i'r dde. Felly, er enghraifft, byddai gan bêl yn symud o'r dde i'r chwith gyflymder negatif.

> Dim ond pan fydd y mudiant o dan gyflymiad cyson y gall hafaliadau mudiant gael eu defnyddio.

Mewn rhai cwestiynau, sylwch y gall buanedd gael ei ddefnyddio yn lle cyflymder yn yr hafaliadau uchod.

Cam wrth GAM

Yn y cwestiwn canlynol, mae gofyn i chi ddeillio un o'r hafaliadau mudiant gan ddefnyddio'r graff cyflymder–amser sy'n cael ei ddangos. Mae hwn yn gwestiwn heb ei strwythuro gan nad oes camau i'ch arwain ar sut i gyrraedd y fformiwla derfynol. Mae'n rhaid i chi feddwl am y camau mae angen i chi eu cymryd.

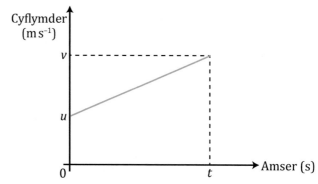

Mae'r graff uchod yn cynrychioli mudiant awyren sy'n codi o redfa mewn llinell syth. Mae'r awyren yn cyflymu â chyflymiad cyson a m s^{-2} o gyflymder u m s^{-1} i gyflymder v m s^{-1} mewn amser t eiliad.

Defnyddiwch y graff uchod i brofi'r fformiwla $v^2 = u^2 + 2as$ lle s yw'r pellter a deithiwyd mewn metrau.

Camau i'w cymryd

1 Edrychwch ar y cwestiwn yn ofalus. Mae gennych chi graff cyflymder–amser. Meddyliwch am nodweddion y graff. Graddiant y llinell yw'r cyflymiad a'r pellter a deithiwyd yn amser t yw'r arwynebedd o dan y graff. Sylwch mai siâp trapesiwm sydd i'r arwynebedd.

2 Lluniwch hafaliadau gan ddefnyddio'r llythrennau ar y graffiau ar gyfer y graddiant (h.y. y cyflymiad) a'r arwynebedd o dan y graff (h.y. y pellter a deithiwyd).

3 Sylwch nad oes t yn y fformiwla $v^2 = u^2 + 2as$. Bydd hyn yn golygu, os byddwch yn cael hafaliad sy'n cynnwys t, y bydd angen i chi ei gwaredu gan ddefnyddio hafaliad arall.

Nawr dilynwch yr ateb isod.

. . . .

Ateb

Mae'r arwynebedd o dan graff cyflymder–amser yn cynrychioli'r pellter a deithiwyd.

Arwynebedd trapesiwm $= \frac{1}{2}(u + v)t$

Dyma'r pellter a deithiwyd, s, felly gallwn ysgrifennu

$$s = \frac{1}{2}(u + v)t$$

Sylwch nad yw'r fformiwla y mae gofyn i chi ei phrofi yn cynnwys t, a sylwch hefyd bod a ynddi.

Mae graddiant y llinell yn cynrychioli'r cyflymiad, felly gallwn ysgrifennu

$$a = \frac{v - u}{t} \quad \text{ac mae aildrefnu ar gyfer } t \text{ yn rhoi} \quad t = \frac{v - u}{a}$$

Mae amnewid hyn am t yn yr hafaliad $s = \frac{1}{2}(u + v)t$ yn rhoi

$$s = \frac{1}{2}(u + v)\left(\frac{v - u}{a}\right)$$

Mae lluosi dwy ochr yr hafaliad â $2a$ yn rhoi

$$2as = (u + v)(v - u)$$
$$2as = uv - u^2 + v^2 - uv$$
$$2as = -u^2 + v^2$$

Mae aildrefnu hyn i gael y fformat sydd ei angen yn rhoi

$$v^2 = u^2 + 2as$$

Defnyddiwch y graff cyflymder–amser yn y cwestiwn hwn i ddeillio'r hafaliadau mudiant canlynol:

Dysgu Gweithredol

$$v = u + at$$
$$s = \frac{1}{2}(u + v)t$$
$$s = ut + \frac{1}{2}at^2$$

Defnyddiwch y ffeithiau bod graddiant y llinell yn hafal i'r cyflymiad, a bod yr arwynebedd o dan y llinell yn hafal i'r pellter a deithiwyd, i'ch helpu gyda'r deilliadau hyn.

Datrys problemau gan ddefnyddio hafaliadau *suvat*

Gall hafaliadau mudiant gael eu defnyddio i ddatrys problemau sy'n ymwneud â chyflymiad cyson, fel mae'r enghreifftiau canlynol yn ei ddangos.

Enghreifftiau

1   Mae cyflymder cychwynnol o 0.25 m s^{-1} yn cael ei roi i gar tegan. Oherwydd gwrthiant, yr arafiad yw 0.25 m s^{-2}. Darganfyddwch y pellter a deithiwyd cyn i'r tegan ddod i ddisymudedd.

Ateb

1   Yn gyntaf, rhestrwch y llythrennau a'u gwerthoedd pan fyddan nhw'n cael eu dangos.

$$u = 0.25 \text{ m s}^{-1}, \qquad a = -0.25 \text{ m s}^{-2}, \qquad v = 0 \text{ m s}^{-1}, \qquad s = ?$$

Mae defnyddio $v^2 = u^2 + 2as$ yn rhoi

$$0^2 = 0.25^2 + 2(-0.25)s$$

$$-0.0625 = -0.5\,s$$

$$s = 0.125 \text{ m}$$

> Sylwch yma eich bod chi'n cael gwybod mai 0.25 m s^{-2} yw'r arafiad. Wrth ddefnyddio hafaliadau mudiant, mae hyn yn gyflymiad o −0.25 m s^{-2}.

> Sylwch fod angen i chi ddefnyddio un o'r hafaliadau lle rydych chi'n gwybod gwerth pob llythyren ar wahân i'r un mae angen i chi ei darganfod.

2   Mae cyflymder cychwynnol o 4 m s^{-1} yn cael ei roi i ronyn. Mae'n arafu'n gyson nes dod â'r gronyn i ddisymudedd mewn 5 eiliad. Darganfyddwch y pellter a deithiwyd gan y gronyn.

Ateb

2       $u = 4 \text{ m s}^{-1}, \qquad v = 0 \text{ m s}^{-1}, \qquad t = 5 \text{ s}, \qquad s = ?$

Gan ddefnyddio $s = \frac{1}{2}(u + v)t$

$$= \frac{1}{2}(4 + 0)5$$

$$= 10 \text{ m}$$

3   Mae gronyn yn symud mewn llinell syth, ac mae ei fuanedd yn cael ei fesur ym mhwyntiau A a B. Ym mhwynt A, ei fuanedd yw 20 m s^{-1} ac ym mhwynt B ei fuanedd yw 32 m s^{-1}. Y pellter rhwng pwyntiau A a B yw 120 m.

(a)   Dangoswch mai cyflymiad y gronyn yw 2.6 m s^{-2}.

(b)   Darganfyddwch yr amser mae'n ei gymryd i'r gronyn deithio o A i B.

(c)   Darganfyddwch fuanedd y gronyn 20 s ar ôl iddo fynd heibio i bwynt A.

(ch) Cyfrifwch y pellter o A 30 s ar ôl iddo fynd heibio i bwynt A.

Ateb

3   (a) $u = 20 \text{ m s}^{-1}, \qquad v = 32 \text{ m s}^{-1}, \qquad s = 120 \text{ m}, \qquad a = ?$

Mae defnyddio $v^2 = u^2 + 2as$ yn rhoi

$$32^2 = 20^2 + 2a \times 120$$

Mae datrys yn rhoi $a = 2.6 \text{ m s}^{-2}$

(b)   Mae defnyddio $\qquad v = u + at$ yn rhoi

$$32 = 20 + 2.6t$$

Mae datrys yn rhoi $\qquad t = 4.62\,\text{s}$

(c) $u = 20\,\text{m s}^{-1}$, $\qquad a = 2.6\,\text{m s}^{-2}$, $\qquad t = 20\,\text{s}$, $\qquad v = ?$

Mae defnyddio $\qquad v = u + at$ yn rhoi

$$v = 20 + 2.6 \times 20$$

Mae datrys yn rhoi $\qquad v = 72\,\text{m s}^{-1}$

(ch) $u = 20\,\text{m s}^{-1}$, $\qquad a = 2.6\,\text{m s}^{-2}$, $\qquad t = 30\,\text{s}$, $\qquad s = ?$

Mae defnyddio $\qquad s = ut + \frac{1}{2}at^2$ yn rhoi

$$s = 20 \times 30 + \frac{1}{2} \times 2.6 \times 30^2$$

$$s = 1770\,\text{m}$$

Cam wrth GAM

Mae car yn teithio ar hyd heol lorweddol syth. Mae tri cham i'r mudiant:

- Yn ystod cam cyntaf y mudiant, mae'n cyflymu'n unffurf o ddisymudedd â chyflymiad o $1\,\text{m s}^{-2}$ am $10\,\text{s}$.

- Yn ystod ail gam y mudiant, mae'r car yn teithio ar gyflymder cyson am $15\,\text{s}$.

- Yn ystod trydydd cam y mudiant, mae'r car yn arafu'n unffurf i ddisymudedd mewn $5\,\text{s}$.

(a)   Brasluniwch graff cyflymder–amser sy'n dangos tri cham y mudiant.

(b)   Cyfrifwch gyfanswm y pellter a deithiwyd yn ystod tri cham y mudiant.

Camau i'w cymryd

1   Dylech bob amser edrych ar y cwestiwn cyfan cyn dechrau. Gallwch chi weld bod y cwestiwn yn gofyn i chi fraslunio graff cyflymder–amser ac yna ei ddefnyddio i gyfrifo'r pellter. Mae'r holl amserau yn cael eu rhoi, sy'n mynd ar yr echelin lorweddol, ond nid yw gwerth y cyflymder cyson yn cael ei roi.

2   Darganfyddwch y cyflymder cyson drwy ddefnyddio hafaliad *suvat* addas. Sylwch eich bod yn gwybod y cyflymder cychwynnol, y cyflymiad, a dros ba amser mae'n digwydd.

3   Lluniadwch y graff.

4   Defnyddiwch yr arwynebedd o dan y graff i ddarganfod cyfanswm y pellter a deithiwyd.

· ·

Ateb

(a) $u = 0\,\text{m s}^{-1}$, $\qquad a = 1\,\text{m s}^{-2}$, $\qquad t = 10\,\text{s}$, $\qquad v = ?$

Gan ddefnyddio $\; v = u + at$

$$v = 0 + 1 \times 10 = 10\,\text{m s}^{-1}$$

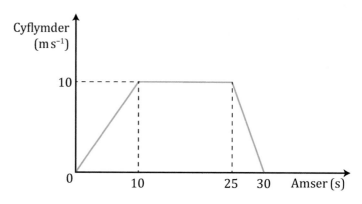

Mae'r fformiwla ar gyfer arwynebedd trapesiwm yn cael ei ddefnyddio yma, a bydd angen i chi ei chofio. Os nad ydych chi'n gallu ei chofio, gallwch gyfrifo arwynebedd y ddau driongl a'r petryal a'u hadio at ei gilydd.

(b) Cyfanswm y pellter a deithiwyd = arwynebedd o dan y graff cyflymder–amser

$$= \tfrac{1}{2}(30 + 15) \times 10$$

$$= 225 \, \text{m}$$

4 Mae car yn teithio ar hyd heol syth ABC gyda chyflymiad unffurf a m s^{-2}. Pellter AB yw 95 m. Yr amser y mae'r car yn ei gymryd i deithio o A i B yw 5 s a'r amser mae'n ei gymryd i deithio o B i C yw 2 s. Yn A, cyflymder y car yw u m s^{-1} ac yn C ei gyflymder yw 29.8 m s^{-1}. Darganfyddwch werth a a gwerth u.   [7]

· ·

Ateb

4

Mae angen i chi ystyried dwy daith; un o A i C a'r llall o A i B. Pe baech chi'n ystyried taith o B i C, byddai angen i chi gyflwyno newidyn arall ar gyfer y cyflymder yn B, a byddai'n cymhlethu pethau am y byddai tri anhysbysyn.

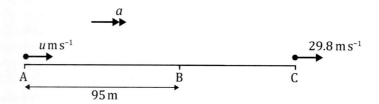

Ar gyfer y daith o A i C, mae gennym ni

$v = 29.8$ m s^{-1}, $t = 5 + 2 = 7$ s

Trwy hyn, mae defnyddio $v = u + at$ yn rhoi

$$29.8 = u + 7a \qquad\qquad (1)$$

Ar gyfer y daith o A i B mae gennym ni

$s = 95$ m $t = 5$ s

Mae llawer o'r cwestiynau yn y testun hwn yn ymwneud â chreu dau hafaliad sy'n cynnwys dau anhysbysyn mae angen eu datrys yn gydamserol. Gwnewch yn siŵr eich bod yn gallu datrys hafaliadau cydamserol a gwiriwch yr atebion rydych chi'n eu cael.

Trwy hyn, mae defnyddio $s = ut + \tfrac{1}{2}at^2$ yn rhoi

$$95 = 5u + 12.5a \qquad\qquad (2)$$

Mae datrys hafaliadau (1) a (2) yn gydamserol yn rhoi

cyflymiad, $a = 2.4$ m s^{-2} a chyflymder cychwynnol, $u = 13$ m s^{-1}

5 Mae lorri'n teithio ar hyd heol syth o bwynt A i bwynt B. Mae'r lorri'n cychwyn o ddisymudedd ac y cyflymu'n unffurf am 25 s nes iddi gyrraedd cyflymder cyson o 20 m s⁻¹. Mae'n teithio ar y cyflymder cyson hwn am T s nes ei bod yn dechrau arafu'n unffurf am 10 s nes iddi gyrraedd pwynt B. Mae'n mynd heibio i bwynt B â chyflymder o 10 m s⁻¹ a'r pellter rhwng pwyntiau A a B yw 12 km.

  (a) Brasluniwch graff cyflymder–amser ar gyfer y daith rhwng A a B.   [3]

  (b) Darganfyddwch gyfanswm yr amser ar gyfer y daith o A i B.   [4]

  (c) Disgrifiwch ddwy dybiaeth fodelu rydych chi wedi'u gwneud yn eich atebion.   [2]

Ateb

5   (a)

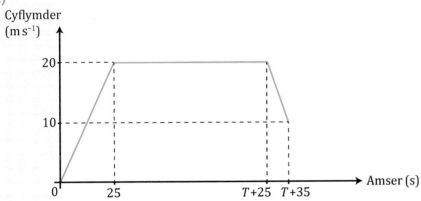

Sylwch ar y ffordd mae'r amserau'n gronnus ar yr echelin amser.

  (b) Pellter a deithiwyd = arwynebedd o dan y graff cyflymder–amser

$$= \tfrac{1}{2} \times 25 \times 20 + 20T + \tfrac{1}{2} \times (20 + 10) \times 10$$

$$= 250 + 20T + 150$$

$$= 400 + 20T$$

Nawr y pellter a deithiwyd = 12 km = 12 000 m

$$12\,000 = 400 + 20T$$

$$11\,600 = 20T$$

$$T = 580 \text{ s}$$

  (c) Mae'r lorri wedi'i modelu fel gronyn felly mae ganddi fàs ond dim dimensiynau.

Rydyn ni'n tybio bod y grymoedd ffrithiannol yn ddibwys, felly mae'r cyflymiad yn parhau'n gyson sy'n golygu y gall hafaliadau mudiant gael eu defnyddio.

7.6 Cymhwyso hafaliadau *suvat* i fudiant fertigol o dan ddisgyrchiant

Mae gwrthrychau sy'n teithio mewn cyfeiriad fertigol yn cael eu heffeithio gan gyflymiad cyson o 9.8 m s^{-2} sy'n gweithredu tuag at ganol y Ddaear. Wrth deithio tuag i fyny, mae'r cyflymiad hwn yn gwrthwynebu'r mudiant ac mae'n −9.8 m s^{-2}. Wrth deithio i lawr, mae'r cyflymiad hwn yn cyflymu'r gronyn ac mae'n 9.8 m s^{-2}. Gan fod dadleoliad, cyflymder a chyflymiad yn gallu gweithredu i wahanol gyfeiriadau, mae'n rhaid i chi benderfynu pa gyfeiriad yw'r cyfeiriad positif.

Cofiwch ddweud pa gyfeiriad yw'r cyfeiriad positif yn eich atebion.

Enghreifftiau

1 Mae pêl yn cael ei thaflu'n fertigol i lawr ffynnon gyda chyflymder o 5 m s^{-1}. Mae'r bêl yn cymryd 6 s i gyrraedd gwaelod y ffynnon. Cymerwch fod cyflymiad disgyrchiant, g, yn 9.8 m s^{-2}.

(a) Darganfyddwch gyflymder y bêl ar ôl 6 eiliad.

(b) Darganfyddwch y pellter a deithiwyd gan y bêl pan fydd yn cyrraedd gwaelod y ffynnon.

Ateb

1 (a) Gan gymryd y cyfeiriad positif i fod tuag i lawr, mae gennym ni

$$u = 5 \text{ m s}^{-1}, \qquad a = g = 9.8 \text{ m s}^{-2}, \qquad t = 6 \text{ s}, \qquad v = ?$$

Gan ddefnyddio $v = u + at$

$$v = 5 + 9.8 \times 6 = 63.8 \text{ m s}^{-1}$$

(b) Gan ddefnyddio $s = ut + \frac{1}{2}at^2$ mae gennym ni

$$s = 5 \times 6 + \frac{1}{2} \times 9.8 \times 6^2 = 206.4 \text{ m}$$

---

2 Mae pêl yn cael ei thaflu'n fertigol tuag i fyny gyda chyflymder o 10 m s^{-1}. Cymerwch mai cyflymder disgyrchiant, g, yw 9.8 m s^{-2}.

(a) Darganfyddwch yr uchder mwyaf y mae'r bêl yn ei gyrraedd.

(b) Darganfyddwch yr amser mae'n ei gymryd i'r bêl gyrraedd ei huchder mwyaf.

Ateb

2 (a) Gan gymryd y cyfeiriad positif i fod tuag i fyny, mae gennym ni

$$u = 10 \text{ m s}^{-1}, \qquad v = 0 \text{ m s}^{-1}, \qquad a = g = -9.8 \text{ m s}^{-2}, \qquad s = ?$$

Mae defnyddio $v^2 = u^2 + 2as$ yn rhoi

$$0^2 = 10^2 + 2 \times (-9.8) \times s \quad \text{sy'n rhoi}$$

$$s = 5.10 \text{ m}$$

(b) Gan ddefnyddio $v = u + at$ yn rhoi

$$0 = 10 + (-9.8)t \quad \text{sy'n rhoi}$$

$$t = 1.02 \text{ s}$$

Mae cyflymiad disgyrchiant yn amrywio yn ôl y pellter i ganol y Ddaear, ond fel tybiaeth fodelu rydyn ni'n tybio ei fod yn parhau'n gyson.

Ysgrifennwch bob llythyren â gwerthoedd sy'n hysbys, a hefyd ysgrifennwch lythyren y maint rydych eisiau ei ddarganfod gan roi gofynnod. Yna, mae angen i chi ddewis yr hafaliad o'r rhestr. Mae'n syniad da ysgrifennu'r rhestr ar y dechrau gan y bydd yn eich helpu chi i'w cofio.

Pan fydd y bêl yn cyrraedd ei huchder mwyaf, bydd ei chyflymder yn sero.

Os ydyn ni'n cymryd bod i fyny yn bositif, wedyn mae g yn gweithredu i'r cyfeiriad dirgroes, felly mae ganddo werth negatif (h.y. −9.8).

3 Mae carreg yn cael ei thaflu'n fertigol **tuag i lawr** o ben clogwyn gyda buanedd cychwynnol o 1 m s^{-1} ac mae'n taro'r môr 2.5 eiliad wedyn.

(a) Darganfyddwch fuanedd y garreg wrth iddi daro'r môr. [3]

(b) Cyfrifwch uchder y clogwyn. [3]

· ·

Ateb

3 (a) Gan gymryd bod y cyfeiriad positif tuag i lawr, mae gennym ni

$u = 1$ m s^{-1}, $t = 2.5$ s, $a = g = 9.8$ m s^{-2}, $v = ?$

Mae defnyddio $v = u + at$ yn rhoi

$v = 1 + 9.8 \times 2.5 = 25.5$ m s^{-1}

(b) Gan ddefnyddio $s = ut + \frac{1}{2}at^2$

$= 1 \times 2.5 + \frac{1}{2} \times 9.8 \times 2.5^2$

$s = 33.125$ m

---

4 Mae carreg yn cael ei thaflu'n fertigol tuag i fyny gyda buanedd o 14·7 m s^{-1} o bwynt A sydd 49 m uwch ben y ddaear.

(a) Darganfyddwch yr amser mae'n ei gymryd i'r garreg gyrraedd y ddaear. [3]

(b) Cyfrifwch fuanedd y garreg pan fydd yn taro'r ddaear. [3]

· ·

Ateb

4 (a) Gan gymryd bod y cyfeiriad positif tuag i fyny, mae gennym ni:

$u = 14.7$ m s^{-1}, $s = -49$ m, $a = g = -9.8$ m s^{-2}, $t = ?$

Gan ddefnyddio $s = ut + \frac{1}{2}at^2$ mae gennym ni

$-49 = 14.7t + \frac{1}{2} \times (-9.8)t^2$

$-49 = 14.7t - 4.9t^2$

$0 = t^2 - 3t - 10$

$0 = (t - 5)(t + 2)$

Sy'n rhoi $t = 5$, neu -2 (ni allwch gael amser negatif, felly mae -2 yn cael ei anwybyddu).

Trwy hyn, yr amser a gymerwyd $= 5$ s

(b) Mae defnyddio $v = u + at$ yn rhoi

$v = 14.7 - 9.8 \times 5$

$= -34.3$ m s^{-1}

Trwy hyn, buanedd $= 34.3$ m s^{-1}

Sylwch ein bod ni'n defnyddio $s = -49$. Y rheswm am hyn yw bod y dadleoliad 49 m yn is na'r pwynt taflu ac felly mae'n cynrychioli dadleoliad negatif.

Mae'n edrych fel y gallai fod angen i chi ddefnyddio'r fformiwla gwadratig i ddatrys yr hafaliad cwadratig hwn. Ond mae'n syniad da bob amser edrych i weld a yw cyfernod x^2 (4.9 yn yr achos hwn) yn rhannu'n union i mewn i'r rhifau eraill. Wrth wneud hynny yma, cewch chi hafaliad cwadratig sy'n hawdd ei ffactorio.

Mae'r arwydd negatif yn dweud wrthon ni fod y cyflymder hwn tuag i lawr (h.y. yn ddirgroes i gyfeiriad y cyflymder cychwynnol).

Mae buanedd yn fesur sgalar, felly maint yn unig sydd ganddo. Rydyn ni felly'n gwaredu'r arwydd negatif.

5   Mae bachgen yn taflu pêl yn fertigol tuag i fyny o bwynt A gyda buanedd cychwynnol o 18.2 m s⁻¹.

(a) Darganfyddwch yr uchder mwyaf y mae'r bêl yn ei gyrraedd uwchben A.   [3]

(b) Cyfrifwch yr amser mae'n ei gymryd i'r bêl ddychwelyd i bwynt A.   [3]

(c) Darganfyddwch fuanedd y bêl 2.5 s ar ôl iddi gael ei thaflu. Nodwch yn glir beth yw cyfeiriad mudiant y bêl ar yr amser hwn.   [3]

Noder, ar yr uchder mwyaf, y cyflymder terfynol, v, yw sero.

Ateb

5 (a) Gan gymryd y cyfeiriad tuag i fyny yn bositif ar gyfer y cyflymder, mae gennym ni

$u = 18.2$ m s⁻¹, $a = g = -9.8$ m s⁻², $v = 0$ m s⁻¹, $s = ?$

Gan ddefnyddio $v^2 = u^2 + 2as$ mae gennym ni

$0^2 = 18.2^2 + 2 \times (-9.8) \times s$

Gan aildrefnu a datrys, mae gennym ni $s = 16.9$ m

Wrth i'r bêl ddychwelyd i'w phwynt cychwyn gwreiddiol, mae'r dadleoliad yn sero.

(b) Gan gymryd y cyfeiriad tuag i fyny yn bositif ar gyfer y cyflymder, mae gennym ni

$u = 18.2$ m s⁻¹, $a = g = -9.8$ m s⁻², $s = 0$ m, $t = ?$

$s = ut + \frac{1}{2}at^2$

$0 = 18.2t + \frac{1}{2} \times (-9.8) \times t^2$

$0 = t(18.2 - 4.9t)$

Gan ddatrys, $t = 0, 3.7$ s

Mae $t = 0$ yn cael ei anwybyddu am mai dyma'r amser mae'r bêl yn cychwyn ar ei thaith. Trwy hyn, $t = 3.7$ s.

Trwy hyn $t = 3.7$ s

(c) Gan gymryd y cyfeiriad tuag i fyny yn bositif ar gyfer y cyflymder, mae gennym ni

$u = 18.2$ m s⁻¹, $a = g = -9.8$ m s⁻², $t = 2.5$ s, $v = ?$

$v = u + at$

$= 18.2 - 9.8 \times 2.5 = -6.3$ m s⁻¹

Gan ein bod ni wedi cymryd bod y cyflymderau positif tuag i fyny, mae'r arwydd negatif yma yn golygu bod y cyflymder hwn tuag i lawr.

Trwy hyn, mae'r bêl yn symud tuag i lawr gyda buanedd o 6.3 m s⁻¹

Dysgu Gweithredol

Mae carreg yn cael ei thaflu'n fertigol tuag i fyny. Mae'n cyrraedd yn ôl i'r un pwynt lle cafodd ei thaflu. Profwch fod yr amser a gymerodd i gyrraedd yr uchder mwyaf yr un faint â'r amser a gymerodd i ddisgyn o'r uchder mwyaf hwn. Pa dybiaethau modelu a wnaethoch chi er mwyn cael eich ateb?

Braslunio graffiau cyflymder–amser lle mae'n rhaid i chi ddefnyddio hafaliadau mudiant (hafaliadau *suvat*)

Mewn rhai cwestiynau arholiad, bydd gofyn i chi luniadu graff cyflymder–amser ar gyfer mudiant sy'n cael ei ddisgrifio mewn cwestiwn. Mewn rhai achosion, bydd angen i chi ychwanegu rhywfaint o wybodaeth, a bydd angen i chi gyfrifo hyn yn gyntaf er mwyn lluniadu eich graff.

Enghreifftiau

1 Mae gronyn yn symud mewn llinell syth ac mae ei fuanedd yn cael ei fesur ar bwyntiau A a B. Ar bwynt A, ei fuanedd yw 20 m s^{-1} ac ar bwynt B ei fuanedd yw 32 m s^{-1}. Y pellter rhwng pwyntiau A a B yw 120 m.

(a) Dangoswch mai cyflymiad y gronyn yw 2.6 m s^{-2}.

(b) Darganfyddwch yr amser mae'n ei gymryd i'r gronyn deithio o A i B.

(c) Darganfyddwch fuanedd y gronyn 20 s ar ôl mynd heibio i bwynt A.

(ch) Cyfrifwch y pellter o A 30 s ar ôl iddo fynd heibio i bwynt A.

(d) Brasluniwch graff cyflymder–amser ar gyfer y daith o A i B.

· ·

Ateb

1 (a) $u = 20 \text{ m s}^{-1}$, $v = 32 \text{ m s}^{-1}$, $s = 120 \text{ m}$, $a = ?$

Mae defnyddio $v^2 = u^2 + 2as$ yn rhoi

$$32^2 = 20^2 + 2a \times 120$$

Gan ddatrys, $a = 2.6 \text{ m s}^{-2}$

(b) Mae defnyddio $v = u + at$ yn rhoi

$$32 = 20 + 2.6t$$

Mae datrys yn rhoi $t = 4.62 \text{ s}$

(c) $u = 20 \text{ m s}^{-1}$, $a = 2.6 \text{ m s}^{-2}$, $t = 20 \text{ s}$, $v = ?$

Mae defnyddio $v = u + at$ yn rhoi

$$v = 20 + 2.6 \times 20$$

Mae datrys yn rhoi $v = 72 \text{ m s}^{-1}$

(ch) $u = 20 \text{ m s}^{-1}$, $a = 2.6 \text{ m s}^{-2}$, $t = 30 \text{ s}$, $s = ?$

Mae defnyddio $s = ut + \frac{1}{2}at^2$ yn rhoi

$$s = 20 \times 30 + \frac{1}{2} \times 2.6 \times 30^2$$

$$s = 1770 \text{ m}$$

(d)

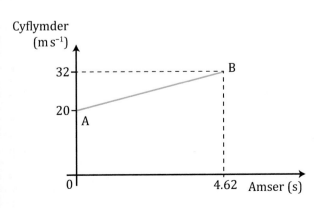

> Dylech ddangos unrhyw werthoedd rydych chi wedi'u cyfrifo ar eich graff.

135

2 Mae pwyntiau A, B ac C yn gorwedd, yn y drefn honno, ar heol lorweddol syth. Mae car yn teithio ar yr heol gyda chyflymiad cyson a m s^{-2}. Pan fydd y car yn A, ei fuanedd yw u m s^{-1}. Mae'r pellter AB yn 10 m ac mae'r car yn cymryd 2 s i deithio o A i B. Mae'r car yn cymryd 7 s i deithio o A i C a'i fuanedd yn C yw 17 m s^{-1}.

(a) Darganfyddwch werth u a gwerth a. [7]

(b) Lluniadwch graff cyflymder–amser ar gyfer mudiant y car rhwng A ac C. [2]

(c) Cyfrifwch y pellter AC. [2]

- -

Ateb

2 (a)

Ar gyfer A i B, $s = 10$ m, $t = 2$ s

Gan ddefnyddio $s = ut + \frac{1}{2}at^2$

$$10 = 2u + \frac{1}{2}at^2$$

$$10 = 2u + \frac{1}{2} \times a \times 2^2$$

$$10 = 2u + 2a \qquad (1)$$

Ar gyfer A i C, $v = 17$ m s^{-1}, $t = 7$ s

Gan ddefnyddio $v = u + at$

$$17 = u + 7a \qquad (2)$$

Mae datrys hafaliadau (1) a (2) yn gydamserol yn rhoi

$$u = 3 \text{ m s}^{-1} \text{ ac } a = 2 \text{ m s}^{-2}$$

(b)

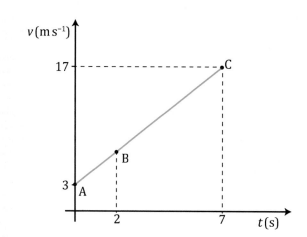

(c) Y pellter AC yw'r arwynebedd o dan y graff cyflymder–amser rhwng A ac C.

Arwynebedd $= \frac{1}{2}(3 + 17) \times 7 = 70$

Pellter $AC = 70$ m

7.7 Defnyddio calcwlws mewn cinemateg

Gall calcwlws (h.y. differu ac integru) gael ei ddefnyddio i ddatrys problemau mewn cinemateg pan nad yw'r cyflymiad yn gyson. Dylai hafaliadau mudiant gael eu defnyddio ar gyfer problemau lle mae cyflymiad cyson.

Graffiau dadleoliad–amser pan fydd y cyflymder yn amrywio gydag amser

Nid yw'r graff dadleoliad yn erbyn amser isod yn llinol, felly nid yw'r graff yn cynrychioli cyflymder cyson. Mae graddiant graff dadleoliad–amser yn cynrychioli'r cyflymder, felly mae'r cyflymder ym mhwynt P yn is na'r cyflymder ym mhwynt Q. Bydd y graddiant, a thrwy hyn y cyflymder, yn dibynnu ar ba amser sy'n cael ei ddewis.

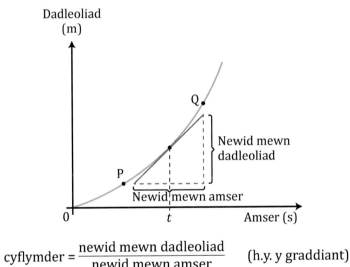

$$\text{cyflymder} = \frac{\text{newid mewn dadleoliad}}{\text{newid mewn amser}} \quad \text{(h.y. y graddiant)}$$

Darganfod y cyflymder o'r dadleoliad

Mae'r cyflymder ar unrhyw amser t yn cael ei roi gan raddiant y graff dadleoliad–amser.

Trwy hyn, mae gennym ni'r canlyniad pwysig iawn $v = \dfrac{dr}{dt}$

I ddarganfod y cyflymder yn rhifiadol, mae'r amser pan fydd angen darganfod y cyflymder yn cael ei amnewid i mewn i'r mynegiad.

Darganfod y cyflymiad o'r cyflymder

Mae'r cyflymiad ar unrhyw amser t yn cael ei roi gan raddiant y graff cyflymder–amser.

Trwy hyn, mae gennym ni'r canlyniad pwysig

$$a = \frac{dv}{dt} = \frac{d^2r}{dt^2}$$

Dadleoliad (r) $\xrightarrow[\frac{dr}{dt}]{\text{Differu}}$ Cyflymder (v) $\xrightarrow[\frac{dv}{dt}]{\text{Differu}}$ Cyflymiad (a)

I ddarganfod y cyflymder o'r dadleoliad, rydych chi'n differu'r mynegiad ar gyfer y dadleoliad mewn perthynas t ag amser.

Pan nad yw'r cyflymiad yn gyson, rydyn ni'n defnyddio'r llythyren r yn lle'r llythyren s ar gyfer y dadleoliad.

I ddarganfod y cyflymiad o'r cyflymder, rydych chi'n differu'r mynegiad ar gyfer cyflymder mewn perthynas â t $\left(\text{h.y. } a = \dfrac{dv}{dt}\right)$ ac os oes gennych chi fynegiad ar gyfer y dadleoliad, rydych chi'n differu mynegiad y dadleoliad ddwywaith $\left(\text{h.y. } \dfrac{d^2r}{dt^2}\right)$.

Enghraifft

1 Mae gronyn yn symud ar hyd llinell syth yn y fath fodd fel bod y lleoliad *r* ar amser *t* yn cael ei roi gan

$$r = 12t^3 - 6t^2 + 1$$

(a) Darganfyddwch fynegiad ar gyfer y cyflymder, *v*, ar amser *t*.

(b) Mae'r gronyn yn ddisymud ar ddau amser. Darganfyddwch y ddau amser hyn.

(c) Darganfyddwch fynegiad ar gyfer y cyflymiad, *a*, ar amser *t*.

Ateb

1 (a) $v = \dfrac{dr}{dt}$

$$= 36t^2 - 12t$$

(b) Pan fydd yn ddisymud, $v = 0$

$$0 = 36t^2 - 12t$$

$$0 = 12t(3t - 1)$$

Gan ddatrys, $t = 0$ s neu $\frac{1}{3}$ s

(c) $a = \dfrac{dv}{dt}$

$$= 72t - 12$$

Differu'r mynegiad ar gyfer *r* mewn perthynas â *t*.

I ddifferu, cofiwch eich bod chi'n lluosi â'r indecs ac wedyn yn lleihau'r indecs o 1.

Differu'r mynegiad ar gyfer *v* mewn perthynas â *t*.

I integru term, rydych chi'n cynyddu'r indecs gan un ac yn rhannu â'r indecs newydd.

Wrth integru, cofiwch fod yn rhaid i chi gynnwys y cysonyn integru.

Gan weithio am yn ôl, darganfyddwch y cyflymder a'r dadleoliad

Os oes angen i chi weithio'n ôl drwy'r diagram yn yr adran flaenorol, bydd angen i chi wrthdroi effaith differu drwy integru fel mae'r diagram isod yn ei ddangos.

Dadleoliad (*r*) ← Integru, $r = \int v\,dt$ ← Cyflymder (*v*) ← Integru, $v = \int a\,dt$ ← Cyflymiad (*a*)

Darganfod y cyflymder o'r cyflymiad

I ddarganfod y cyflymder o'r cyflymiad, rydych chi'n integru'r mynegiad ar gyfer y cyflymiad mewn perthynas â *t*.

Trwy hyn, mae gennym ni'r canlyniad pwysig

$$v = \int a\,dt$$

Er enghraifft, os yw $a = 2 - t$ yna $v = \int a\,dt = \int (2 - t)\,dt = 2t - \dfrac{t^2}{2} + c$

Sylwch fod y cysonyn integru, *c*, yna gynnwys. Mae angen darganfod gwerth *c* ac rydyn ni'n gwneud hyn drwy amnewid gwerthoedd hysbys ar gyfer *v* a *t* i mewn i'r mynegiad ar gyfer *v*.

Er enghraifft, os ydyn ni'n gwybod bod y gwrthrych yn cychwyn o ddisymudedd, gallwn ddweud bod $v = 0$ pan fydd $t = 0$, felly

$$0 = 2(0) - \frac{(0)^2}{2} + c \text{ ac mae datrys yn rhoi } c = 0.$$

Mae'r cysonyn integru, c, yn awr yn cael ei amnewid i mewn i'r mynegiad i roi

$$v = 2t - \frac{t^2}{2}$$

Darganfod y dadleoliad o'r cyflymder

I ddarganfod y dadleoliad o'r cyflymder, mae mynegiad y cyflymder yn cael ei integru mewn perthynas â t.

Trwy hyn, mae gennym ni'r canlyniad pwysig

$$r = \int v \, dt$$

Gan barhau'r enghraifft sydd gennym, i ddarganfod y dadleoliad, mae angen i ni integru mynegiad y cyflymder, $v = 2t - \frac{t^2}{2}$, mewn perthynas â t.

Trwy hyn, mae gennym ni $r = \int v \, dt = \int \left(2t - \frac{t^2}{2}\right) dt = t^2 - \frac{t^3}{6} + c$

Unwaith eto, mae angen i ni amnewid gwerthoedd hysbys ar gyfer r a t i mewn i'r mynegiad i ddarganfod gwerth y cysonyn c.

Os oedden ni'n gwybod bod $r = 0$ pan fydd $t = 0$, byddai gennym ni

$$0 = (0)^2 - \frac{(0)^3}{3} + c, \quad \text{gan roi } c = 0$$

Mae'r cysonyn integru, c, yn cael ei amnewid nawr i mewn i'r mynegiad i roi

$$r = t^2 - \frac{t^3}{3}$$

Enghreifftiau

1 Mae gronyn yn cychwyn o ddisymudedd ac yn teithio o O ar hyd yr echelin-x bositif mewn llinell syth. Mae gan y gronyn gyflymiad, a m s^{-2}, sy'n cael ei roi gan

$$a = 4t - 3t^2$$

(a) Darganfyddwch fynegiad ar gyfer y cyflymder, v m s^{-1}, yn amser t.

(b) Darganfyddwch fynegiad ar gyfer y dadleoliad, r m, yn amser t.

Ateb

1 (a) $v = \int a \, dt$

$= \int (4t - 3t^2) \, dt$

$= \frac{4t^2}{2} - \frac{3t^3}{3} + c$

$= 2t^2 - t^3 + c$

Gan fod y gronyn yn cychwyn o ddisymudedd, pan fydd $t = 0$, $v = 0$

Trwy hyn, mae gennym ni $0 = 2(0)^2 - (0)^3 + c$

Mae angen i ni ddod o hyd i werth y cysonyn integru, c, drwy amnewid pâr o werthoedd hysbys ar gyfer v a t i mewn i'r hafaliad hwn.

Gan ddatrys, $c = 0$

Trwy hyn, y mynegiad ar gyfer y cyflymder yw

$$v = 2t^2 - t^3$$

(b) $r = \int v \, dt$

$= \int (2t^2 - t^3) \, dt$

$= \dfrac{2t^3}{3} - \dfrac{t^4}{4} + c$

Pan fydd $t = 0$, $r = 0$

$$0 = \dfrac{2(0)^3}{3} - \dfrac{(0)^4}{4} + c \quad \text{sy'n rhoi } c = 0$$

Trwy hyn, y mynegiad ar gyfer y dadleoliad yw

$$r = \dfrac{2t^3}{3} - \dfrac{t^4}{4}$$

---

2 Mae car yn cyflymu o ddisymudedd ac ar amser t eiliad, mae ei gyflymiad yn cael ei roi gan $a = 5 - 0.1t \, \text{m s}^{-2}$

(a) Darganfyddwch y cyflymder ar ôl 10 eiliad.

(b) Darganfyddwch yr amser pan fydd y cyflymiad yn sero.

(c) Darganfyddwch y pellter a deithiwyd yn y 50 eiliad cyntaf, gan roi eich ateb i'r metr agosaf.

. . . .

Ateb

2 (a) $v = \int a \, dt$

$= \int (5 - 0.1t) \, dt$

$= 5t - \dfrac{0.1t^2}{2} + c$

Gan fod y car yn cychwyn o ddisymudedd, rydyn ni'n gwybod bod $v = 0$ pan fydd $t = 0$

Felly $0 = 5(0) - \dfrac{0.1(0)^2}{2} + c$

Gan ddatrys, $c = 0$

Trwy hyn mae gennym ni $v = 5t - \dfrac{0.1t^2}{2}$

$= 5(10) - \dfrac{0.1(10)^2}{2} = 45 \, \text{m s}^{-1}$

(b) Gan fod $a = 0$, $0 = 5 - 0.1t$

Gan ddatrys, $t = 50 \, \text{s}$

(c) $r = \int v \, dt$

$= \int \left(5t - \dfrac{0.1t^2}{2} \right) dt$

$= \dfrac{5t^2}{2} - \dfrac{0.1t^3}{6} + c$

Gan fod y car yn cychwyn o ddisymudedd, pan fydd $t = 0$, $r = 0$

Trwy hyn $c = 0$

Felly mae gennym ni $\quad r = \dfrac{5t^2}{2} - \dfrac{0.1t^3}{6}$

pan fydd $t = 50$, $\qquad r = \dfrac{5(50)^2}{2} - \dfrac{0.1(50)^3}{6}$

$$= 6250 - 2083$$

$$= 4167 \text{ m (i'r metr agosaf))}$$

---

3 Mae cyflymiad gronyn sy'n symud yn cael ei roi gan

$$(3 + 2t) \text{ m s}^{-2}.$$

Buanedd cychwynnol y gronyn yw 10 m s^{-1}.

Darganfyddwch y buanedd ar ôl 2 eiliad.

Ateb

3 $\quad a = 3 + 2t$

$\quad v = \int a \, dt$

$\qquad = \int (3 + 2t) dt$

$\qquad = 3t + \dfrac{2t^2}{2} + c$

$\qquad = 3t + t^2 + c$

Pan fydd $t = 0$, $v = 10$

felly $10 = 3(0) + (0)^2 + c$ sy'n rhoi $c = 10$

Trwy hyn $\qquad\qquad v = 3t + t^2 + 10$

Pan fydd $t = 2$, $\qquad v = 3(2) + (2)^2 + 10 = 20 \text{ m s}^{-1}$

GWELLA
⇧⇧⇧⇧ **Gradd**

Peidiwch â thybio bod y cysonyn integru, c, yn sero ym mhob achos. Dyma enghraifft lle mae angen darganfod gwerth ansero c.

Defnyddio integru pendant i ddarganfod y pellter/dadleoliad a deithiwyd mewn cyfwng amser (h.y. rhwng dau amser)

I ddarganfod y pellter/dadleoliad a deithiwyd yn ystod cyfwng amser (h.y. rhwng dau amser t_1 a t_2) rydych chi'n integru mynegiad y cyflymder rhwng terfannau'r ddau amser.

Trwy hyn

$\quad r = \displaystyle\int_{t_1}^{t_2} v \, dt$ lle t_1 a t_2 yw'r ddau amser a t_2 yw'r amser hwyrach.

Enghraifft

1 Mae gronyn yn symud mewn llinell syth fel bod ei gyflymder mewn m s^{-1}, t eiliad ar ôl gadael pwynt O, yn cael ei roi gan y mynegiad

$$v = 3t^2 - 2t$$

Darganfyddwch y pellter a deithiwyd yn y 3ydd eiliad.

1   Noder mai 0 i 1 yw'r eiliad 1af, 1 i 2 yw'r 2il eiliad, felly 2 i 3 yw'r 3edd eiliad.

Trwy hyn, rydyn ni'n integru gan ddefnyddio terfannau 3 a 2, gyda 3 yn derfan uchaf.

$$r = \int_{t_1}^{t_2} v \, dt$$

$$= \int_{2}^{3} v \, dt$$

$$= \int_{2}^{3} (3t^2 - 2t) \, dt$$

$$= \left[\frac{3t^3}{3} - \frac{2t^2}{2} \right]_2^3$$

$$= \left[t^3 - t^2 \right]_2^3$$

$$= \left[(3^3 - 3^2) - (2^3 - 2^2) \right]$$

$$= 18 - 4$$

$$= 14 \, m$$

Yr amser mwyaf fydd y terfan uchaf.

Cofiwch waredu'r arwydd integru ar ôl integru a defnyddio'r cromfachau sgwâr gyda'r terfannau arnyn nhw.

Nawr rhowch y terfan uchaf ac wedyn y terfan isaf yn lle'r *t* a rhowch arwydd minws rhwng y ddwy set o gromfachau.

GWELLA
⇧⇧⇧⇧ Gradd

Cofiwch ystyried cyfeiriad wrth gyfrifo gan ddefnyddio mesurau fector. Mae'n rhaid i chi benderfynu pa gyfeiriad yw'r cyfeiriad positif a dweud hyn yn eich ateb.

Dim ond os oes cyflymiad cyson y gall hafaliadau *suvat* gael eu defnyddio. Mae'n rhaid i chi ddefnyddio calcwlws ar gyfer cwestiynau lle mae'r cyflymiad yn amrywio.

Cofiwch labelu'r echelinau wrth luniadu graffiau, gan roi enw'r newidynnau a'r unedau.

Profi eich hun

1. Mae car, sy'n ddisymud i gychwyn, yn cyflymu â chyflymiad cyson o 0.9 m s⁻².
   Cyfrifwch:
   (a) Buanedd y car ar ôl 10 eiliad.
   (b) Y pellter a deithiwyd yn yr amser hwn.

2. Mae carreg yn cael ei thaflu'n fertigol tuag i fyny gyda chyflymder o
   20 m s⁻¹ o bwynt A.
   (a) Cyfrifwch yr uchder mwyaf o bwynt A y mae'r garreg yn ei gyrraedd.
   (b) Cyfrifwch yr amser o'r amser y caiff y garreg ei thaflu i'r amser y mae'n
   dychwelyd i bwynt A.

3. Mae carreg yn cael ei thaflu'n fertigol tuag i lawr o ben clogwyn gyda
   chyflymder o 0.8 m s⁻¹ ac mae'n taro'r môr 3.5 eiliad wedyn.
   (a) Cyfrifwch fuanedd y garreg wrth iddi daro'r môr.
   (b) Cyfrifwch uchder y clogwyn.

4. Mae gronyn yn cael ei daflu'n fertigol tuag i fyny gyda buanedd o 10 m s⁻¹.
   (a) Darganfyddwch yr amser mewn eiliadau i'r gronyn gyrraedd ei uchder
   mwyaf.
   (b) Darganfyddwch yr uchder mwyaf y mae'r gronyn yn ei gyrraedd.

5. Mae gronyn yn symud ar hyd llinell syth. Ar amser t eiliad, mae ei
   ddadleoliad, r metr o'r tarddbwynt yn cael ei roi gan $r = 12t^3 + 9$.
   (a) Darganfyddwch fynegiad ar gyfer cyflymder y gronyn ar amser t.
   (b) Darganfyddwch y cyflymiad ar amser $t = 2$ eiliad.

6. Mae gronyn yn cyflymu o ddisymudedd. t eiliad ar ôl dechrau symud, mae
   ganddo'r cyflymder v m s⁻¹ sy'n cael ei roi gan $v = 0.64t^3 - 0.36t^2$.
   (a) Darganfyddwch fynegiad ar gyfer y cyflymiad ar amser t.
   (b) Darganfyddwch y pellter a deithiwyd ar ôl 10 eiliad.

7. Mae lori'n cyflymu o ddisymudedd ac ar amser t eiliad, mae ei gyflymiad yn
   cael ei roi gan $a = 3 - 0.1t$ hyd at $t = 30$ s.
   (a) Darganfyddwch fynegiad yn nhermau t ar gyfer cyflymder y lori.
   (b) Darganfyddwch gyflymder y lori ar ôl 10 eiliad.
   (c) Esboniwch beth fydd yn digwydd i'r lori ar $t = 30$ eiliad.
   (ch) Darganfyddwch y pellter a deithiwyd yn y 30 eiliad cyntaf.

8. Mae gronyn yn symud mewn llinell syth a'i gyflymder yw v m s⁻¹, t eiliad ar
   ôl mynd heibio'r tarddbwynt O lle mae v yn cael ei roi gan $v = 6t^2 + 4$
   Darganfyddwch y pellter a deithiwyd rhwng yr amserau $t = 2$ s a $t = 5$ s.

9. Mae gronyn yn symud mewn llinell syth ac ar amser t eiliad, mae ganddo'r
   cyflymder v m s⁻¹, lle mae
   $$v = 6t^2 - 2t + 8$$
   (a) (i) Darganfyddwch fynegiad ar gyfer cyflymiad y gronyn ar amser t.
   (ii) Darganfyddwch gyflymiad y gronyn pan fydd $t = 1$ eiliad.
   (b) Pan fydd $t = 0$ s, mae'r gronyn yn y tarddbwynt. Darganfyddwch
   fynegiad ar gyfer dadleoliad y gronyn o'r tarddbwynt ar amser t.

10. Mae jet ymladd yn glanio ar fwrdd llong sy'n cludo awyrennau. Mae'r
    system lanio sy'n cael ei defnyddio yn lleihau cyflymder yr awyren o
    153 km h⁻¹ i 0 km h⁻¹ mewn 2 eiliad.
    (a) Cyfrifwch arafiad yr awyren mewn m s⁻². [3]
    (b) Os 300 m yw hyd bwrdd y llong, pa ffracsiwn o fwrdd y llong sy'n cael
    ei ddefnyddio wrth lanio? [2]

11   Mae'r graff isod yn dangos y graff cyflymder–amser ar gyfer mudiant car sy'n teithio mewn llinell syth dros 55 eiliad.

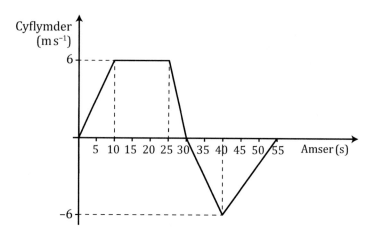

(a) Cyfrifwch y pellter a deithiwyd gan y car yn y 30 eiliad cyntaf.   [2]
(b) Cyfrifwch gyfanswm y pellter a deithiwyd ym 55 eiliad o fudiant y car. [1]
(c) Darganfyddwch ddadleoliad y car o'i safle cychwynnol ar ôl 55 eiliad. [2]
(ch) Cyfrifwch fuanedd cyfartalog y car ar gyfer y mudiant sy'n cael ei gynrychioli gan y graff gan roi eich ateb i 2 ffigur ystyrlon.   [2]

12   Mae carreg yn cael ei thaflu'n fertigol i lawr ffynnon gyda chyflymder o 2 m s^{-1}. Mae'r garreg yn taro'r dŵr 3 eiliad wedyn.
(a) Cyfrifwch y pellter a deithiwyd gan y garreg cyn iddi daro'r dŵr.   [2]
(b) Cyfrifwch gyflymder y garreg wrth iddi daro'r dŵr.   [2]
(c) Nodwch ddwy dybiaeth fodelu a wnaethoch er mwyn cyrraedd eich atebion i rannau (a) a (b).   [2]

13   Mae car sy'n goryrru yn teithio'n gyson ar 14 m s^{-1} ar hyd heol syth ac mae'n mynd heibio i gar heddlu. Dwy eiliad ar ôl i'r car sy'n goryrru fynd heibio, mae'r car heddlu'n cychwyn gyrru ar ôl y car sy'n goryrru. Mae gan y car heddlu gyflymiad cyson o 4 m s^{-2}.
(a) Lluniadwch graff cyflymder–amser i ddangos mudiant y ddau gar.   [2]
(b) Gan ddefnyddio eich graff cyflymder–amser, neu fel arall, darganfyddwch yr amser ar ôl i'r car sy'n goryrru fynd heibio i'r car heddlu, y bydd y car heddlu yn dal i fyny â'r car sy'n goryrru. Rhowch eich ateb i 2 ffigur ystyrlon.   [5]
(c) Cyfrifwch y pellter a deithiwyd gan y car heddlu i ddal i fyny â'r car sy'n goryrru. Rhowch eich ateb i 2 ffigur ystyrlon.   [2]

14   Mae gronyn yn cyflymu o ddisymudedd fel bod ei gyflymder mewn m s^{-1}, t eiliad ar ôl cychwyn, yn cael ei roi gan y fformiwla
$$v = t^3 - 2t^2 + t$$

(a) Darganfyddwch yr amserau pan fydd cyflymder y gronyn yn sero.   [2]
(b) Darganfyddwch y cyflymiad ar amser t.   [2]
(c) Darganfyddwch y pellter a deithiwyd yn yr eiliad cyntaf.   [2]

15   Mae pêl fetel yn cael ei rhyddhau o ddisymudedd ar wyneb hylif trwchus ac ar amser t eiliad, mae ei dyfnder, r metr, yn cael ei roi gan $r = 3t^2 - 4t^3$
Darganfyddwch y dyfnder mwyaf y mae'r bêl yn ei gyrraedd.   [5]

Crynodeb

Gwnewch yn siŵr eich bod yn gwybod y ffeithiau a'r fformiwlâu canlynol:

Graffiau dadleoliad/pellter–amser

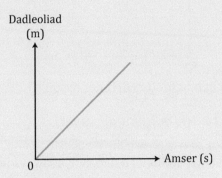

Mae'r graddiant yn cynrychioli cyflymder/buanedd.

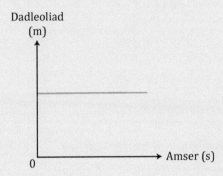

Mae gan linell lorweddol raddiant o sero ac mae'n cynrychioli corff sy'n ddisymud.

Graffiau cyflymder–amser

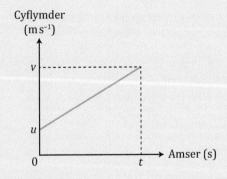

Mae'r graddiant yn cynrychioli cyflymiad.

Mae'r arwynebedd o dan y graff yn cynrychioli'r pellter/dadleoliad.

Cyflymder
(m s⁻¹)

0   Amser (s)

Mae llinell lorweddol yn cynrychioli cyflymder cyson.

Fformiwlâu cyflymiad cyson (hafaliadau suvat)

Dylai'r fformiwlâu canlynol, sy'n cael eu galw'n hafaliadau mudiant, gael eu defnyddio'n unig os ydyn ni'n gwybod bod y mudiant o dan gyflymiad cyson mewn llinell syth.

$$v = u + at$$

$$s = ut + \frac{1}{2}at^2$$

$$v^2 = u^2 + 2as$$

$$s = \frac{1}{2}(u + v)t$$

Noder y bydd angen i chi gofio pob un o'r hafaliadau mudiant.

Braslunio a dehongli graffiau cyflymder–amser

Pan fydd gofyn i chi fraslunio graff cyflymder amser:

Defnyddiwch hafaliadau mudiant i ddarganfod meintiau anhysbys os oes angen.

Cofiwch eich bod yn creu braslun, felly nid oes angen graddfa arnoch ar hyd pob echelin. Y gwerthoedd pwysig neu'r gwerthoedd y mae'r cwestiynau'n gofyn amdanyn nhw'n unig mae angen i chi eu cynnwys.

Cofiwch labelu'r ddwy set o echelinau â theitl yr echelin a'r uned.

Cinemateg

Mae'r fformiwlâu canlynol yn cael eu defnyddio ar gyfer mudiant mewn llinell syth pan fydd y cyflymiad yn amrywio gydag amser:

$$v = \frac{dr}{dt}$$

$$a = \frac{dr}{dt} = \frac{d^2r}{dt^2}$$

$$r = \int v\,dt$$

$$v = \int a\,dt$$

s = dadleoliad neu bellter
u = cyflymder cychwynnol
v = cyflymder terfynol
a = cyflymiad
t = amser

Dysgu Gweithredol   Tynnwch lun o dudalen y graffiau a hafaliadau *suvat* ar eich ffôn. Mae angen i chi gofio'r deunydd hwn i gyd. Edrychwch ar y dudalen yn rheolaidd er mwyn eich helpu i gofio.

8 Deinameg gronyn

Cyflwyniad

Deinameg yw'r gangen o fecaneg sy'n ymwneud â mudiant cyrff o dan weithred grymoedd. Mae'r testun hwn yn edrych ar set o ddeddfau sy'n cael eu galw'n ddeddfau mudiant Newton a sut gall grymoedd newid mudiant gronynnau.

8.1 Deddfau mudiant Newton

Mesur fector yw grym gan fod ganddo faint a chyfeiriad.

Mae grymoedd anghytbwys yn creu cyflymiad. Uned y grym yw newton (N) ac 1 N yw'r grym sy'n achosi i fàs 1 kg gael ei gyflymu 1 m s^{-2}.

Mae **deddf gyntaf Newton** yn dweud y bydd gronyn yn aros yn ddisymud neu'n parhau i symud â buanedd cyson mewn llinell syth oni bai bod rhyw rym allanol yn gweithredu arno. Mae hyn yn golygu y bydd cyflymder gronyn yn newid os bydd grymoedd anghytbwys yn gweithredu arno.

Mae **ail ddeddf Newton** yn dweud bod grym cydeffaith yn creu cyflymiad, yn ôl y fformiwla

$$\text{grym} = \text{màs} \times \text{cyflymiad} \quad \text{neu} \quad F = m\,a$$

Mae **trydedd ddeddf Newton** yn dweud bod i bob grym arwaith rym adwaith hafal a dirgroes. Mae hyn yn golygu, os yw corff A yn rhoi grym ar gorff B, wedyn bydd corff B yn rhoi grym hafal a dirgroes ar gorff A.

Defnyddio'r fformiwla F = ma (ail ddeddf Newton) i ddatrys problemau

Yn ôl ail ddeddf mudiant Newton, bydd grym anghytbwys yn creu cyflymiad. Cymerwch y sefyllfa ganlynol lle byddwn yn tybio bod yr holl rymoedd yn gweithredu yn y cyfeiriad llorweddol yn unig.

Ceisiwch gyfrifo beth yw cyfeiriad y cyflymiad bob tro, a nodwch hyn ar eich diagram.

2N ⟵ [3kg] ⟶ 8N

Er mwyn darganfod y grym cydeffaith, rydyn ni'n cydrannu'r grymoedd i gyfeiriad penodol. Fel arfer, byddwch chi'n cydrannu'r grymoedd i gyfeiriad y cyflymiad. Gan y bydd y grym cydeffaith i'r dde (am fod y grym mwyaf o'r ddau i'r dde), bydd y cyflymiad i'r dde felly bydden ni'n cymryd y dde yn gyfeiriad positif.

Mae grym cydeffaith o 8 − 2 = 6 N i'r dde a bydd y grym hwn yn creu cyflymiad i'r dde yn ôl yr hafaliad, $F = ma$.

Gan roi gwerthoedd ar gyfer y màs a'r grym cydeffaith i mewn i'r hafaliad hwn, cawn

$$6 = 3a, \quad \text{sy'n rhoi} \quad a = 2 \text{ m s}^{-2}.$$

Enghraifft

1   Ar gyfer pob un o'r sefyllfaoedd canlynol, darganfyddwch y grym cydeffaith sy'n gweithredu ar y bloc a'r cyflymiad.

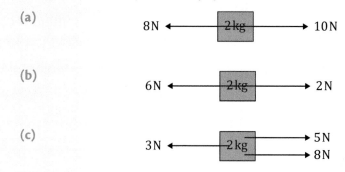

(a)   8N ⟵ [2kg] ⟶ 10N

(b)   6N ⟵ [2kg] ⟶ 2N

(c)   3N ⟵ [2kg] ⟶ 5N / ⟶ 8N

(ch)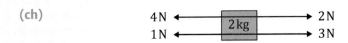

· ·

Ateb

1 (a) Grym cydeffaith = 10 – 8 = 2 N i'r dde.

Gan ddefnyddio $F = ma$

$$2 = 2a$$

Trwy hyn, cyflymiad $a = 1$ m s^{-2} i'r dde.

(b) Grym cydeffaith = 6 – 2 = 4 N i'r chwith.

Gan ddefnyddio $F = ma$

$$4 = 2a$$

Trwy hyn, cyflymiad $a = 2$ m s^{-2} i'r chwith.

(c) Grym cydeffaith = 5 + 8 – 3 = 10 N i'r dde.

Gan ddefnyddio $F = ma$

$$10 = 2a$$

Trwy hyn, cyflymiad $a = 5$ m s^{-2} i'r dde.

(ch) Grym cydeffaith = (2 + 3) – (4 + 1) = 0 N

Gan ddefnyddio $F = ma$

$$0 = 2a$$

Trwy hyn, cyflymiad $a = 0$ m s^{-2}.

Enghreifftiau o ddeddfau mudiant Newton

Deddf gyntaf Newton

Yn absenoldeb unrhyw rym arall (er enghraifft, yn y gofod, oddi wrth unrhyw rym atynnol disgyrchiant sêr, planedau) unwaith mae cyflymder yn cael ei roi i gorff, bydd yn parhau â'r cyflymder hyd nes iddo brofi grym. Os oes grym anghytbwys (sy'n cael ei alw'n rym cydeffaith), bydd hyn bob amser yn creu cyflymiad.

Ail ddeddf Newton

Os oes grym anghytbwys (h.y. grym cydeffaith), bydd y grym hwn yn creu cyflymiad a bydd y cyflymiad i'r un cyfeiriad â'r grym cydeffaith.

Trydedd ddeddf Newton

Yma, mae màs yn cael ei hongian wrth linyn ac mae'r trefniant yn ddisymud. Mae'r pwysau (h.y. grym arwaith o 10g) yn gweithredu'n fertigol tuag i lawr a'r grym adwaith yw'r tyniant yn y llinyn sy'n gweithredu'n fertigol tuag i fyny. Mae'r grym arwaith a'r grym adwaith yn hafal a dirgroes felly bydd y tyniant yn y llinyn hefyd yn 10g ond tuag i fyny.

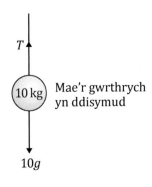

Mae'r gwrthrych yn ddisymud

Pe bai'r trefniant sy'n cael ei ddangos yn cyflymu tuag i lawr neu i fyny, ni fyddai maint y tyniant yn hafal i faint y pwysau mwyach. Dim ond pe bai'r trefniant yn ddisymud neu'n teithio â chyflymder cyson y byddai'n hafal. Byddwch chi'n dysgu mwy am y sefyllfaoedd hyn yn nes ymlaen.

8.2 Mathau o rymoedd

Yn y testun hwn, byddwch chi'n edrych ar effeithiau mathau penodol o rym ar ronyn. Mae'r grymoedd hyn yn cynnwys:

- Pwysau
- Ffrithiant
- Adwaith normal
- Tyniant
- Gwthiad (*thrust*).

Pwysau yw'r grym atynnol rhwng y Ddaear a'r gronyn. Mae bob amser yn gweithredu i gyfeiriad tuag i lawr at ganol y Ddaear. Gall pwysau gael eu cyfrifo drwy luosi màs y gronyn mewn kg a chyflymiad disgyrchiant, g, sydd â'r gwerth 9.8 m s^{-2}. Trwy hyn

$$\text{pwysau} = mg$$

Ffrithiant yw'r grym sy'n gwrthwynebu symudiad os yw'r arwyneb lle caiff y gronyn ei roi yn arw. Os cewch wybod bod yr arwyneb yn llyfn, yna bydd y ffrithiant yn sero.

Adwaith normal yw'r grym y mae arwyneb yn ei roi ar ronyn yn berpendicwlar i'r arwyneb pan fydd cyswllt rhwng y ddau. Er enghraifft, bydd gronyn ar arwyneb gwastad yn rhoi grym (h.y. ei bwysau) yn fertigol tuag i lawr ar yr arwyneb. Yn ôl trydedd ddeddf Newton, bydd yr arwyneb yn rhoi grym hafal ond dirgroes ar y gronyn er mwyn i'r system aros mewn ecwilibriwm. Mae'r grym hafal ond dirgroes hwn yn cael ei alw'n adwaith normal.

Grym gwrthwynebol mewn llinyn yw **tyniant**, sy'n gwrthwynebu unrhyw duedd i'r llinyn ymestyn. Er enghraifft, os yw gronyn yn cael ei hongian o linyn, mae pwysau'r gronyn yn gweithredu tuag i lawr ac mae'r tyniant yn gweithredu tuag i fyny er mwyn cynnal ecwilibriwm.

Grym gwrthwynebol sy'n cael ei roi gan sbring yw **gwthiad**. Mae bob amser yn gweithredu mewn cyfeiriad i wrthwynebu'r grym sydd naill ai'n cywasgu neu'n ymestyn y sbring.

Enghraifft

1   Mae bloc o fàs 5 kg yn gorwedd yn ddisymud ar arwyneb llorweddol llyfn. Yna, mae grym o 10 N yn cael ei roi ar y bloc sy'n gweithredu'n llorweddol i'r dde.

(a) Lluniadwch ddiagram sy'n dangos yr holl rymoedd sy'n gweithredu ar y bloc.

(b) Darganfyddwch faint yr adwaith normal.

(c) Darganfyddwch gyflymiad y bloc.

Ateb

1 (a)

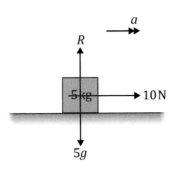

Dylech bob amser geisio cyfrifo cyfeiriad y cyflymiad a nodi hyn ar eich diagram.

(b) Gan nad oes mudiant fertigol, mae'n rhaid bod y grymoedd fertigol yn hafal.

Trwy hyn $R = 5g = 49$ N.

(c) Grym cydeffaith = 10 N i'r dde.

Gan ddefnyddio $F = ma$

$$10 = 5a$$

Trwy hyn cyflymiad $a = 2$ m s^{-2} i'r dde.

Mae hyn yn cael ei alw'n gydrannu'r grymoedd yn fertigol. Gan fod y grymoedd fertigol mewn ecwilibriwm, gallwn roi'r grym tuag i fyny a'r grym tuag i lawr yn hafal.

Cofiwch bob amser mai mesurau fector yw cyflymiad a grymoedd. Dylech bob amser roi eu cyfeiriad oni bai bod y cwestiwn yn gofyn am eu maint yn unig.

8.3 Lifftiau'n cyflymu, arafu a theithio â chyflymder cyson

Mae'r adran hon yn ymwneud â gwrthrychau ar loriau lifftiau pan fydd gan y lifft gyflymiad i'r naill gyfeiriad neu'r llall neu pan fydd y lifft yn teithio ar fuanedd cyson neu'n ddisymud.

Gall ail ddeddf Newton gael ei chymhwyso i bob un o'r sefyllfaoedd hyn lle mae gan bob un o'r blociau y tu mewn i'r lifft fàs o m kg. Yn y sefyllfaoedd hyn, adwaith llawr y lifft ar y corff yw R tuag i fyny.

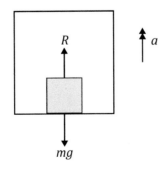

Mae grym cydeffaith yn gweithredu i gyfeiriad y cyflymiad (h.y. tuag i fyny).

Mae hyn yn golygu bod R yn fwy nag mg.

Trwy hyn $ma = R - mg$

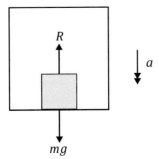

Mae grym cydeffaith yn gweithredu i gyfeiriad y cyflymiad (h.y. tuag i lawr).

Mae hyn yn golygu bod mg yn fwy nag R.

Felly $ma = mg - R$

Nid oes grym cydeffaith yn gweithredu am fod y cyflymiad yn sero.

Mae hyn yn golygu bod R yn hafal i mg.

Trwy hyn $R = mg$

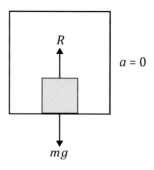

GWELLA
 Gradd

Dylech bob amser luniadu diagram o'r trefniant, a nodi cyfeiriad y cyflymiad ar y diagram. Mae'n syniad da cymryd cyfeiriad y cyflymiad yn gyfeiriad positif y grymoedd.

Nodyn pwysig
Yn y diagramau uchod, nid yw gwir gyfeiriad y lifft wedi'i gynnwys. Cyfeiriad y cyflymiad yn unig sy'n bwysig. Er enghraifft, gallai'r diagram cyntaf fod yn berthnasol i lifft sy'n symud tuag i fyny gyda chyflymiad a neu gallai fod yn berthnasol i lifft sy'n symud tuag i lawr sy'n arafu gydag arafiad a.

Dysgu Gweithredol
Mae ffrind yn dweud nad oes ots i ba gyfeiriad (i fyny neu i lawr) y mae lifft yn teithio gan mai'r unig beth sy'n effeithio ar y tyniant yn y cebl neu'r adwaith normal ar y person sy'n sefyll mewn lifft yw cyfeiriad y cyflymiad. A yw eich ffrind yn gywir neu'n anghywir? Esboniwch eich ateb.

Enghreifftiau
1   Mae bocs sydd â màs 30 kg yn gorwedd yn ddisymud ar lawr lifft. Darganfyddwch adwaith llawr y lifft ar y bocs pan fydd y lifft:

(a)   yn symud tuag i fyny gyda chyflymiad 0.3 m s^{-2}

(b)   yn symud tuag i lawr gyda chyflymiad 0.2 m s^{-2}

(c)   yn symud tuag i fyny gyda buanedd cyson.

Ateb

1   (a)

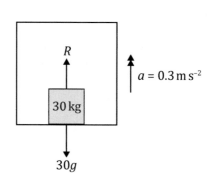

Gan gymhwyso ail ddeddf Newton i'r blwch, mae gennym ni

$$ma = R - mg$$
$$30 \times 0.3 = R - (30 \times 9.8)$$

sy'n rhoi $R = 303 \text{ N}$

(b)

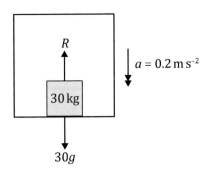

Gan gymhwyso ail ddeddf Newton i'r bocs, mae gennym ni

$$ma = mg - R$$

$$30 \times 0.2 = (30 \times 9.8) - R$$

sy'n rhoi $R = 288\,\text{N}$

(c)

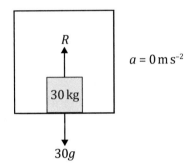

Mae'r lifft yn teithio ar fuanedd cyson, felly mae'r cyflymiad yn sero. Mae'r pwysau a'r adwaith yn cydbwyso, felly nid oes grym cydeffaith.

Gan gymhwyso ail ddeddf Newton i'r bocs, mae gennym ni

$$R = mg = 30 \times 9.8 = 294\,\text{N}$$

---

2   Mae person sydd â màs 60 kg yn sefyll mewn lifft, sydd â màs 540 kg. Pan fydd y lifft yn cyflymu tuag i fyny ar gyfradd gyson o a m s^{-2}, y tyniant yng nghebl y lifft yw 6600 N.

(a)   Cyfrifwch werth a.   [3]

(b)   Darganfyddwch yr adwaith rhwng y person a llawr y lifft.   [3]

· ·

Ateb

2   (a)

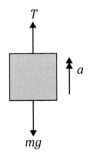

Gan gymhwyso ail ddeddf Newton i'r lifft, mae gennym ni

$$ma = T - mg$$

Y màs yn yr hafaliad hwn yw màs y lifft a'r person wedi'u hadio at ei gilydd.

Trwy hyn $600a = 6600 - (600 \times 9.8)$

sy'n rhoi $a = 1.2 \text{ m s}^{-2}$

(b)

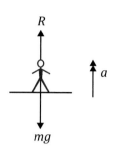

R

a

mg

> Yr unig rymoedd sy'n gweithredu'n uniongyrchol ar y person yw'r pwysau tuag i lawr ac adwaith llawr y lifft ar y person.

Gan gymhwyso ail ddeddf Newton i'r person, mae gennym ni

$$ma = R - mg$$

$$60 \times 1.2 = R - (60 \times 9.8)$$

sy'n rhoi $R = 660 \text{ N}$

---

3   Mae lifft yn symud tuag i fyny. Mae'n cyflymu o ddisymudedd â chyflymiad unffurf 0.4 m s^{-2} nes ei fod yn cyrraedd buanedd o 2 m s^{-1}. Yna, mae'n teithio ar y buanedd cyson hwn o 2 m s^{-1} am 17 s cyn arafu'n unffurf i ddisymudedd mewn 8 s.

(a)   Cyfrifwch yr amser mae'n ei gymryd i'r lifft gyrraedd y buanedd o 2 m s^{-1}.   [3]

(b)   Brasluniwch graff cyflymder–amser ar gyfer taith y lifft.   [3]

(c)   Darganfyddwch y pellter a deithiwyd gan y lifft yn ystod y daith.   [3]

(ch)   Mae dyn, sydd â màs 70 kg, yn sefyll yn y lifft yn ystod ei daith. Cyfrifwch werth mwyaf yr adwaith sy'n cael ei roi gan lawr y lifft ar y dyn yn ystod y daith.   [4]

. . . .

Ateb

3   (a)   Mae defnyddio $v = u + at$

gyda $v = 2 \text{ m s}^{-1},\ u = 0 \text{ m s}^{-1},\ a = 0.4 \text{ m s}^{-2}$ yn rhoi

$2 = 0 + (0.4 \times t)$,   sy'n rhoi $t = 5$ s.

(b)

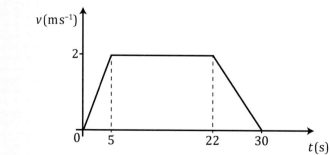

> Fel arall, gallech chi rannu'r siâp yn ddarnau a darganfod arwynebedd y ddau driongl a'r petryal ac yna eu hadio at ei gilydd.

(c)   Pellter a deithiwyd = arwynebedd o dan y graff cyflymder–amser.

Arwynebedd trapesiwm $= \frac{1}{2}$(swm y ddwy ochr baralel) $\times$ pellter rhwng y ddwy ochr baralel

$$= \frac{1}{2}(30 + 17) \times 2 = 47 \text{ m}$$

(ch)

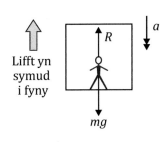

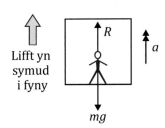

Pan fydd y lifft yn arafu wrth deithio i fyny, gan gymhwyso ail ddeddf Newton, mae gennym ni $ma = mg - R$.

Trwy hyn $R = mg - ma = (70 \times 9.8) - (70 \times 0.25) = 668.5\text{ N}$

Pan fydd y lifft yn cyflymu wrth deithio i fyny, gan gymhwyso ail ddeddf Newton, mae gennym ni $ma = R - mg$.

Trwy hyn $R = ma + mg = (70 \times 0.4) + (70 \times 9.8) = 714\text{ N}$

Pan fydd y lifft yn symud ar fuanedd cyson, $R = 70g = 686\text{ N}$

Felly, gwerth uchaf yr adwaith yw 714 N.

> Noder bod:
> $$\text{arafiad} = \frac{2}{8}$$
> $$= 0.25\text{ m s}^{-2}$$

---

4   Mae lifft sydd â màs 1500 kg yn codi â chyflymiad 3 m s^{-2}.

(a)   Cyfrifwch y tyniant yng nghebl y lifft.

(b)   Mae menyw sydd â màs M kg yn sefyll ar lawr y lifft. Maint adwaith llawr y lifft ar y ddynes yw 384 N. Cyfrifwch fàs y fenyw i'r kg agosaf.

· ·

Ateb

4   (a)

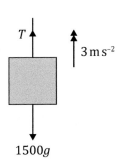

Gan ddefnyddio ail ddeddf mudiant Newton, mae gennym ni

$$ma = T - mg$$
$$1500 \times 3 = T - 1500 \times 9.8$$

Mae datrys yn rhoi $T = 19\,200\text{ N}$

(b)

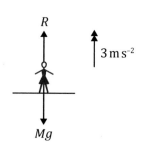

$$Ma = R - Mg$$
$$3M = 384 - 9.8M$$
$$12.8M = 384$$
$$M = 30 \text{ kg}$$

---

5   Mae lifft yn cael ei godi i fyny gan gebl fertigol. I gychwyn, mae'r lifft yn ddisymud. Yna, mae'n cyflymu nes ei fod yn cyrraedd ei fuanedd mwyaf. Mae'r lifft yn symud ar y buanedd mwyaf hwn cyn arafu'n unffurf ar 3 m s^{-2} i ddisymudedd. Cyfanswm màs y lifft a'i gynnwys yw 360 kg.

(a)   Cyfrifwch y tyniant yng nghebl y lifft:

(i)   pan fydd y lifft yn arafu,

(ii)   pan fydd y lifft yn symud ar ei fuanedd mwyaf.   [4]

(b)   Mae gan grât ar lawr y lifft fàs o 25 kg. Pan fydd y lifft yn cyflymu, yr adwaith rhwng y crât a llawr y lifft yw 280 N.

Darganfyddwch faint cyflymiad y lifft.   [3]

Ateb

(a)   (i)

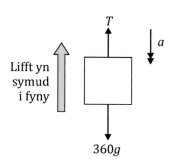

Gan gymhwyso ail ddeddf Newton i'r cyfeiriad fertigol, mae gennym ni

$$360a = 360g - T$$
$$360 \times 3 = (360 \times 9.8) - T$$

sy'n rhoi $T = 2448 \text{ N}$

(ii)   Pan fydd y lifft yn symud ar fuanedd cyson, nid oes cyflymiad ac felly nid oes grym cydeffaith.

Trwy hyn, mae'r tyniant mewn ecwilibriwm â'r pwysau.

$$T = mg = 360 \times 9.8 = 3528 \text{ N}$$

(b)

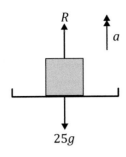

Gan gymhwyso ail ddeddf Newton i'r cyfeiriad fertigol ar gyfer y crât, mae gennym ni

$$25a = R - 25g$$
$$25a = 280 - 25 \times 9.8$$

Trwy hyn $\qquad a = 1.4\,\text{m s}^{-2}$

8.4 Mudiant gronynnau wedi'u cysylltu â llinyn sy'n mynd dros bwlïau neu begiau

Pwlïau a phegiau

Yn yr adran hon, byddwch chi'n edrych ar linyn/rhaff yn pasio dros bwli neu beg llyfn.

- Olwyn sy'n rhydd i gylchdroi yw pwli. Fel arfer, rydyn ni'n ystyried pwlïau llyfn sy'n cylchdroi heb unrhyw ffrithiant.
- Mae peg llyfn yn bin sydd â llinyn/rhaff yn pasio drosto a gallwn ni dybio ei fod yn ymddwyn yn union fel pwli llyfn, felly unwaith eto rydyn ni'n tybio nad oes unrhyw rym ffrithiannol ar waith.

Tybiaethau modelu

Mae tybiaethau modelu penodol yn cael eu gwneud wrth ateb cwestiynau. Gwnewch yn siŵr eich bod yn defnyddio'r rhai sy'n berthnasol i'r cwestiwn sy'n cael ei ateb.

- Rydyn ni'n tybio bod y llinyn cysylltiol yn ysgafn, felly mae'r tyniant yn gyson drwy ei hyd.
- Mae'r pwlïau a'r pegiau'n llyfn, felly nid oes grymoedd ffrithiannol ar waith.
- Rydyn ni'n tybio bod yr arwynebau llorweddol y mae'r masau yn gorwedd arnyn nhw yn llyfn, felly nid oes grymoedd ffrithiannol ar waith.
- Mae'r llinyn yn anestynadwy, sy'n golygu nad yw'n ymestyn, sy'n golygu y bydd y masau sy'n cael eu cysylltu gan y llinyn yn profi'r un cyflymiad.
- Nid oes grymoedd allanol ar waith a allai newid tyniant a chyflymiad.

Pan fydd gronynnau'n cael eu cysylltu gan linyn sy'n pasio dros bwli neu beg llyfn, mae tyniant cyson yn y llinyn cyhyd â bod y llinyn yn ysgafn. Y grymoedd sy'n gweithredu ar y gronynnau oherwydd y llinyn yw'r tyniannau sy'n gweithredu tuag at y pwli neu'r peg. Mae'r tyniannau sy'n gweithredu ar y pwli yn gweithredu i'r cyfeiriad dirgroes. Mae modd ymdrin â phob gronyn ar wahân a gall ail ddeddf Newton gael ei defnyddio i ffurfio hafaliad mudiant sy'n cysylltu'r cyflymiad â'r grymoedd sydd ar waith.

Pan fydd y ddau ronyn yn hongian yn rhydd

Yn y trefniant isod, mae dau fàs 6 kg ac 8 kg wedi'u cysylltu â llinyn anestynadwy ysgafn sy'n pasio dros bwli llyfn. I gychwyn, mae'r masau yn ddisymud ac yna maen nhw'n cael eu rhyddhau.

> Mae'r cyflymiadau o faint hafal am fod y llinyn yn anestynadwy.

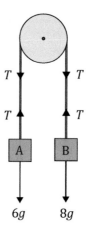

Pan fydd y system sydd i'w gweld uchod yn cael ei rhyddhau, bydd y gronyn trymaf (B yn yr achos hwn) yn cyflymu tuag i lawr a bydd y gronyn arall (A yn yr achos hwn) yn cyflymu tuag i fyny. Bydd y ddau gyflymiad yn hafal o ran maint ond yn ddirgroes o ran cyfeiriad.

Gall ail ddeddf mudiant Newton gael ei chymhwyso i'r ddau fàs ar wahân.

Mae cymhwyso ail ddeddf mudiant Newton i fàs A yn rhoi

$$ma = T - 6g$$

felly $\qquad\qquad 6a = T - 6g \qquad\qquad$ (1)

Mae cymhwyso ail ddeddf mudiant Newton i fàs B yn rhoi

$$ma = 8g - T$$

felly $\qquad\qquad 8a = 8g - T \qquad\qquad$ (2)

Nawr, mae gennych chi ddau hafaliad, gyda dau anhysbysyn, a gall y rhain cael eu datrys yn gydamserol er mwyn darganfod a a T.

Mae adio hafaliadau (1) a (2) yn rhoi

$$14a = 2g$$
$$14a = 2 \times 9.8$$

Trwy hyn $\qquad\qquad a = 1.4 \text{ m s}^{-2}$

Mae amnewid y gwerth hwn ar gyfer a i mewn i hafaliad (1) yn rhoi

$$6 \times 1.4 = T - (6 \times 9.8)$$

Trwy hyn $\qquad\qquad T = 67.2 \text{ N}$

> Cofiwch wirio i weld bod y ddau werth yn bodloni hafaliad (2) drwy eu hamnewid i mewn a gwirio bod ochr chwith yr hafaliad yn hafal i'r ochr dde.

Pan fydd un gronyn yn hongian yn rhydd a'r gronyn arall ar blân llorweddol llyfn

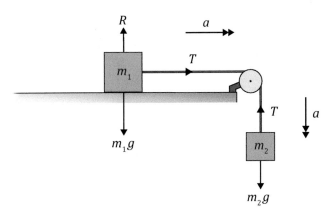

Gan nad oes mudiant fertigol ar gyfer màs m_1 mae'r grymoedd fertigol mewn ecwilibriwm.

Mae cydrannu'n fertigol yn rhoi $\qquad R = m_1 g$

Mae cymhwyso ail ddeddf mudiant Newton i m_1 yn rhoi

$$m_1 a = T \qquad \qquad (1)$$

Mae cymhwyso ail ddeddf mudiant Newton i m_2 yn rhoi

$$m_2 a = m_2 g - T \qquad \qquad (2)$$

Yna, rydyn ni'n darganfod a a T unwaith eto drwy ddatrys hafaliadau cydamserol (1) a (2).

Enghreifftiau

1

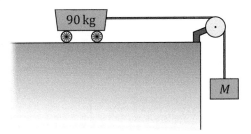

Mae cerbyd sydd â màs 90 kg ar arwyneb llorweddol llyfn. Mae'r cerbyd hwn wedi'i gysylltu â llinyn anestynadwy ysgafn i fàs M kg sy'n pasio dros bwli llyfn fel sy'n cael ei ddangos yn y diagram uchod. Mae màs M yn rhydd i symud mewn cyfeiriad fertigol.

Mae'r system yn cael ei rhyddhau o ddisymudedd ac mae'r system yn cyflymu â chyflymiad o 4.8 m s^{-2}.

(a) Darganfyddwch y tyniant, T, yn y llinyn. [2]

(b) Darganfyddwch y màs M mewn kg. [3]

Ateb

1   (a)

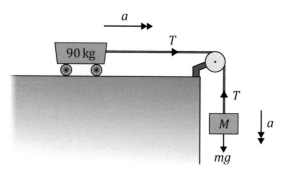

Gan gymhwyso ail ddeddf Newton i'r màs o 90 kg, mae gennym ni

$$T = 90 \times 4.8$$
$$= 432\,N$$

(b)   Gan gymhwyso ail ddeddf Newton i fàs M, mae gennym ni

$$Ma = Mg - T$$

Gan fod $a = 4.8\,m\,s^{-2}$

$$4.8M = 9.8M - T$$
$$T = 5M \qquad (1)$$

Gan amnewid $T = 432\,N$ i mewn i hafaliad (1), mae gennym ni

$$432 = 5M$$

Trwy hyn $M = 86.4\,kg$

---

2   Mae dau fwced unfath, A a B, wedi'u clymu wrth raff anestynadwy ysgafn sy'n cael ei basio dros bwli llyfn fel sy'n cael ei ddangos yn y diagram.

Mae gan y naill fwced a'r llall fàs o 0.4 kg.

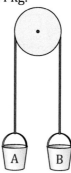

(a)   Nodwch faint y tyniant yn y rhaff.   [2]

(b)   Mae bwced A yn cael ei ddal yn ddisymud wrth i dywod sydd â màs 4.6 kg gael ei ychwanegu at fwced B. Mae'r system wedyn yn cael ei rhyddhau o ddisymudedd ac mae bwced B yn teithio tuag i lawr gyda'r tywod ynddo.

(i)   Gan ddefnyddio ail ddeddf mudiant Newton, ffurfiwch ddau hafaliad, un ar gyfer pob bwced.   [4]

(ii)   Gan ddatrys yr hafaliadau a ffurfiwyd yn rhan (i), darganfyddwch gyflymiad y system a'r tyniant yn y rhaff.   [4]

Ateb

(a)

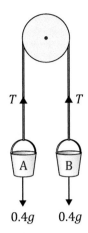

Mae cydrannu'n fertigol ar gyfer bwced A yn rhoi

$$T = 0.4g = 0.4 \times 9.8 = 3.92 \, \text{N}$$

(b)

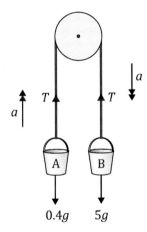

> Yn yr achos hwn, màs cyfunol bwced B a'r tywod yw $5g$. Noder bod y tyniannau'n wahanol i'r hyn sydd yn rhan (a).

(i) Mae cymhwyso ail ddeddf mudiant Newton i A yn rhoi

$$ma = T - 0.4g$$
$$0.4a = T - 0.4g \tag{1}$$

Mae cymhwyso ail ddeddf mudiant Newton i B yn rhoi

$$ma = 5g - T$$
$$5a = 5g - T \tag{2}$$

> Noder y gwahanol werthoedd sydd i m ar gyfer A a B.

(ii) Mae datrys hafaliadau (1) a (2) yn gydamserol yn rhoi

$$a = 8.35 \, \text{m s}^{-2} \quad \text{a} \quad T = 7.26 \, \text{N}$$

---

3 Mae dau ronyn sydd â màs 4 kg a 5 kg wedi'u eu cysylltu â llinyn anestynadwy ysgafn sy'n pasio dros bwli sefydlog llyfn. Mae'r system yn cael ei rhyddhau o ddisymudedd gyda'r llinyn yn dynn a'r ddau fàs 3 m uwch y ddaear. Darganfyddwch gyflymder y màs 4 kg pan fydd y màs 5 kg yn taro'r ddaear. [5]

Ateb

3

Os oes gennych chi werthoedd ar gyfer y masau, gallwch chi bob amser ddod o hyd i'r tyniant a'r cyflymiad. Yma, mae angen y cyflymiad fel bod modd defnyddio'r hafaliadau mudiant.

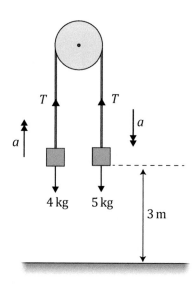

Mae cymhwyso ail ddeddf mudiant Newton i'r màs 5 kg yn rhoi

$$ma = mg - T$$
$$5a = 5g - T \tag{1}$$

Mae cymhwyso ail ddeddf mudiant Newton i'r màs 4 kg yn rhoi

$$ma = T - mg$$
$$4a = T - 4g \tag{2}$$

Mae datrys hafaliadau (1) a (2) yn gydamserol ar gyfer a yn rhoi

$$a = \frac{g}{9} = \frac{9.8}{9} = 1.08 \text{ m s}^{-2}$$

Gan ddefnyddio'r hafaliadau mudiant ar gyfer y màs 4 kg a fydd yn cyflymu tuag i fyny â chyflymiad o 1.08 m s⁻², mae gennym ni

$$u = 0 \text{ m s}^{-1}, \qquad a = 1.08 \text{ m s}^{-2}, \qquad s = 3 \text{m}, \qquad v = ?$$

Gan ddefnyddio $v^2 = u^2 + 2as$

$$= 0^2 + 2 \times 1.08 \times 3$$
$$v = 2.6 \text{ m s}^{-1}$$

4   Mae'r diagram yn dangos dau wrthrych A a B, sydd â màs 5 kg a 9 kg yn eu trefn, wedi'u cysylltu â llinyn anestynadwy *ysgafn* sy'n pasio dros beg llyfn. I gychwyn, mae'r gwrthrychau'n cael eu dal yn ddisymud. Mae'r system wedyn yn cael ei rhyddhau.

(a) Darganfyddwch faint cyflymiad A a'r tyniant yn y llinyn. [7]

(b) Pa dybiaeth mae'r gair 'ysgafn', sydd wedi'i bwysleisio yn y frawddeg gyntaf, yn eich galluogi i wneud yn eich ateb? [1]

Ateb

4   (a)

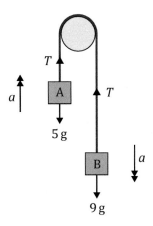

Gan gymhwyso ail ddeddf mudiant Newton i A, mae gennym ni

$$ma = T - 5g$$
$$5a = T - 5g \tag{1}$$

Gan gymhwyso ail ddeddf mudiant Newton i B, mae gennym ni

$$ma = 9g - T$$
$$9a = 9g - T \tag{2}$$

Mae adio hafaliadau (1) a (2) yn rhoi

$$14a = 4g$$
$$14a = 4 \times 9.8$$

Trwy hyn $a = 2.8 \, \text{m s}^{-2}$

O (1), $T = 5a + 5g = 63 \, \text{N}$

(b)   Mae'r dybiaeth bod y llinyn yn ysgafn yn ein galluogi i ystyried bod y tyniant T yn gyson ar hyd y llinyn.

---

5   Mae dau fàs m kg a M kg lle mae $M > m$, wedi'u cysylltu â llinyn anestynadwy ysgafn sy'n pasio dros bwli llyfn. Mae'r system yn cael ei rhyddhau o ddisymudedd gyda'r ddau fàs yn lefel â'i gilydd.

(a)   Dangoswch fod cyflymiad màs M kg yn cael ei roi gan

$$a = \frac{g(M - m)}{(M + m)} \qquad [4]$$

(b)   Os yw $M = 6$ kg ac $m = 2$ kg, darganfyddwch faint cyflymiad y màs 2 kg. [2]

Ateb

5   (a)

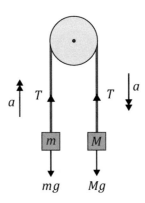

Mae cymhwyso ail ddeddf mudiant Newton i'r màs *M* kg yn rhoi

$$Ma = Mg - T \qquad (1)$$

Mae cymhwyso ail ddeddf mudiant Newton i'r màs *m* kg yn rhoi

$$ma = T - mg \qquad (2)$$

Mae adio hafaliadau (1) a (2) yn rhoi

$$Ma + ma = Mg - mg$$

$$a(M + m) = g(M - m)$$

$$a = \frac{g(M - m)}{(M + m)}$$

(b)   Pan fydd *M* = 6 kg ac *m* = 2 kg cyflymiad y màs 6 kg yw

$$a = \frac{9.8(6 - 2)}{(6 + 2)} = 4.9 \text{ m s}^{-2}$$

Gan ein bod yn tybio y bydd y llinyn yn parhau'n dynn, bydd gan y ddau fàs gyflymiad o'r un maint.

Trwy hyn cyflymiad y mas 2 kg = 4.9 m s^{-2}

Cam wrth Gam

Mae cerbyd sydd â màs 180 kg yn symud ar reiliau llorweddol llyfn. Mae rhaff anestynadwy ysgafn ynghlwm wrth flaen y cerbyd. Mae'r rhaff yn rhedeg yn baralel i'r rheiliau nes ei bod yn pasio dros bwli llyfn ysgafn. Mae gweddill y rhaff yn hongian i lawr siafft fertigol. Pan fydd angen i'r cerbyd symud, mae llwyth o fàs *M* kg yn cael ei glymu wrth ben y rhaff yn y siafft ac mae'r breciau yn cael eu rhyddhau.

(a) Darganfyddwch y tyniant yn y rhaff pan fydd y cerbyd a'r llwyth yn symud gyda chyflymiad o faint 0.8 m s^{-2} a chyfrifwch werth cyfatebol *M*.   [5]

(b) Yn ychwanegol at y tybiaethau sy'n cael eu rhoi yn y cwestiwn, ysgrifennwch un dybiaeth arall rydych chi wedi'i gwneud yn eich ateb i'r broblem hon ac esboniwch sut mae'r dybiaeth honno'n effeithio ar eich dau ateb.   [3]

Camau i'w cymryd

1 Lluniadwch ddiagram a nodwch arno'r gwerthoedd sy'n gweithredu. Gan fod y rheiliau a'r pwli yn llyfn, nid oes grymoedd ffrithiannol. Ar y diagram, nodwch gyfeiriad y cyflymiad.

2 Gan fod y rhaff yn ysgafn ac anestynadwy, mae hyn yn golygu y bydd y tyniant yn y rhaff yn aros yn gyson.

3 Mae dau ronyn yn gysylltiedig. Gallwn ni gymhwyso ail ddeddf mudiant Newton i'r naill ronyn a'r llall er mwyn cael dau hafaliad.

4 Gall y ddau hafaliad gael eu datrys yn gydamserol i ddarganfod y tyniant a'r cyflymiad.

5 Meddyliwch am y tybiaethau sydd ddim yn cael eu rhoi yn y cwestiwn (e.e. absenoldeb grymoedd ffrithiannol oherwydd gwrthiant aer).

. . . .

Ateb

(a)

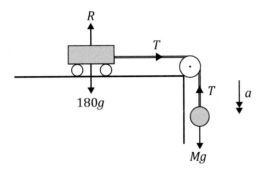

Gan gymhwyso ail ddeddf Newton i'r cerbyd

$$180 \times 0.8 = T$$

$$T = 144\,\text{N}$$

Gan gymhwyso ail ddeddf Newton i'r llwyth

$$Ma = Mg - T$$

$$T = M(g - a)$$

$$144 = M(9.8 - 0.8)$$

$$M = 16\,\text{kg}$$

(b) Nid oes gwrthiant i'r mudiant yn sgil grymoedd allanol (e.e. gwrthiant aer).

Pe bai gwrthiant aer ar y llwyth, byddai'n gweithredu i'r un cyfeiriad â'r tyniant (h.y. i'r cyfeiriad dirgroes i'r mudiant).

Bydd y gwrthiant yn gwrthwynebu'r mudiant gan olygu y byddai'r grym tuag i lawr yn cynyddu sy'n golygu y byddai'n rhaid i M gynyddu er mwyn cadw'r cyflymiad ar $0.8\,\text{m s}^{-2}$.

Pe bai M yn cael ei gadw'r un peth, byddai'r tyniant yn is gan gadw'r grymoedd tuag i fyny ar eu gwerth gwreiddiol.

Gallech chi hefyd gael yr ateb bod y cerbyd a'r llwyth wedi'u modelu fel gronynnau.

Profi eich hun

1. Mae gronyn sydd â màs 3 kg wedi'i gysylltu wrth ben llinyn anestynadwy ysgafn a'i adael i hongian yn fertigol. Mae'r llinyn a'r gronyn yn cael eu cyflymu'n fertigol tuag i lawr â chyflymiad o 2 m s^{-2}.

   Cyfrifwch y tyniant yn y llinyn.

2. Mae dau ronyn sydd â màs 1.5 kg a 2 kg wedi'u cysylltu â llinyn anestynadwy ysgafn sy'n pasio dros beg llyfn. Mae'r gronynnau'n cael eu rhyddhau o ddisymudedd fel sy'n cael ei ddangos yn y diagram.

   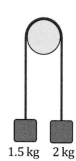

   1.5 kg   2 kg

   (a) Gan ddefnyddio ail ddeddf mudiant Newton, ffurfiwch hafaliad mudiant ar gyfer y naill ronyn a'r llall a thrwy hynny dangoswch mai'r tyniant yn y llinyn yw 16.8 N.

   (b) Darganfyddwch gyflymiad y system.

   (c) Os yw'r gronynnau ar yr un lefel i gychwyn, darganfyddwch fuanedd y gronyn trymaf pan fydd y pellter rhwng y ddau ronyn yn 1 m.

3. Mae gronynnau A a B wedi'u cysylltu â llinyn anestynadwy ysgafn sy'n symud dros bwli llyfn ac mae'r system hon i'w gweld yn y diagram canlynol.

   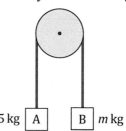

   5 kg A   B m kg

   Màs gronyn A yw 5 kg a màs gronyn B yw m kg lle mae $m > 5$.

   Mae'r gronynnau'n cael eu rhyddhau o ddisymudedd gyda'r llinynnau'n dynn ac yn fertigol.

   Pan fydd yn gronynnau'n cael eu rhyddhau, maint cyflymiad cyffredin y gronynnau yw 2 m s^{-2}.

   (a) Darganfyddwch werth y tyniant yn y llinyn.

   (b) Darganfyddwch werth m.

4. Mae'r diagram isod yn dangos dau fàs P a Q sydd wedi'u cysylltu â llinyn anestynadwy ysgafn sy'n mynd dros bwli llyfn. Mae màs P yn cael ei ddal yn ddisymud gyda'r llinyn yn dynn ac wedyn mae'n cael ei ryddhau.

   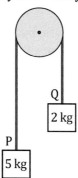

   Q
   2 kg

   P
   5 kg

(a) Cyfrifwch faint cyflymiad P a'r tyniant yn y llinyn.

(b) Pa dybiaeth mae'r gair ysgafn yn nisgrifiad y llinyn yn eich galluogi i wneud yn eich ateb?

5 Mae dau fàs, un yn 3 kg a'r llall yn 1 kg, wedi'u cysylltu â llinyn anestynadwy ysgafn sy'n pasio dros bwli llyfn. Mae'r ddau linyn yn dynn ac mae'r màs 3 kg yn cael ei ryddhau o ddisymudedd ar uchder o 2 m uwch y ddaear.

(a) Darganfyddwch gyflymder y màs 3 kg pan fydd yn taro'r llawr.

(b) Esboniwch pa dybiaethau modelu rydych chi wedi eu gwneud yn eich ateb i ran (a).

6 Mae lifft yn cychwyn o ddisymudedd ac yn codi â chyflymiad unffurf o 4 m s^{-2} nes ei fod yn cyrraedd cyflymder o 10 m s^{-1}. Mae'n teithio ar y cyflymder cyson hwn am 3 s ac wedyn mae arafiad cyson o 2.5 m s^{-2} yn dod ag ef i ddisymudedd. Mae person sydd â màs 55 kg yn sefyll ar lawr y lifft yn ystod y mudiant hwn.

(a) Brasluniwch graff cyflymder–amser o fudiant y lifft.

(b) Cyfrifwch gyfanswm y pellter a deithiwyd gan y lifft.

(c) Darganfyddwch faint mwyaf adwaith llawr y lifft ar y person yn ystod mudiant y lifft.

7 Mae person sydd â màs 45 kg yn sefyll ar lawr lifft sydd â màs 455 kg sy'n codi â chyflymiad o a m s^{-2}. Y tyniant yng nghebl y lifft yw 6000 N.

(a) Darganfyddwch faint cyflymiad a.

(b) Darganfyddwch yr adwaith rhwng llawr y lifft a'r dyn.

8 Mae bocs sydd â màs 5 kg yn gorwedd yn ddisymud ar fwrdd llorweddol llyfn. Mae llinyn anestynadwy llyfn, sy'n pasio dros beg llyfn ar ymyl bwrdd, yn cysylltu'r màs hwn â màs 2 kg sy'n hongian yn rhydd. Mae'r màs 2 kg yn cael ei ryddhau o ddisymudedd gyda'r llinyn yn dynn. Darganfyddwch gyflymiad y ddau fàs a'r tyniant yn y llinyn.

9 Mae'r diagram isod yn dangos dau gorff P a Q, sydd â masau 8 kg a 5 kg yn eu trefn. Mae'r ddau gorff wedi'u cysylltu â llinyn anestynadwy ysgafn sy'n pasio dros bwli llyfn. Mae'r màs mwyaf, P, yn gorwedd ar fwrdd ac mae'r màs ysgafnaf, Q, yn hongian yn rhydd o dan y pwli.

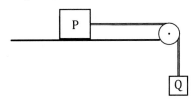

I gychwyn, mae'r system yn ddisymud gyda'r llinyn yn dynn. Mae'r system wedyn yn cael ei rhyddhau.

(a) Darganfyddwch gyflymiad y ddau fàs a'r tyniant yn y llinyn.

(b) Mae màs ychwanegol M kg yn cael ei ychwanegu at fàs Q ac mae'r system unwaith eto yn cael ei rhyddhau o ddisymudedd. Mae hyn yn achosi i gyflymiad y ddau fàs gynyddu i 5 m s^{-2}. Darganfyddwch faint màs M.

Crynodeb

Ail ddeddf mudiant Newton

Mae grymoedd anghytbwys yn creu cyflymiad yn ôl yr hafaliad

$$\text{grym} = \text{màs} \times \text{cyflymiad} \quad \text{neu'n fyr} \quad F = ma$$

Lifftiau'n cyflymu, arafu a theithio â chyflymder cyson

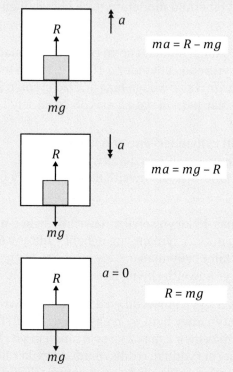

$ma = R - mg$

$ma = mg - R$

$R = mg$

Mudiant gronynnau wedi'u cysylltu â llinynnau sy'n mynd dros bwlïau neu begiau

Mae pwlïau neu begiau yn llyfn, felly nid oes grymoedd ffrithiannol ar waith.
Mae llinynnau'n ysgafn ac yn anestynadwy, felly mae'r tyniant yn parhau'n gyson.

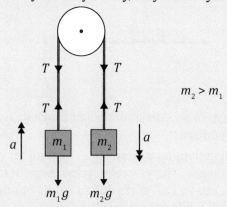

$m_2 > m_1$

Yr un yw'r cyflymiad ar gyfer y naill fàs a'r llall gan fod y llinyn yn dynn.
Mae modd cymhwyso ail ddeddf Newton i'r naill fàs a'r llall ar wahân.

Ar gyfer m_1, $m_1 a = T - m_1 g$

ac ar gyfer m_2, $m_2 a = m_2 g - T$

9 Fectorau

Cyflwyniad

Roedd Testun 9 UG Pur yn ymdrin â fectorau, felly dylech chi edrych dros y testun hwn yn gyflym er mwyn eich atgoffa eich hun.

Mae fectorau yn bwysig mewn mecaneg gan fod llawer o'r systemau mewn mecaneg yn gweithredu mewn dau neu dri dimensiwn. Yn y testun hwn, byddwn ni'n ymdrin â systemau dau ddimensiwn yn unig.

9.1 Cyfrifo maint a chyfeiriad fector a thrawsnewid rhwng ffurf gydrannol a ffurf maint/cyfeiriad

Fectorau a sgalarau

Maint yn unig sydd gan fesurau sgalar, ond mae gan fesurau fector faint a chyfeiriad.

Dyma dabl sy'n dangos pa fesurau sy'n sgalar a pha rai sy'n fectorau.

Mesur sgalar	Mesur fector
Pellter	Dadleoliad
Buanedd	Cyflymder
	Grym
	Cyflymiad

Mae'n bwysig nodi mai pellter yw maint dadleoliad, a buanedd yw maint cyflymder.

Byddwch yn sylwi, yn y llyfr ac ar y papur arholiad, y bydd mesurau fector wedi'u hysgrifennu mewn teip trwm fel hyn:

F am rym

v am gyflymder

r neu **s** am ddadleoliad

a am gyflymiad

Sylwch fod y llythrennau sy'n cael eu defnyddio ar gyfer fectorau mewn teip trwm ac nid mewn italeg.

Wrth ysgrifennu fectorau â llaw mewn arholiad, yn hytrach na defnyddio teip trwm, gallwch chi danlinellu'r llythyren i ddangos ei bod yn fector.
Felly mae $\underline{a}$, $\underline{F}$, $\underline{v}$ ac $\underline{x}$ i gyd yn fectorau.

> Dyma'r llythrennau mwyaf cyffredin i'w defnyddio ar gyfer y meintiau hyn, ond gall unrhyw lythrennau eraill gael eu defnyddio.

Grymoedd wedi'u rhoi fel fectorau 2D

Mesurau fector yw grymoedd, ac mae modd eu mynegi yn nhermau'r fectorau uned perpendicwlar **i** a **j**.

Er enghraifft, gall fector grym gael ei ysgrifennu fel **F** = 12**i** + 5**j**

Cyfrifo maint fector

Gall unrhyw fector gael ei gynrychioli fel llinell syth a maint y fector yw hyd y llinell.

Gall maint fector **a** gael ei ysgrifennu fel modwlws **a**, sef |**a**|.

Cymerwch fod gennym ni'r fector canlynol ar gyfer cyflymder

$$\mathbf{v} = a\mathbf{i} + b\mathbf{j}$$

Mae maint fector **v** yn cael ei roi gan $\quad |\mathbf{v}| = \sqrt{a^2 + b^2}$

Enghraifft

1   Mae gronyn yn teithio â chyflymder sy'n cael ei roi gan **v** = 12**i** + 5**j** m s^{-1}.
Cyfrifwch faint y cyflymder.

. . . .

Ateb

1   $|\mathbf{v}| = \sqrt{a^2 + b^2} = \sqrt{12^2 + 5^2} = \sqrt{144 + 25} = \sqrt{169} = 13$ m s^{-1}

Darganfod cyfeiriad fector

Mae gan fector faint a chyfeiriad. Fel arfer, y cyfeiriad yw'r ongl rhwng y fector a'r fector uned **i**, ond dylech gael eich arwain gan y cyfeiriad sy'n cael ei nodi yn y cwestiwn.

Cymerwch ein bod ni eisiau darganfod y cyfeiriad sy'n cael ei wneud gan y fector **F** = 2**i** + 5**j** a'r fector uned **i** gan roi'r ateb i un lle degol.

Yn gyntaf, lluniadwch ddiagram

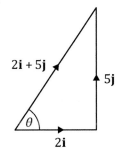

Mae'r fectorau uned **i** a **j** ar ongl sgwâr i'w gilydd felly mae'r triongl yn driongl ongl sgwâr.

Nawr defnyddiwch drigonometreg i gyfrifo ongl θ.

$$\tan \theta = \frac{5}{2}$$

$$\theta = \tan^{-1}\left(\frac{5}{2}\right)$$

$$= 68.2° \text{ (1 lle degol)}$$

$$\tan \theta = \frac{\text{cyferbyn}}{\text{cyfagos}}$$

Darganfod grym cydeffaith dau rym neu ragor ar ffurf fector

Gall grymoedd mewn dau ddimensiwn gael eu mynegi gan ddefnyddio'r fectorau uned **i** a **j** neu fel fectorau colofn.

Felly gallai dau fector gael eu mynegi fel

$$\mathbf{F} = 2\mathbf{i} + 3\mathbf{j} \quad \text{a} \quad \mathbf{G} = 3\mathbf{i} - 4\mathbf{j}$$

neu fel
$$\mathbf{F} = \begin{pmatrix} 2 \\ 3 \end{pmatrix} \quad \text{a} \quad \mathbf{G} = \begin{pmatrix} 3 \\ -4 \end{pmatrix}$$

I ddarganfod grym cydeffaith dau neu ragor o rymoedd ar ffurf fector, rydych chi'n adio'r fectorau at ei gilydd.

Grym cydeffaith **F** a **G** = (2**i** + 3**j**) + (3**i** − 4**j**)

$$= 5\mathbf{i} - \mathbf{j} \quad \text{neu} \quad \begin{pmatrix} 2 \\ 3 \end{pmatrix} + \begin{pmatrix} 3 \\ -4 \end{pmatrix} = \begin{pmatrix} 5 \\ -1 \end{pmatrix}$$

Enghreifftiau

1   Mae tri grym **F**, **G** a **H** yn gweithredu ar bwynt P.

Os yw **F** = **i** + 10**j**, **G** = 2**i** + 8**j** a **H** = 4**i** + 7**j**, darganfyddwch y grym cydeffaith yn P.

· ·

Ateb

1   Grym cydeffaith = **F** + **G** + **H** = (**i** + 10**j**) + (2**i** + 8**j**) + (4**i** + 7**j**) = 7**i** + 25**j**

---

2   Mae robot yn cychwyn o O ac yn symud gyda'r ddau ddadleoliad olynol canlynol; −4**i** + 7**j** a 6**i** − 5**j**. Darganfyddwch ddadleoliad terfynol y robot o O.

· ·

Ateb

2   Cyfanswm y dadleoliad = (−4**i** + 7**j**) + (6**i** − 5**j**) = 2**i** + 2**j**

---

3   Mae'r tri grym canlynol oll yn gweithredu ar yr un pwynt.

$$-5\mathbf{i} + 2\mathbf{j}$$
$$-7\mathbf{i} - 6\mathbf{j}$$
$$9\mathbf{i} + 4\mathbf{j}$$

Mae'r fectorau uned **i** a **j** yn gweithredu'n llorweddol a fertigol yn eu trefn.

Darganfyddwch y pedwerydd grym, **F**, byddai angen ei adio i'r tri grym er mwyn gwneud y grym cydeffaith yn sero.

· ·

Ateb

3   Grym cydeffaith = (−5**i** + 2**j**) + (−7**i** − 6**j**) + (9**i** + 4**j**) = −3**i**

Felly   **F** = 3**i**

> I wneud 0, byddai angen adio 3**i** i'r grym cydeffaith (h.y. −3**i** + 3**i** = 0).

---

4   Mae dau rym **P** a **Q** yn gweithredu ar wrthrych fel bod

$$\mathbf{P} = 2\mathbf{i} + 3\mathbf{j}$$
$$\mathbf{Q} = 3\mathbf{i} - \mathbf{j}$$

Mae gan y gwrthrych fàs o 10 kg. Cyfrifwch faint a chyfeiriad cyflymiad y gwrthrych gan roi eich atebion i 1 lle degol.

· ·

Ateb

4   Mae angen i ni ddarganfod fector y grym cydeffaith, a galwn hyn yn **R**. Rydyn ni'n cael hwn drwy adio fectorau **P** a **Q**.

$$\mathbf{R} = \mathbf{P} + \mathbf{Q} = (2\mathbf{i} + 3\mathbf{j}) + (3\mathbf{i} - \mathbf{j}) = 5\mathbf{i} + 2\mathbf{j}$$

Rydyn ni'n defnyddio theorem Pythagoras i gyfrifo maint y cydeffaith.

$$\mathbf{R}^2 = 5^2 + 2^2$$
$$= 25 + 4$$
$$= 29$$
$$\mathbf{R} = \sqrt{29} \, \text{N}$$
$$= 5.385 \, \text{N} = 5.4 \, \text{N} \ (1 \ \text{lle degol})$$

> Cyfeiriad yr uned fector **i** yw ar hyd yr echelin-*x* a chyfeiriad yr uned fector **j** yw ar hyd yr echelin-*y*.

GWELLA
⇧⇧⇧⇧ **Gradd**

> Gwnewch yn siŵr eich bod yn rhoi'r ateb i'r cywirdeb y mae'r cwestiwn yn gofyn amdano a gwnewch yn siŵr eich bod yn cynnwys yr unedau cywir.

Gall y grym cydeffaith gael ei ddangos ar ddiagram ac mae'r ongl rhwng y grym cydeffaith a'r fector uned **i** wedi'i nodi.

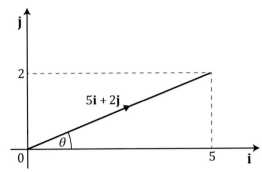

Nawr darganfyddwch ongl θ drwy ddefnyddio'r ongl rhwng y cydeffaith a'r echelin-x bositif (h.y. cyfeiriad y fector uned **i**).

$$\theta = \tan^{-1}\left(\frac{2}{5}\right)$$
$$= 21.8° \text{ (1 lle degol) i'r echelin-}x \text{ bositif.}$$

Cyfrifwch y cyflymiad gan ddefnyddio'r fformiwla $F = ma$

$$a = \frac{F}{m} = \frac{5.385}{10} = 0.5 \text{ ms}^{-2} \text{ (1 lle degol)}$$

Yr un cyfeiriad sydd i'r cyflymiad ag sydd i'r grym.

Trwy hyn, y cyfeiriad yw

21.8° (1 lle degol) i'r echelin-x bositif (neu gyfeiriad y fector uned **i**).

> $F = ma$ yw ail ddeddf mudiant Newton.

Darganfod cydeffaith nifer o fectorau wedi'u mynegi ar ffurf fectorau colofn

Yn hytrach na'r fectorau $3\mathbf{i} - \mathbf{j}$ ac $\mathbf{i} + 7\mathbf{j}$

gallwn eu hysgrifennu ar ffurf y fectorau colofn $\begin{pmatrix} 3 \\ -1 \end{pmatrix}$ ac $\begin{pmatrix} 1 \\ 7 \end{pmatrix}$

I adio dau neu ragor o fectorau colofn i ddarganfod y cydeffaith, y cyfan mae angen i chi ei wneud yw adio'r ddau rif ar y pen uchaf ac adio'r ddau rif ar y pen isaf, fel hyn:

$$\begin{pmatrix} 3 \\ -1 \end{pmatrix} + \begin{pmatrix} 1 \\ 7 \end{pmatrix} = \begin{pmatrix} 3 + 1 \\ -1 + 7 \end{pmatrix} = \begin{pmatrix} 4 \\ 6 \end{pmatrix}$$

Enghreifftiau

1   Mae pwynt P yn cychwyn o'r tarddbwynt O ac wedyn mae'n symud yn ôl y tri dadleoliad olynol $\begin{pmatrix} 0 \\ -4 \end{pmatrix}$, $\begin{pmatrix} 5 \\ -1 \end{pmatrix}$ a $\begin{pmatrix} -3 \\ 9 \end{pmatrix}$.

   (a)   Darganfyddwch ddadleoliad terfynol P o O.

   (b)   Darganfyddwch ddadleoliad O o P.

Ateb

1   (a)   Dadleoliad terfynol $\overrightarrow{OP} = \begin{pmatrix} 0 \\ -4 \end{pmatrix} + \begin{pmatrix} 5 \\ -1 \end{pmatrix} + \begin{pmatrix} -3 \\ 9 \end{pmatrix} = \begin{pmatrix} 2 \\ 4 \end{pmatrix}$

> Y dadleoliad terfynol yw swm y dadleoliadau unigol.

   (b)   Dadleoliad $\overrightarrow{PO} = -\overrightarrow{OP} = \begin{pmatrix} -2 \\ -4 \end{pmatrix}$

2   Mae pwynt P yn symud yn ôl y dadleoliadau olynol canlynol.

$$7\mathbf{i} - 2\mathbf{j} \text{ ac } 8\mathbf{i} + 10\mathbf{j}$$

Darganfyddwch gyfanswm y dadleoliad a chyfanswm y pellter a symudwyd gan roi eich ateb i'r metr agosaf.

Ateb

2   Gall y ddau ddadleoliad olynol gael eu dangos ar y set ganlynol o echelinau:

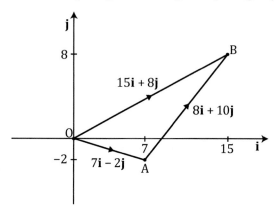

Sylwch fod y dadleoliadau unigol yn cael eu hadio i roi cyfanswm y dadleoliad.

Cyfanswm y dadleoliad = $(7\mathbf{i} - 2\mathbf{j}) + (8\mathbf{i} + 10\mathbf{j}) = 15\mathbf{i} + 8\mathbf{j}$

I ddarganfod cyfanswm y pellter, mae angen darganfod pellteroedd OA ac AB ar wahân ac wedyn adio'r rhain at ei gilydd. Os oeddech chi eisiau pellter llinell syth OB, gallech chi ddefnyddio fector cyfanswm y dadleoliad a darganfod ei faint.

Cyfanswm y pellter a symudwyd = $\sqrt{7^2 + (-2)^2} + \sqrt{8^2 + 10^2}$

$$= \sqrt{53} + \sqrt{164}$$

$$= 20 \text{ m (metr agosaf)}$$

> Peidiwch â defnyddio fector cyfanswm y dadleoliad i gyfrifo'r pellter a symudwyd, gan y bydd hyn yn rhoi pellter y llinell syth o'r pwynt cychwyn (h.y. pellter OB ar y graff).

3   Mae cwch yn chwilio am longddrylliad gan gychwyn o bwynt A ac yna teithio i bwyntiau B ac C cyn darganfod y llongddrylliad yn D.

Y dadleoliad o A i B yw $3\mathbf{i} + 4\mathbf{j}$ km

Y dadleoliad o B i C yw $5\mathbf{i} + 4\mathbf{j}$ km

Y dadleoliad o C i D yw $12\mathbf{i} + 5\mathbf{j}$ km

(a)   Darganfyddwch faint y dadleoliad o A i D gan roi eich ateb i un lle degol.

(b)   Darganfyddwch y pellter a deithiwyd gan y cwch o A i D gan roi eich ateb i un lle degol ac esboniwch pam nad yw hyn yn hafal i faint y dadleoliad o A i D.

Ateb

3   (a) $\overrightarrow{AD} = \overrightarrow{AB} + \overrightarrow{BC} + \overrightarrow{CD}$

$$\overrightarrow{AD} = \begin{pmatrix} 3 \\ 4 \end{pmatrix} + \begin{pmatrix} 5 \\ 4 \end{pmatrix} + \begin{pmatrix} 12 \\ 5 \end{pmatrix} = \begin{pmatrix} 20 \\ 13 \end{pmatrix}$$

$$|\overrightarrow{AD}| = \sqrt{20^2 + 13^2} = 23.9 \text{ km (1 lle degol)}$$

> Mae fectorau colofn wedi'u defnyddio yma, ond gallech chi fod wedi defnyddio fectorau $\mathbf{i}$ a $\mathbf{j}$ yn lle hynny.

(b) Cyfanswm y pellter o A i D = $|\overrightarrow{AB}| + |\overrightarrow{BC}| + |\overrightarrow{CD}|$

$$|\overrightarrow{AB}| = \sqrt{3^2 + 4^2} = 5.0 \text{ km}$$
$$|\overrightarrow{BC}| = \sqrt{5^2 + 4^2} = 6.4 \text{ km}$$
$$|\overrightarrow{CD}| = \sqrt{12^2 + 5^2} = 13.0 \text{ km}$$

Cyfanswm y pellter = 5.0 + 6.4 + 13.0 = 24.4 km (1 lle degol)

Mae maint y dadleoliad o A i D yn cael ei fesur ar hyd y llinell syth sy'n uno pwyntiau A a D. Y pellter yw'r pellteroedd ar gyfer yr adrannau unigol (h.y. A o B, yna B i C, ac yna C i D) sydd yn bellach na thaith y llinell syth uniongyrchol o A i D.

9.2 Defnyddio fectorau i ddatrys problemau

Gall fectorau gael eu defnyddio i ddatrys problemau mewn dau ddimensiwn. Wrth ymdrin â fectorau, mae angen i chi feddwl yn ofalus am y broblem a pheidio â drysu rhwng fector a maint fector. Os nad oes diagram yn cael ei roi yn y cwestiwn, mae croeso i chi luniadu eich diagram eich hun. Yn aml, gall hyn helpu i ddeall y trefniant sy'n cael ei ddisgrifio.

Cam wrth GAM

Mae dau rym **F** ac **G** yn gweithredu ar wrthrych fel bod

$$\mathbf{F} = \mathbf{i} - 8\mathbf{j},$$
$$\mathbf{G} = 3\mathbf{i} + 11\mathbf{j}.$$

Mae gan y gwrthrych fàs o 3 kg. Cyfrifwch faint a chyfeiriad cyflymiad y gwrthrych. [7]

Camau i'w cymryd

1 Darganfyddwch y grym cydeffaith drwy adio'r ddau fector at ei gilydd.

2 Defnyddiwch ail ddeddf mudiant Newton, **F** = m**a** i ddarganfod y fector ar gyfer y cyflymiad.

3 Darganfyddwch faint y cyflymiad.

4 Defnyddiwch drigonometreg a fector y cyflymiad i ddarganfod yr ongl sydd ei hangen.

....

Ateb

Grym cydeffaith = **F** + **G**

= **i** − 8**j** + 3**i** + 11**j**

= 4**i** + 3**j**

Gan ddefnyddio ail ddeddf Newton: **F** = m**a**

4**i** + 3**j** = 3**a**

$$\mathbf{a} = \frac{4}{3}\mathbf{i} + \mathbf{j}$$

$$|\mathbf{a}| = \sqrt{\left(\frac{4}{3}\right)^2 + 1^2} = \frac{5}{3} \text{ m s}^{-2}$$

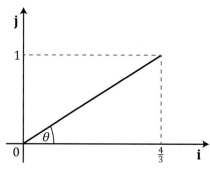

$$\tan \theta = \frac{1}{\left(\frac{4}{3}\right)}$$

$$\tan \theta = \frac{3}{4}$$

$$\theta = 36.87° \text{ (i'r fector } \mathbf{i}\text{)}$$

Enghreifftiau

1   Mae tri grym, **F**, **G** a **H**, yn gweithredu ar bwynt lle mae:

$$\mathbf{F} = 3\mathbf{i} + 5\mathbf{j}$$

$$\mathbf{G} = -\mathbf{i} + \mathbf{j}$$

$$\mathbf{H} = a\mathbf{i} + b\mathbf{j}$$

Os yw cydeffaith y grymoedd hyn yn sero:

(a)   Darganfyddwch werthoedd *a* a *b*.

(b)   Ysgrifennwch y fector ar gyfer grym **H**.

· ·

Ateb

> Mae swm y fectorau i gyfeiriad **i** yn hafal i sero, ac felly hefyd swm y fectorau i gyfeiriad **j**.

1   **(a)** $\mathbf{F} + \mathbf{G} + \mathbf{H} = (3\mathbf{i} + 5\mathbf{j}) + (-\mathbf{i} + \mathbf{j}) + (a\mathbf{i} + b\mathbf{j})$

Nawr $\mathbf{F} + \mathbf{G} + \mathbf{H} = 0$

Felly $(2\mathbf{i} + a\mathbf{i}) + (6\mathbf{j} + b\mathbf{j}) = 0$

Trwy hyn $a = -2$ a $b = -6$

(b) $\mathbf{H} = -2\mathbf{i} - 6\mathbf{j}$

---

2   Mae cyflymder gronyn yn cael ei roi gan $5\mathbf{i} + 12\mathbf{j}$.

Darganfyddwch:

(a)   Buanedd y gronyn.

(b)   Yr ongl rhwng cyfeiriad y gronyn a'r fector uned **i** gan roi eich ateb i'r radd agosaf.

· ·

Ateb

> Cofiwch fod buanedd yn fesur sgalar, ac mai buanedd yw maint y cyflymder.

(a) $\mathbf{v} = 5\mathbf{i} + 12\mathbf{j}$

Buanedd $= |\mathbf{v}| = \sqrt{5^2 + 12^2} = \sqrt{25 + 144} = 13 \text{ m s}^{-1}$

(b)

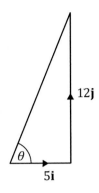

$$\tan \theta = \frac{12}{5} = 2.4$$

$$\theta = \tan^{-1} 2.4 = 67° \text{ (i'r radd agosaf)}$$

Cam wrth **CAM**

Mae drôn yn cychwyn ar daith o bwynt A i bwynt B ac yn teithio ar uchder cyson mewn llinell syth lle mae $\overrightarrow{AB} = 2\mathbf{i} + \mathbf{j}$ km. Mae wedyn yn parhau ar yr un uchder ac mewn llinell syth i bwynt C lle mae $\overrightarrow{BC} = 4\mathbf{i} - 3\mathbf{j}$ km.

(a) Ysgrifennwch fector y dadleoliad ar gyfer A i C.

(b) Ysgrifennwch y fector sy'n cynrychioli llwybr y llinell syth o C i A.

(c) Darganfyddwch gyfanswm y pellter a deithiwyd gan y drôn ar ei daith o A i C.

Camau i'w cymryd

1   Adiwch y fector ar gyfer y daith o A i B i'r fector ar gyfer y daith o B i C a symleiddiwch.

2   Dyma'r gwrthdro i'r fector o A i C, felly'r cyfan mae angen ei wneud yw newid yr arwydd.

3   Mae angen darganfod y pellter o A i B ac yna'r pellter o B i C gan ddefnyddio'r fformiwla ar gyfer maint fector. Mae'r ddau bellter hyn yn cael eu hadio at ei gilydd.

. . . .

Ateb

(a) $\overrightarrow{AC} = \overrightarrow{AB} + \overrightarrow{BC} = (2\mathbf{i} + \mathbf{j}) + (4\mathbf{i} - 3\mathbf{j}) = 6\mathbf{i} - 2\mathbf{j}$

(b) $\overrightarrow{CA} = -\overrightarrow{AC} = -(6\mathbf{i} - 2\mathbf{j}) = -6\mathbf{i} + 2\mathbf{j}$

(c) $|\overrightarrow{AB}| = \sqrt{2^2 + 1^2} = \sqrt{5} = 2.24$ km

$|\overrightarrow{BC}| = \sqrt{4^2 + (-3)^2} = \sqrt{25} = 5$ km

Cyfanswm y pellter a deithiwyd = 2.24 + 5 = 7.24 km (2 le degol)

Darganfod fector o'i faint a'i gyfeiriad

Os yw'r maint a'r cyfeiriad yn cael eu rhoi ond nid y fector ei hun, mae modd darganfod y fector drwy ddefnyddio'r dull sy'n cael ei ddangos yma.

GWELLA
⇧⇧⇧⇧ **Gradd**

Cadwch lygad am y geiriau 'union werth' yn y cwestiynau. Os oes unrhyw israddau rhifau a fyddai, o'u cyfrifo, yn golygu bod yn rhaid rhoi ateb brasgywir, byddai hynny'n golygu nad ydyn nhw bellach yn rhoi union werthoedd. Yn hytrach, peidiwch â chyfrifo'r israddau.

Rhaid defnyddio'r union werthoedd ar gyfer yr onglau. Roedd hyn wedi'i gynnwys yn y llyfr *UG Pur*. Os nad ydych yn cofio sut i gyfrifo'r onglau fel union werthoedd, edrychwch yn ôl ar yr adran honno.

Sylwch fod y cwestiwn yn gofyn am union werthoedd ar gyfer *a* a *b*. Mae hyn yn golygu bod yn rhaid i chi gadw'r ail isradd a pheidio â'i gyfrifo fel degolyn.

Enghraifft

1 Mae grym o 12 N yn gweithredu ar bwynt O ar ongl o 30° i'r fector uned **i**. Mynegwch y grym fel fector yn y ffurf $a\mathbf{i} + b\mathbf{j}$ lle mae *a* a *b* yn **union** werthoedd sydd i'w darganfod.

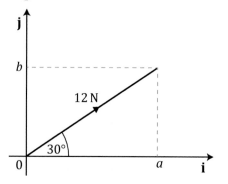

Ateb

1 Gan ddefnyddio trigonometreg:

$$\frac{a}{12} = \cos 30°$$

$$a = 12 \cos 30° = 12 \times \frac{\sqrt{3}}{2} = 6\sqrt{3}$$

$$\frac{b}{12} = \sin 30°$$

$$b = 12 \sin 30° = 12 \times \frac{1}{2} = 6$$

Y fector yw $6\sqrt{3}\mathbf{i} + 6\mathbf{j}$

Profi eich hun

1 Mae dau rym **L** ac **M** yn gweithredu ar wrthrych.

$$\mathbf{L} = 5\mathbf{i} + 9\mathbf{j}$$
$$\mathbf{M} = 2\mathbf{i} + 15\mathbf{j}$$

Os màs y gwrthrych yw 5 kg, darganfyddwch:

(a) Y cyflymiad, **a**.

(b) Maint y cyflymiad.

(c) Cyfeiriad y cyflymiad i'r fector **i**, i'r radd agosaf.

2 Mae'r tri grym, $2\mathbf{i} - 3\mathbf{j}$, $\mathbf{i} + 6\mathbf{j}$ a $-4\mathbf{i} - 4\mathbf{j}$, yn gweithredu ar ronyn ynghyd â phedwerydd grym, **F**.

Os y grym cydeffaith yw $7\mathbf{i} + 2\mathbf{j}$, darganfyddwch **F**.

3 Gan gychwyn o O, mae gronyn yn symud yn y fath fodd fel ei fod yn dilyn y fectorau dadleoliad olynol canlynol:

$$3\mathbf{i} - 4\mathbf{j}, \ 2\mathbf{i} + \mathbf{j}, \ -4\mathbf{i} + 6\mathbf{j}, \ 5\mathbf{i} - \mathbf{j} \text{ a } 5\mathbf{i} + 3\mathbf{j}$$

Beth yw dadleoliad terfynol y gronyn o O?

4 Darganfyddwch, ar ffurf fector, y cyflymiad **a** sy'n cael ei greu gan fàs 10 kg sy'n destun y grymoedd $(4\mathbf{i} + \mathbf{j})$ N a $(6\mathbf{i} - 6\mathbf{j})$ N.

5 Os **i** yw'r fector uned tua'r dwyrain a **j** yw'r uned fector tua'r gogledd ac mae'r grymoedd $(3\mathbf{i} + 6\mathbf{j})$ N, $(-2\mathbf{i} - \mathbf{j})$ N a $(2\mathbf{i} - \mathbf{j})$ N yn gweithredu ar ronyn sydd wedi'i leoli yn y tarddbwynt, darganfyddwch:

(a) Y grym cydeffaith sy'n gweithredu ar y gronyn yn y ffurf $a\mathbf{i} + b\mathbf{j}$.

(b) Maint y grym cydeffaith.

(c) Cyfeiriant y grym cydeffaith i'r radd agosaf.

6 Mae gronyn yn destun y tri grym canlynol:

$(\mathbf{i} + 3\mathbf{j})$, $(2\mathbf{i} - 5\mathbf{j})$ a $(4\mathbf{i} + 6\mathbf{j})$, lle mae'r holl rymoedd yn cael eu mesur mewn newtonau.

(a) Darganfyddwch y fector ar gyfer y grym cydeffaith.

(b) Os màs y gronyn yw 2 kg , darganfyddwch y fector ar gyfer y cyflymiad, **a**.

(c) Darganfyddwch faint y cyflymiad i'r rhif cyfan agosaf a'r ongl y mae'n ei wneud â'r fector uned **i** i'r 0.1° agosaf.

7 Mae cwch yn hwylio mewn llinellau syth o X i Y ac wedyn o Y i Z.

Mae'r dadleoliad o X i Y yn cael ei roi gan $-2\mathbf{i} + 13\mathbf{j}$ km.

Mae'r dadleoliad o Y i Z yn cael ei roi gan $7\mathbf{i} - \mathbf{j}$ km.

(a) Darganfyddwch y dadleoliad o X i Z.

(b) Darganfyddwch faint y dadleoliad i X i Z.

(c) Darganfyddwch gyfanswm y pellter y mae'r cwch wedi'i hwylio o X i Z gan roi eich ateb i 3 ffigur ystyrlon.

8 Mae gronyn P yn gadael y tarddbwynt O gyda buanedd o 15 m s^{-1} ac mae'n teithio mewn llinell syth gyda'r buanedd cyson hwn ar ongl o 60° i gyfeiriad-x positif.

Darganfyddwch y fector, **v**, ar gyfer cyflymder y gronyn gan ei fynegi yn y ffurf $\mathbf{v} = a\mathbf{i} + b\mathbf{j}$ lle mae a a b yn werthoedd **union** sydd i'w darganfod.

Crynodeb

Maint yn unig sydd i fesurau sgalar, ac maen nhw'n cynnwys pellter a buanedd.

Mae gan fesurau fector faint a chyfeiriad, ac maen nhw'n cynnwys dadleoliad, cyflymder, cyflymiad a grym.

Mae fectorau yn cael eu teipio mewn teip trwm ac nid mewn teip italig, felly mae **s**, **r**, **v**, **a** ac **F** i gyd yn fectorau.

Gall cydeffaith fectorau sy'n gweithredu ar bwynt gael ei ddarganfod drwy adio'r fectorau unigol.

Maint fector

Mae maint y fector $\mathbf{r} = a\mathbf{i} + b\mathbf{j}$ yn cael ei roi gan $|\mathbf{r}| = \sqrt{a^2 + b^2}$

Cyfeiriad fector

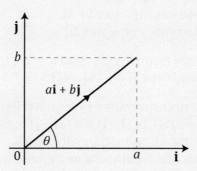

Yr ongl rhwng y fector $a\mathbf{i} + b\mathbf{j}$ a'r fector uned **i** yw θ, lle mae $\theta = \tan^{-1}\left(\dfrac{b}{a}\right)$

Trawsnewid o faint a chyfeiriad i fector

Os ydych chi'n gwybod maint a chyfeiriad fector, gallwch chi drawsnewid hyn yn ffurf fector yn y ffordd ganlynol

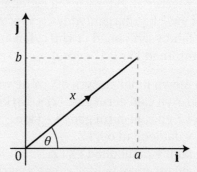

Os hyd y fector yw x a'i fod wedi'i oleddu ar ongl θ i'r cyfeiriad-**i** (neu'r echelin-x bositif), wedyn gan ddefnyddio trigonometreg,

$$\frac{a}{x} = \cos \theta°, \text{ felly } a = x \cos \theta° \quad \text{a} \quad \frac{b}{x} = \sin \theta°, \text{ felly } b = x \sin \theta°$$

Y fector yw $\mathbf{x} = a\mathbf{i} + b\mathbf{j}$

Atebion profi eich hun

Adran A Ystadegaeth

Testun 1

1. (a) Mae nifer o broblemau gyda'r sampl. Unrhyw un o'r atebion canlynol, neu atebion tebyg:
   Mae ei sampl yn rhy fach – mae'n cael ei gymryd dros un wythnos unigol. Gallai sampl y papur newydd fod wedi'i gymryd bob diwrnod ym mis Mehefin dros nifer o flynyddoedd.
   Dylai'r sampl fod wedi'i gymryd fel ei fod wedi'i wasgaru ar draws mis Mehefin, ac nid yr wythnos gyntaf yn unig.

   (b) Unrhyw ddau o'r canlynol:
   Cymryd data sydd wedi'u gwasgaru ar draws mis Mehefin ac nid yr wythnos gyntaf yn unig.
   Casglu data bob dydd ar gyfer mis Mehefin ar ei hyd.
   Defnyddio data hanesyddol o gofnodion y tywydd dros sawl blwyddyn.

2. (a) Cyfwng samplu $= \dfrac{\text{poblogaeth}}{\text{maint y sampl}} = \dfrac{300}{30} = 10$
   Mae haprif rhwng 1 a 10 yn cael ei ddefnyddio drwy ddewis rhif o het neu greu haprif gan ddefnyddio cyfrifiannell/rhaglen/gwefan.
   Cymerwch mai 5 yw'r haprif. Bydden ni'n gofyn i'r pumed person sy'n dod i mewn i'r clwb lenwi'r holiadur. Yna, bydden ni'n gofyn i bob 10fed person sy'n mynd i mewn i'r clwb lenwi'r holiadur.

   (b) Pe bai haprif fel 298 yn cael ei ddewis i gychwyn, byddai angen i chi aros i'r person hwn gyrraedd ar gyfer yr holiadur cyntaf neu ddod o hyd iddyn nhw pan fyddai'r clwb yn llawn.

3. (a) Samplu cyfle (h.y. mae wedi defnyddio'r sampl hawsaf – ei ffrindiau).

   (b) Gallai'r sampl fod â thuedd oherwydd:
   Mae'n fwy na thebyg bod ei ffrindiau i gyd yn debyg o ran oedran iddi hi ac ni fyddan nhw'n adlewyrchu'r boblogaeth.
   Mae'n debygol y bydd gan ei ffrindiau bethau'n gyffredin â hi, a allai gynnwys gwylio operâu sebon tebyg.

4. Hapsamplu

5. (a) Y boblogaeth yw'r grŵp cyfan, felly yn yr achos hwn, byddai hyn yn golygu'r holl aelwydydd ar y stryd.
   Mae sampl yn ddetholiad o'r aelwydydd ar y stryd.

   (b) Byddai sampl yn gynt i'w chynnal.
   Byddai sampl yn llai costus.

   (c) Defnyddio samplu systematig gan ddefnyddio rhifau'r tai o 1 i 350 neu hapsampl syml o'r tai.
   Pe bai samplu systematig yn cael ei ddewis:

   Cyfwng samplu $= \dfrac{\text{poblogaeth}}{\text{maint y sampl}} = \dfrac{350}{50} = 7$

Os dull hapsamplu syml sydd wedi'i ddewis, byddech chi'n dewis haprifau yn yr ystod 1 i 350 gan ddefnyddio tablau haprifau / cyfrifiannell / gwefan. Os yw'r rhif eisoes wedi'i ddewis, byddech chi'n dewis eto. Mae hyn yn cael ei ailadrodd nes bod y 50 o rifau tai wedi'u hapddewis.

Cael haprif gan ddefnyddio cyfrifiannell, gwefan, etc. o 1 i 7 a defnyddio'r aelwyd hon fel man cychwyn y sampl.

Nawr, parhau i adio 7 i'r rhif hwn i gael yr aelwyd nesaf yn y sampl hyd nes bod 50 aelwyd yn y sampl.

6   (a)   Y boblogaeth fyddai'r holl gefnogwyr sy'n mynd i'r gêm.

(b)   Byddai'n anymarferol/amhosibl cael yr holl gefnogwyr i gymryd rhan yn yr arolwg.

Byddai'n rhy ddrud o ran pobl i wneud yr arolwg, cost ffurflenni, etc.

Byddai'n cymryd llawer o amser i brosesu'r holl ganlyniadau.

Byddai'n cymryd gormod o amser ar gyfer yr arolygon.

(c)   (i)   Samplu cyfle

(ii)   Gallai'r sampl gynnwys grŵp o gefnogwyr oddi cartref sy'n cyrraedd ar yr un adeg (e.e. ar fws) ac felly ni fyddai'n gynrychioliadol o'r boblogaeth.

Gallai fod tuedd hefyd tuag at ddynion neu fenywod pe bai grŵp yn dod gyda'i gilydd.

Testun 2

1   (a)   Cydberthyniad positif cryf. Roedd y disgyblion a wnaeth yn dda mewn Cemeg hefyd wedi gwneud yn dda mewn Ffiseg.

(b)   Rhyngosodiad yw defnyddio'r graff y tu mewn i amrediad y data i ddarganfod gwerth coll. Er enghraifft, gallwn ni ddefnyddio'r diagram gwasgariad i ddarganfod y marc tebygol mewn Ffiseg ar gyfer disgybl a gafodd farc o 70% mewn Cemeg ond a oedd yn absennol ar gyfer yr arholiad Ffiseg.

(c)   Gan mai'r marc uchaf mewn Cemeg oedd 90%, byddech chi'n defnyddio'r hafaliad atchwel y tu hwnt i'r hyn y mae gennych chi werthoedd ar ei gyfer (h.y. allosodiad). Gallai fod yn bosibl cael marc Ffiseg o fwy na 100% gan ddefnyddio'r hafaliad, sy'n farc amhosibl.

2   (a)   (i)   LQ = 22.5 kg

(ii)   UQ = 25.4 kg

(iii) Canolrif = 24.1 kg

(b)   IQR = 25.4 − 22.5 = 2.9 kg

Mae'n cynrychioli gwasgariad hanner canol y data (h.y. un chwarter bob ochr i'r canolrif).

3   (a)   Dyma'r hyd pan fydd y màs ar y sbring yn sero, felly dyma yw hyd gwreiddiol y sbring.

(b)   Hyd (cm) = 20 + 0.025 × 100 = 22.5 cm.

(c)   Ni ddylai'r hafaliad atchwel gael ei ddefnyddio'n rhy bell o amrediad y masau sy'n cael ei ddefnyddio ar gyfer yr arbrawf. Mae 5 kg yn bell y tu hwnt i'r màs mwyaf sy'n cael ei ddefnyddio ac nid oes sicrwydd y bydd yr hafaliad atchwel yn gywir ar gyfer y màs hwn.

4   (a)   Cywir gan y bydd tymheredd cyfatebol ar gyfer pob gwerth o ledred. Mae pob pâr o werthoedd yn blot data felly bydd cyfanswm o 30.

(b)   Cywir. Os yw un peth yn achosi peth arall, ac i'r gwrthwyneb, bydd cydberthyniad rhyngddyn nhw.

(c)   Anghywir. Mae'r graddiant yn bositif felly mae gwerth uchel i un newidyn yn cyfateb i werth uchel ar gyfer y newidyn arall.

(ch) Cywir. Mae'r ddau newidyn yn dangos cydberthyniad negatif. Mae'n rhesymol tybio, os oes llawer o ddamweiniau yn gysylltiedig â thân gwyllt, y bydd hynny am nad oedd llawer o arddangosfeydd pwrpasol wedi'u trefnu, felly roedd pobl yn fwy tebygol o brynu eu tân gwyllt eu hun.

(d) Anghywir. Bydd graddiant positif gan y llinell ffit orau, ond gall pwynt unigol fod y naill ochr neu'r llall i'r llinell, felly byddai'n bosibl bod yn dal a bod â hyd braich is. Cofiwch fod y patrwm yn edrych ar yr holl bwyntiau, nid ar un yn unig.

(dd) Cywir, gan fod y patrwm cyffredinol yn golygu, wrth i un newidyn fynd i fyny, bydd y llall yn dod i lawr.

(e) Cywir. Mae'r gwahanol ganlyniadau'n dangos bod y cyffur wedi effeithio ar y claf, felly mae achosiaeth.

5 $\dfrac{\sum x_i}{n} = \dfrac{102}{20} = 5.1$

Amrywiant $= \dfrac{\sum x_i^2}{n} - \left(\dfrac{\sum x_i}{n}\right)^2 = \dfrac{580}{20} - 5.1^2 = 2.99$

Gwyriad safonol $= \sqrt{\text{amrywiant}} = \sqrt{2.99} = 1.73$ (3 ff.y.)

6 (a) Cymedr, $\mu = \dfrac{\sum x_i}{n} = \dfrac{92}{20} = 4.60$

Gwyriad safon, $\sigma = \sqrt{\dfrac{\sum x_i^2}{n} - \left(\dfrac{\sum x_i}{n}\right)^2}$

$= \sqrt{\dfrac{435.42}{20} - \left(\dfrac{92}{20}\right)^2}$

$= 0.782$

Crynodeb o ystadegau

Màs rhywogaeth benodol o aderyn (kg)

Màs aderyn	N	Cymedr	Gwyriad safonol	Gwerth lleiaf	Chwartel isaf	Canolrif	Chwartel uchaf	Gwerth mwyaf
	20	4.60	0.782	3.8	4.05	4.40	5.08	6.8

(b) IQR $= Q_3 - Q_1 = 5.08 - 4.05 = 1.03$
Allanolyn fyddai gwerth sy'n fwy na $Q_3 + 1.5 \times$ IQR $= 5.08 + 1.5 \times 1.03 = 6.625$
Gan fod màs 6.8 kg > 6.625 kg mae'r gwerth hwn yn allanolyn.

(c) Allanolyn fyddai gwerth sy'n llai na $Q_1 - 1.5 \times$ IQR
$Q_1 - 1.5 \times$ IQR $= 4.05 - 1.5 \times 1.03 = 2.505$
Màs o 2.505 kg yw'r màs lleiaf heb iddo fod yn allanolyn.

7 (a) (i) Cydberthyniad positif.
(ii) Y mwyaf y nifer o gramau o siwgr sydd mewn cwpan o rawnfwyd, y mwyaf yw nifer y calorïau.

(b) (i) Y graddiant yw nifer y gramau o siwgr fesul calori.
(ii) Mewn gwirionedd, dylai'r graff gael ei ddefnyddio ar gyfer gwerthoedd yn yr amrediad 100–230 calori. Byddai 350 yn golygu allosod y graff ac efallai na fyddai'r graff yn ymddwyn yn yr un modd.
(iii) Gallai fod yn achosol ond nid yw pob calori yn dod o siwgr am fod rhai yn dod o fraster a phrotein. Er enghraifft, mae rhai grawnfwydydd yn cynnwys cnau sy'n uchel o ran braster ac felly'n uchel o ran calorïau.

Testun 3

1 (a) Tebygolrwydd digwyddiad A yn unig = 0.45 − 0.25 = 0.2
Tebygolrwydd digwyddiad B yn unig = 0.30 − 0.25 = 0.05

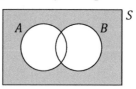

$P(A \cup B) = 0.2 + 0.25 + 0.05 = 0.5$
Fel arall, gallech chi ddefnyddio
$P(A \cup B) = P(A) + P(B) - P(A \cap B)$
$= 0.45 + 0.30 - 0.25$
$= 0.5$

(b) $P(A' \cap B') = 1 - 0.5 = 0.5$

2 (a) (i) Wrth daflu dau ddis, mae'r gofod sampl yn cynnwys 36 pâr o sgoriau.
Nifer y parau sydd yr un peth = 6
Trwy hyn, P(sgoriau'n hafal) = 6/36 = 1/6

(ii) Y sgoriau posibl lle mae sgôr Amy'n uwch yw:
(2, 1)
(3, 1), (3, 2)
(4, 1), (4, 2), (4, 3)
(5, 1), (5, 2), (5, 3), (5, 4)
(6, 1), (6, 2), (6, 3), (6, 4), (6, 5)

Trwy hyn, tebygolrwydd bod sgôr Amy'n uwch $= \dfrac{15}{36} = \dfrac{5}{12}$

(b) Mae'r gofod sampl yn cynnwys:
(1, 3), (3, 1), (2, 2)

Tebygolrwydd bod y sgoriau'n hafal $= \dfrac{1}{3}$

3 (a) Mae defnyddio $P(A \cup B) = P(A) + P(B) - P(A \cap B)$ a
$P(A \cap B) = P(A) \times P(B)$ yn rhoi
$0.5 = 0.3 + P(B) - 0.3 \times P(B)$
$0.2 = 0.7\, P(B)$
Trwy hyn, $P(B) = 0.2857$ (yn gywir i 4 lle degol)

(b) P(un digwyddiad yn union yn digwydd) $= P(A \cup B) - P(A \cap B)$
$= 0.5 - 0.3 \times 0.2857$
$= 0.5 - 0.0857$
$= 0.4143$

4 (a)

O'r diagram Venn, $P(A \cup B) = 1 - 0.4 = 0.6$
Mae defnyddio $P(A \cup B) = P(A) + P(B) - P(A \cap B)$,
yn rhoi $0.6 = 0.4 + 0.35 - P(A \cap B)$.

Trwy hyn, $P(A \cap B) = 0.15$ a chan fod gorgyffwrdd rhwng digwyddiadau A a B, nid yw'r ddau ddigwyddiad yn gydanghynhwysol.

(b) $P(A) \times P(B) = 0.4 \times 0.35 = 0.14$, a chan fod $P(A \cap B) = 0.15$, mae gennym ni $P(A) \times P(B) \neq P(A \cap B)$ gan brofi nad yw digwyddiadau A a B yn annibynnol.

5 (a) Gan fod y digwyddiadau'n annibynnol, gallwn ddefnyddio $P(A \cap B) = P(A) \times P(B)$.
$$P(A \cap B) = P(A) \times P(B)$$
$$= 0.4 \times 0.3 = 0.12$$

(b) $P(A \cup B) = P(A) + P(B) - P(A \cap B)$
$$= 0.4 + 0.3 - 0.12 = 0.58$$

(c) Mae'r tebygolrwydd nad yw A na B yn digwydd yn cael ei roi gan $1 - P(A \cup B)$.
Tebygolrwydd nad yw A na B yn digwydd $= 1 - 0.58$
$$= 0.42$$

6 (a) Mae defnyddio $P(A \cup B) = P(A) + P(B) - P(A \cap B)$ yn rhoi
$$0.5 = 0.4 + 0.2 - P(A \cap B)$$
$$P(A \cap B) = 0.1$$

(b) $P(A) \times P(B) = 0.4 \times 0.2 = 0.08$
Gan fod $P(A \cap B) \neq P(A) \times P(B)$ nid yw'r digwyddiadau A a B yn annibynnol.

7 (a) Mae defnyddio $P(A \cup B) = P(A) + P(B) - P(A \cap B)$ yn rhoi
$$P(A \cap B) = P(A) + P(B) - P(A \cup B)$$
$$= 0.2 + 0.4 - 0.52$$
$$= 0.08$$
Os yw'r digwyddiadau A a B yn annibynnol, yna'r tebygolrwydd bod y ddau ddigwyddiad yn digwydd
$$= P(A) \times P(B) = 0.2 \times 0.4 = 0.08$$
Gan fod $P(A) \times P(B) = P(A \cap B)$, mae digwyddiadau A a B yn annibynnol.

(b) $P(A$ yn unig$) = P(A) - P(A \cap B)$
$$= 0.2 - 0.08 = 0.12$$

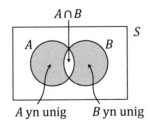

$A \cap B$

A yn unig B yn unig

$P(B$ yn unig$) = P(B) - P(A \cap B)$
$$= 0.4 - 0.08 = 0.32$$
$P(A$ neu B yn unig$) = P(A$ yn unig$) + P(B$ yn unig$) = 0.12 + 0.32 = 0.44$

8 (a) Gall digwyddiadau A neu B ddigwydd ond nid y ddau. Nid oes gorgyffwrdd.

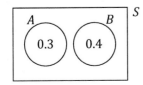

$P(A \cup B) = P(A) + P(B)$
$$= 0.3 + 0.4 = 0.7$$

(b)

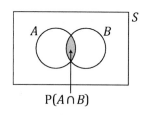

P(A ∩ B)

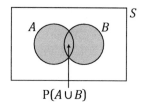

P(A ∪ B)

$P(A \cap B) = P(A) \times P(B) = 0.3 \times 0.4 = 0.12$
$P(A \cup B) = P(A) + P(B) - P(A \cap B)$
$= 0.3 + 0.4 - 0.12$
$= 0.58$

9 (a) $P(A \cup B) = P(A) + P(B)$
$= 0.2 + 0.3$
$= 0.5$

(b) $P(A \cup B) = P(A) + P(B) - P(A \cap B)$
$= 0.2 + 0.3 - 0.2 \times 0.3$
$= 0.2 + 0.3 - 0.06$
$= 0.44$

(c) $P(A \cup B) = P(B) = 0.3$

Testun 4

1 (a) $P(X = x) = \binom{n}{x} p^x (1-p)^{n-x}$

$p = 0.25$ ac $n = 20$.

$P(X = 4) = \binom{20}{4} 0.25^4 (1 - 0.25)^{20-4}$

$= \binom{20}{4} 0.25^4 (0.75)^{16}$

$= 0.1897$ (yn gywir i 4 ff.y.)

(b) Mae tablau'r dosraniad binomaidd yn cael eu defnyddio yma, gydag $n = 20$, $p = 0.25$ ac $x = 7$.
P(llai nag 8 bwlb) $= P(X \leq 7) = 0.8982$

2 (a) (i) $P(X = 4) = e^{-3.4} \frac{3.4^4}{4!} = 0.1858$ (yn gywir i 4 ff.y.)

(ii) $P(X \leq 2) = e^{-3.4} \left(1 + 3.4 + \frac{3.4^2}{2}\right) = 0.3397$ (yn gywir i 4 ff.y.)

(b) $P(4 \leq X \leq 7) = P(X \leq 7) - P(X \leq 3)$
$= 0.9769 - 0.5584$
$= 0.4185$ (yn gywir i 4 ff.y.)

Mae cydanghynhwysol yn golygu na all y ddau ddigwyddiad ddigwydd, felly nid oes croestoriad rhwng P(A) a P(B).

$P(A \cap B) = P(A) \times P(B)$

Mae $A \subset B$ yn golygu bod set A yn is-set o set B felly'r uniad fydd set B.

Daw'r fformiwla o'r llyfr fformiwlâu.

O'r tablau:
$P(X = 4) = P(X \leq 4) - P(X \leq 3)$
$= 0.4148 - 0.2252$
$= 0.1896$

Sylwch ar y ffordd y gall $e^{-3.4}$ gael ei dynnu allan fel ffactor er mwyn symleiddio'r cyfrifiad.

Rydyn ni'n defnyddio tablau'r ffwythiant dosraniad cronnus Poisson i ddod o hyd i werthoedd $P(X \leq x)$.

③ Cymedr $\lambda = np = 100 \times 0.08 = 8$
Mae X yn Po(8)
$\quad$ P$(X < 5) = $ P$(X \leq 4) = 0.0996$

Mae tabl y ffwythiant dosraniad Poisson yn cael ei ddefnyddio yma i ddod o hyd i P$(X \leq 4)$ gydag $x = 4$, a chymedr $\lambda = 8$.

④ (a) (i) $\;$ P$(X = x) = \binom{n}{x} p^x (1 - p)^{n-x}$

$\qquad\;\;$ $p = 0.4$, $n = 20$ ac $x = 10$.

$\qquad\;\;$ P$(X = 10) = \binom{20}{10} 0.4^{10} (1 - 0.4)^{20-10}$

$\qquad\;\;$ P$(X = 10) = \binom{20}{10} 0.4^{10} (0.6)^{10}$

$\qquad\qquad\qquad\quad$ $= 0.1171$ (yn gywir i 4 ff.y.)

$\qquad$ (ii) $\;$ P$(X > 7) = 1 - $ P$(X \leq 7)$

$\qquad\qquad\qquad\quad$ $= 1 - 0.4159$

$\qquad\qquad\qquad\quad$ $= 0.5841$

Mae'r dosraniad binomaidd B(20, 0.4) yn cael ei ddefnyddio yma. Mae'r tebygolrwydd $p = 0.4$ yn rhy uchel i ddefnyddio'r dosraniad Poisson, lle yn ddelfrydol dylai p fod yn llai na 0.1. Hefyd, dylai n fod yn > 50.

(b) $\lambda = np = 300 \times 0.05 = 15$

$\qquad$ Mae X wedi'i ddosrannu fel Po(15)

$\qquad$ P$(X < 10) = $ P$(X \leq 9) = 0.0699$

I ddarganfod P$(X \leq 7)$ rydyn ni'n defnyddio'r tablau ar gyfer y ffwythiant dosraniad binomaidd gydag $n = 20$, $p = 0.4$ ac $x = 7$.

⑤ (a) (i) $\;$ Gadewch i X gynrychioli nifer y cwpanau diffygiol

$\qquad\;\;$ $p = \frac{5}{100} = 0.05$ ac $n = 50$

$\qquad\;\;$ P$(X = x) = \binom{n}{x} p^x (1 - p)^{n-x}$

$\qquad\;\;$ P$(X = 2) = \binom{50}{2} 0.05^2 (1 - 0.05)^{50-2}$

$\qquad\qquad\qquad\;\;$ $= \binom{50}{2} 0.05^2 (0.95)^{48}$

$\qquad\qquad\qquad\;\;$ $= 0.2611$

$\qquad$ (ii) $\;$ P$(3 \leq X \leq 8) = $ P$(X \leq 8) - $ P$(X \leq 2)$

$\qquad\qquad$ Gan ddefnyddio'r tablau dosraniad binomaidd gydag $n = 50$ a $p = 0.05$

$\qquad\qquad$ P$(X \leq 8) = 0.9992$ $\quad$ a $\quad$ P$(X \leq 2) = 0.5405$

$\qquad\qquad$ P$(2 \leq X \leq 8) = 0.9992 - 0.5405 = 0.4587$

Dylai'r tablau gael eu defnyddio yma gan y byddai defnyddio'r fformiwla yn feichus, oherwydd byddai gennych chi 10 tebygolrwydd unigol i'w cyfrifo cyn adio'r cyfan at ei gilydd.

(b) (i) $\;$ $p = \frac{1.5}{100} = 0.015$, sy'n llai na 0.1 ac $n = 250$ sy'n fwy na 50, felly gall y dosraniad Poisson gael ei ddefnyddio.

$\qquad$ (ii) $\;$ Gadewch i Y gynrychioli nifer y platiau diffygiol.

$\qquad\qquad$ $p = \frac{1.5}{100} = 0.015$, $n = 250$ ac $np = 250 \times 0.015 = 3.75$

$\qquad\qquad$ P$(Y = x) = e^{-\lambda} \dfrac{\lambda^x}{x!}$

$\qquad\qquad$ P$(Y = 4) = e^{-3.75} \dfrac{3.75^4}{4!}$

$\qquad\qquad\qquad\qquad$ $= 0.194$

Mae'r fformiwla hon i'w gweld yn y llyfryn fformiwlâu.

⑥ (a) (i) $\;$ P$(X = x) = \binom{n}{x} p^x (1 - p)^{n-x}$

$\qquad\;\;$ P$(X = 6) = \binom{20}{6} 0.2^6 (1 - 0.2)^{20-6}$

$\qquad\qquad\qquad\;\;$ $= \binom{20}{6} (0.2)^6 (0.8)^{14} = 0.109$

Noder bod $P(X \leq 8)$ yn canfod y tebygolrwydd bod X yn 0, 1, 2, 3, 4, 5, 6, 7 neu 8 a bod $P(X \leq 1)$ yn canfod y tebygolrwydd bod X yn 0 neu'n 1. Felly mae tynnu'n rhoi'r tebygolrwydd sydd ei angen.

GWELLA
⇧⇧⇧⇧ Gradd

Peidiwch â defnyddio'r tablau ar gyfer gwerth unigol. Pe baech chi wedi defnyddio'r tablau ni fyddech chi wedi cael unrhyw farciau ar gyfer rhan (b) yn y cwestiwn hwn.

Mae tablau'r ffwythiant dosraniad binomaidd yn cael eu defnyddio i ganfod y gwerth hwn.

Ni all tablau'r ffwythiant dosraniad binomaidd gael eu defnyddio yma gan mai mwyafswm gwerth n yw 50, ac yma mae'n 150. Mae Poisson yn cael ei ddefnyddio fel brasamcan.

(ii) $P(2 \leq X \leq 8) = P(X \leq 8) - P(X \leq 1)$
Gan ddefnyddio tablau'r dosraniad binomaidd gydag $n = 20$ a $p = 0.2$,
$P(X \leq 8) = 0.9900$ a $P(X \leq 1) = 0.0692$
Felly $P(2 \leq X \leq 8) = 0.9900 - 0.0692$
$$= 0.921$$

(b) $\lambda = np = 200 \times 0.0123 = 2.46$
$$P(Y = 3) = e^{-2.46}\frac{2.46^3}{3!}$$
$$= 0.212$$

7 (a) (i) Gadewch i nifer yr hadau sy'n cynhyrchu blodau coch = X
Mae X wedi'i ddosrannu fel B(20, 0.7)
$$P(X = 15) = \binom{20}{15}(0.7)^{15}(1 - 0.7)^{20-15}$$
$$= \binom{20}{15}(0.7)^{15}(0.3)^5$$
$$= 0.179$$

(ii) Gadewch i nifer yr hadau sy'n cynhyrchu blodau coch = X'
Mae X' wedi'i ddosrannu fel B(20, 0.3)
Nawr $P(X > 12) = P(X' < 8)$
$$= 0.772$$

(b) Gadewch i nifer yr hadau sy'n cynhyrchu blodau gwyn = Y
Mae Y wedi'i ddosrannu fel B(150, 0.09)
Mae brasamcan Poisson yn cael ei ddefnyddio yma gyda'r cymedr
$\lambda = np = 150 \times 0.09 = 13.5$
B(150, 0.09) $\sim$ Po(13.5)
$$P(Y = 10) = e^{-13.5} \times \frac{13.5^{10}}{10!}$$
$$= 0.076$$

Rydyn ni'n edrych am fformiwla Poisson yn y llyfryn fformiwlâu.

Testun 5

1 (a) Yr ystadegyn prawf yn yr achos hwn yw X, sef nifer y pennau sy'n cael eu taflu.
(b) (i) $H_0 : p = 0.5$
(ii) $H_1 : p > 0.5$
(c) **Ateb gan ddefnyddio gwerthoedd-p**
Angen darganfod nifer X y pennau er mwyn i'r tebygolrwydd fod yn uwch na 0.05 o gael y nifer hwnnw o bennau.
Gan ddefnyddio B(9, 0.5)
$$P(X \leq x) = 1 - 0.05 = 0.95$$
O'r tablau, $P(X \leq 6) = 0.9102$ a $P(X \leq 7) = 0.9805$
$P(X \geq 8) = 1 - P(X \leq 7) = 1 - 0.9805 = 0.0195$ sy'n llai na 0.05
$P(X \geq 7) = 1 - P(X \leq 6) = 1 - 0.9102 = 0.0898$ sy'n fwy na 0.05

O'r canlyniadau hyn, mae'n golygu os oes 8 neu ragor o bennau'n cael eu taflu, ar lefel arwyddocâd o 5%, mae'r darn arian â thuedd tuag at bennau, felly dylai'r rhagdybiaeth nwl gael ei gwrthod.

Ateb gan ddefnyddio gwerthoedd critigol
Gan ddefnyddio B(9, 0.5)
Gan fod arwydd '>' yn y rhagdybiaeth arall, mae angen i ni ystyried cynffon uchaf y dosraniad tebygolrwydd.

Mae angen i ni edrych ar y tablau a chanfod y tebygolrwydd cyntaf sy'n mynd y tu hwnt i 0.95, yna y gwerth critigol yw'r gwerth ar ôl hwn.
O'r tabl, $P(X \leq 7) = 0.9805$, felly'r gwerth critigol yw 8 a'r rhanbarth critigol yw $X \geq 8$.
Byddai'n rhaid bod 8 neu ragor o bennau er mwyn i'r rhagdybiaeth nwl gael ei gwrthod.

(2) Y rhagdybiaeth nwl yw nad yw'r troellwr â thuedd tuag at 5, felly bod y tebygolrwydd o gael 5 yn hafal i $\frac{1}{5}$ neu 0.2.
$$\mathbf{H_0}: p = 0.2$$
Y rhagdybiaeth arall yw bod y troellwr â thuedd tuag at 5.
$$\mathbf{H_1}: p > 0.2$$
Yr ystadegyn prawf yw X, sef nifer y pumoedd a geir mewn 10 o droelliadau. Y dosraniad yw $B(10, 0.2)$

Dull gan ddefnyddio rhanbarth critigol

Gan mai'r rhagdybiaeth arall yw $\mathbf{H_1}: p > 0.2$, rydyn ni'n defnyddio cynffon uchaf y dosraniad.
Gan ddefnyddio $B(10, 0.2)$, rydyn ni'n canfod y tebygolrwydd cyntaf yn y golofn sy'n mynd y tu hwnt i 0.95 a'i werth X cyfatebol, a'r gwerth critigol a yw'r gwerth cyntaf ar ôl hynny.
O'r tabl, $P(X \leq 4) = 0.9672$ felly'r gwerth critigol a yw 5 a'r rhanbarth critigol yw $X \geq 5$.
Gan nad yw $X = 4$ yn gorwedd yn y rhanbarth critigol, mae tystiolaeth annigonol ar lefel arwyddocâd o 5% i awgrymu bod y troellwr â thuedd.

Dull arall gan ddefnyddio gwerthoedd-p

$P(X \geq 4) = 1 - P(X \leq 3) = 1 - 0.8791 = 0.1209$
Y lefel arwyddocâd = 5% = 0.05.
Nawr mae 0.1209 yn fwy na 0.05, felly nid oes digon o dystiolaeth i wrthod y rhagdybiaeth nwl bod y troellwr â thuedd tuag at 5. Felly rydyn ni'n dod i'r casgliad ei bod yn annhebygol bod y troellwr â thuedd tuag at 5.

(3) **Dull gan ddefnyddio gwerth critigol**

$\mathbf{H_0}: p = 0.4$ $\mathbf{H_1}: p < 0.4$
Mae gan X y dosraniad $B(20, 0.4)$
Gan fod arwydd '<' yn y rhagdybiaeth arall, rydyn ni'n defnyddio cynffon isaf y dosraniad tebygolrwydd.
Mae defnyddio'r tablau i ddarganfod gwerth cyntaf y tebygolrwydd sy'n fwy na 0.05 yn rhoi $P(X \leq 4) = 0.0510$ a'r gwerth critigol yw'r gwerth cyn hwn, felly'r gwerth critigol, a, yw 3, a'r rhanbarth critigol yw $X \leq 3$.
Gan nad yw 4 yn gorwedd yn y rhanbarth critigol, nid oes digon o dystiolaeth i wrthod y rhagdybiaeth nwl. Trwy hyn mae'n annhebygol bod datganiad y rheolwr yn anghywir.

Dull gan ddefnyddio gwerthoedd-p

$\mathbf{H_0}: p = 0.4$ $\mathbf{H_1}: p < 0.4$
Yr ystadegyn prawf X yw nifer y galwyr sy'n aros mwy na 5 munud.
Mae gan X y dosraniad $B(20, 0.4)$
$P(X \leq 4) = 0.0510$ (h.y. mwy na'r lefel arwyddocâd o 0.05).
Mae hyn yn golygu nad oes digon o dystiolaeth i wrthod y rhagdybiaeth nwl. Trwy hyn, mae'n annhebygol bod datganiad y rheolwr yn anghywir.

Ar gyfer y rhagdybiaeth arall, mae'r tebygolrwydd y bydd yn ennill wedi cynyddu gan ei fod wedi gwella.

4 **Dull gan ddefnyddio gwerthoedd-p**

H_0: $p = 0.4$ H_1: $p > 0.4$

Yr ystadegyn prawf X yw nifer y gemau y mae'n ennill.

Mae gan X y dosraniad B(8, 0.4)

$P(X \geq 6) = 1 - P(X \leq 5)$

$\qquad\qquad = 1 - 0.9502$

$\qquad\qquad = 0.0498$ (h.y. llai na'r lefel arwyddocâd o 5%).

Gan fod 0.0498 < 0.05, mae tystiolaeth i wrthod y rhagdybiaeth nwl o blaid y rhagdybiaeth arall. Mae hyn yn golygu bod tystiolaeth bod ei sgiliau chwarae'r gêm wedi gwella.

Dull gan ddefnyddio gwerth critigol

Edrychwch i lawr y golofn yn y tabl i ddod o hyd i'r tebygolrwydd cyntaf sy'n mynd y tu hwnt i 0.95.

$P(X \leq 5) = 0.9502$ sy'n golygu mai'r gwerth critigol yw un ar ôl hyn. Felly'r gwerth critigol yw 6 a'r rhanbarth critigol yw $X \geq 6$.

Trwy hyn, y gwerth critigol yw 6, 7 ac 8.

Gan fod ennill 6 gêm yn y rhanbarth critigol, rydyn ni'n gwrthod y rhagdybiaeth nwl o blaid y rhagdybiaeth arall, felly mae tystiolaeth bod ei sgiliau chwarae'r gêm wedi gwella.

5 (a) (i) Samplu cyfle, am mai defnyddio sampl cyfleus a wnaeth ef (h.y. dosbarth o ddisgyblion y mae'n eu haddysgu).

(ii) Gall y dull samplu roi canlyniadau anghynrychioliadol. Mae disgyblion Safon Uwch yn y chweched dosbarth ac maen nhw'n llawer mwy tebygol o gael mwy o oriau o waith cartref.

(b) (i) H_0: $p = 0.5$

H_1: $p < 0.5$

(ii) X yw nifer y disgyblion a gafodd o leiaf un awr o waith cartref bob dydd yn yr wythnos flaenorol.

Mae gan X y dosraniad B(10, 0.50)

$P(X \leq 2) = 0.0547$

(iii) $P(X \leq 3) = 0.1719$

(c) Lefel arwyddocâd = 0.05

$P(X \leq 1) = 0.0107$. Gan fod y gwerth hwn yn llai na 0.05, y rhanbarth critigol yw $X \leq 1$. Felly'r gwerthoedd yn y rhanbarth critigol yw 0 ac 1. Mae'r gwerth $X = 2$, sydd yn y sampl, heb fod yn y rhanbarth critigol, felly nid yw'r rhagdybiaeth nwl yn cael ei gwrthod. Mae hyn yn golygu bod yr hyn mae'r pennaeth yn ei gredu yn cael ei gefnogi gan y dystiolaeth, felly mae'n fwy na thebyg ei fod yn gywir.

Sylwer bod llai na 4 yn golygu 3 neu lai o ddisgyblion.

GWELLA
⇧⇧⇧⇧ Gradd

Nid yw'n ddigonol dweud bod y rhagdybiaeth nwl yn cael ei derbyn. Mae angen i chi roi'r ateb yng nghyd-destun y cwestiwn (h.y. a yw'r hyn mae'r pennaeth yn ei gredu yn gywir neu'n anghywir).

6 (a) Rhagdybiaeth nwl H_0: $p = 0.35$

Rhagdybiaeth arall H_1: $p < 0.35$

(b) Mae gan X y dosraniad B(20, 0.35)

(c) (i) Gan dybio bod y rhagdybiaeth nwl yn gywir, rydyn ni'n defnyddio B(20, 0.35).

Gan fod arwydd '<' yn y rhagdybiaeth arall, rydyn ni'n defnyddio cynffon isaf y dosraniad tebygolrwydd.

Gan ddefnyddio tabl y ffwythiant dosraniad binomaidd ac edrych i lawr y golofn i ganfod y tebygolrwydd cyntaf sy'n mynd y tu hwnt i 0.05, rydyn ni'n canfod $P(X \leq 4) = 0.1182$. Y gwerth critigol, a, yw'r gwerth cyn hyn, felly'r gwerth critigol yw 3.

(ii) Y rhanbarth critigol yw $X \leq 3$ (h.y. $X = 0, 1, 2, 3$).

(ch) Gan fod $X = 6$, mae hyn y tu allan i'r rhanbarth critigol (h.y. yn y rhanbarth derbyn). Felly nid yw'r rhagdybiaeth nwl yn cael ei gwrthod ac mae'n awgrymu nad yw Alex wedi goramcangyfrif ei chefnogaeth.

7 Yn yr ateb hwn, byddwn ni'n defnyddio dull gwerth-p ond gallech chi hefyd ganfod y gwerth critigol a'r rhanbarth critigol a gweld a yw 10 yn gorwedd ynddo.

Rhagdybiaeth nwl $\mathbf{H}_0$: $p = 0.45$

Rhagdybiaeth arall $\mathbf{H}_1$: $p > 0.45$

Mae gan X y dosraniad B(15, 0.45)

$P(X \geq 10) = 1 - P(X \leq 9)$

$= 1 - 0.9231$

$= 0.0769$

Nawr $0.0769 > 0.05$ (h.y. y lefel arwyddocâd)

Trwy hyn, nid yw'r rhagdybiaeth nwl yn cael ei gwrthod ac mae'n debygol bod y chwaraewr yn gywir yn yr hyn mae'n ei ddweud, ac mae'n debygol bod y rheolwr yn anghywir.

8 (a) Rhagdybiaeth nwl $\mathbf{H}_0$: $p = 0.15$

Rhagdybiaeth arall $\mathbf{H}_1$: $p < 0.15$

(b) Mae gan X y dosraniad B(50, 0.15)

$P(X \leq 3) = 0.0460$

Nawr $0.0460 < 0.05$ felly rydyn ni'n gwrthod $\mathbf{H}_0$, sy'n awgrymu bod y rheolwr cynhyrchu mwy na thebyg yn anghywir.

9 p yw'r tebygolrwydd bod Hope yn gwerthu car i gwsmer sydd wedi trefnu profi car newydd drwy ei yrru.

Mae'r rhagdybiaeth nwl yn seiliedig ar yr hyn mae Hope yn ei gredu, felly $\mathbf{H}_0$: $p = 0.43$.

Y rhagdybiaeth arall yw honiad y rheolwr bod y tebygolrwydd hwn yn uwch na hyn, felly $\mathbf{H}_1$: $p > 0.43$ (noder bod yr arwydd > yn golygu bod angen i ni edrych ar y gynffon uwch).

X, yr ystadegyn prawf, yw nifer y ceir sy'n cael eu gwerthu ar ôl rhoi cynnig ar yrru car.

Mae gan X y dosraniad B(30, 0.43).

Lefel yr arwyddocâd, $\alpha = 0.01$.

Y gwerth-p yw'r tebygolrwydd, o dan y rhagdybiaeth nwl, bod gwerth X o leiaf mor eithafol â'r gwerth sy'n cael ei weld.

Trwy hyn, mae angen dod o hyd i $P(X \geq 18)$ gan ddefnyddio tablau neu gyfrifiannell.

Nawr, i ddefnyddio'r tablau, mae angen i ni ddod o hyd i

$1 - P(X \leq 17) = 1 - 0.9544 = 0.0456$

Nawr $0.0456 > 0.01$ felly nid yw'r canlyniad yn arwyddocaol.

Nid oes tystiolaeth ddigonol ar lefel arwyddocâd o 1% i wrthod y rhagdybiaeth nwl o blaid yr hyn mae'r rheolwr yn ei gredu.

10 (a) Dau reswm o blith y canlynol:
- Dim ond llwyddiant neu fethiant sydd (h.y. diffygiol neu ddim yn ddiffygiol).
- Mae profion sydd â thebygolrwydd cyson o lwyddiant.
- Mae nifer sefydlog o brofion (h.y. $n = 50$).
- Mae'r profion yn annibynnol.

(b) Gall X gael ei fodelu gan B(50, 0.25).

Mae hwn yn brawf 2-gynffon, felly mae'r rhanbarth critigol yn

---

Prawf 1-gynffon i gyfeiriad y gynffon uchaf yw hwn. Sylwch ar yr arwydd '>' yn y rhagdybiaeth arall.

Cofiwch fod y tablau'n rhoi tebygolrwyddau gwerthoedd sydd ar y mwyaf yn hafal i werth penodol o X.

Mae'r arwydd '<' yn dweud wrthyn ni ein bod ni'n edrych ar gynffon isaf y dosraniad tebygolrwydd.

Yn y cwestiwn hwn, rydyn ni wedi defnyddio dull gwerth-p yn hytrach na'r dull sy'n golygu darganfod y gwerth critigol a'r rhanbarth critigol.

Sylwch, am fod $p = 0.43$, ni allwn ddefnyddio'r tablau binomaidd am nad oes gwerthoedd ar gyfer $p = 0.43$. Yn hytrach, mae'n rhaid i ni ddefnyddio cyfrifiannell.

Mae'r tebygolrwydd hwn yn cael ei alw'n werth-p. Gwnewch yn siŵr nad ydych chi'n cymysgu rhwng y gwerth hwn a'r p sy'n cael ei ddefnyddio yn y dosraniad binomaidd.

cynnwys rhanbarth ar ben y naill gynffon a'r llall.
Mae'r lefel arwyddocâd yn cael ei rhannu â dau i roi'r tebygolrwydd yn y naill gynffon a'r llall (h.y. 0.025).
Gan ddefnyddio'r tablau:

Gan ystyried y gynffon i'r chwith a chanfod y gwerth cyntaf sy'n mynd y tu hwnt i 0.025, mae gennym ni $P(X \leq 7) = 0.0453$ a'r gwerth critigol yw'r gwerth cyn hyn, felly $X = 6$ yw'r gwerth critigol a'r rhanbarth critigol ar gyfer y gynffon hon yw $X \leq 6$.
Gan ystyried y gynffon i'r dde a defnyddio'r tablau i ddod o hyd i werth X sydd o leiaf $1 - 0.025 = 0.975$. O'r tablau, $P(X \leq 19) = 0.9861$. Mae hyn yn golygu ein bod ni'n dewis y gwerth ar ôl hyn, felly $X = 20$ yw'r gwerth critigol ac $X \geq 20$ yw'r rhanbarth critigol.

Trwy hyn, y gwerthoedd critigol yw 6 ac 20 a'r rhanbarthau critigol yw $X \leq 6$ ac $X \geq 20$.

Adran B Mecaneg

Testun 6

Dim cwestiynau

Testun 7

1 (a) $u = 0 \, \text{m s}^{-1}, a = 0.9 \, \text{m s}^{-2}, t = 10 \, \text{s}, v = ?$
Gan ddefnyddio $v = u + at$
$$= 0 + 0.9 \times 10$$
$$= 9 \, \text{m s}^{-1}$$

(b) Gan ddefnyddio $s = \frac{1}{2}(u + v)t$
$$= \frac{1}{2}(0 + 9)10$$
$$= 45 \, \text{m}$$

2 (a) Gan gymryd y cyflymder tuag i fyny yn bositif, mae gennym ni
$u = 20 \, \text{m s}^{-1}, v = 0 \, \text{m s}^{-1}, g = -9.8 \, \text{m s}^{-2}$
Mae defnyddio $v^2 = u^2 + 2as$ yn rhoi $0 = 20^2 + 2 \times (-9.8) \times s$
Mae datrys ar gyfer s yn rhoi $s = 20.4 \, \text{m}$

(b) Gan ddefnyddio $s = ut + \frac{1}{2}at^2$
Mae'r dadleoliad, s, yn sero pan fydd y garreg yn dychwelyd i'w phwynt taflu, felly
$$0 = 20t + \frac{1}{2} \times (-9.8) \times t^2$$
$$0 = 20t - 4.9t^2 = t(20 - 4.9t)$$
$$t = 0 \text{ neu } 4.1 \, \text{s}$$
Mae $t = 0 \, \text{s}$ yn cael ei anwybyddu fel amser posibl
Trwy hyn, amser $= 4.1 \, \text{s}$

3 (a) Gan gymryd y cyfeiriad tuag i lawr yn bositif.
$u = 0.8 \, \text{m s}^{-1}, t = 3.5 \, \text{s}, a = g = 9.8 \, \text{m s}^{-2}, v = ?$
Gan ddefnyddio $v = u + at$ mae gennym ni $v = 0.8 + 9.8 \times 3.5 = 35.1 \, \text{m s}^{-1}$

(b) Gan ddefnyddio $s = ut + \frac{1}{2}at^2 = 0.8 \times 3.5 + \frac{1}{2} \times 9.8 \times 3.5^2 = 62.8 \, \text{m}$

④ (a) Gan gymryd tuag i fyny yn gyfeiriad positif, mae gennym ni

$u = 10\,\text{m s}^{-1}, a = g = -9.8\,\text{m s}^{-2}, v = 0\,\text{m s}^{-1}$

Mae defnyddio $v = u + at$ yn rhoi

$$0 = 10 - 9.8t$$

Trwy hyn, $\quad t = 1.02\,\text{s}$

(b) Mae defnyddio $v^2 = u^2 + 2as$ yn rhoi

$$0 = 10^2 + 2 \times (-9.8)s$$

Trwy hyn $\quad s = 5.1\,\text{m}$

> Ar ei uchder mwyaf, bydd y cyflymder yn sero.

⑤ (a) $v = \dfrac{dr}{dt} = 36t^2$

(b) $a = \dfrac{dv}{dt} = 72t$

Pan fydd $t = 2\,\text{s}, a = 72t = 72 \times 2 = 144\,\text{m s}^{-2}$

⑥ (a) $a = \dfrac{dv}{dt} = 1.92t^2 - 0.72t$

(b) $r = \int v\,dt$

$\quad = \int(0.64t^3 - 0.36t^2)dt$

$\quad = \dfrac{0.64t^4}{4} - \dfrac{0.36t^3}{3} + c$

$\quad = 0.16t^4 - 0.12t^3 + c$

Pan fydd $t = 0, r = 0$ ac mae amnewidyn y gwerthoedd hyn yn rhoi

$$0 = 0 - 0 + c$$

Trwy hyn $c = 0$.

Felly $r = 0.16t^4 - 0.12t^3$

Pan fydd $t = 10\,\text{s}, \quad r = 0.16(10)^4 - 0.12(10)^3 = 1480\,\text{m}$

⑦ (a) $v = \int a\,dt = \int(3 - 0.1t)dt = 3t - \dfrac{0.1t^2}{2} + c$

Pan fydd $t = 0\,\text{s}, v = 0\,\text{m s}^{-1}$

Trwy hyn $\quad 0 = 3(0) - \dfrac{0.1(0)^2}{2} + c$, sy'n rhoi $c = 0$

$$v = 3t - \dfrac{0.1t^2}{2}$$

(b) $v = 3(10) - \dfrac{0.1(10)^2}{2} = 25\,\text{m s}^{-1}$

(c) Pan fydd $t = 30\,\text{s}, a = 3 - 0.1t = 3 - 0.1 \times 30 = 0\,\text{m s}^{-2}$

Mae'r lorri'n cyflymu cyn $t = 30$ ac yn arafu ar ôl $t = 30$, ac mae'n ddisymud yn enydaidd ar $t = 30$.

(ch) $r = \int v\,dt$

$\quad = \int(3t - 0.05t^2)dt$

$\quad = \dfrac{3t^2}{2} - \dfrac{0.05t^3}{3} + c$

Pan fydd $t = 0, r = 0$ felly $0 = \dfrac{3(0)^2}{2} - \dfrac{0.05(0)^3}{3} + c$, sy'n rhoi $c = 0$

Trwy hyn $\quad r = \dfrac{3t^2}{2} - \dfrac{0.05t^3}{3}$

Pan fydd $t = 30\,\text{s}, \quad r = \dfrac{3(30)^2}{2} - \dfrac{0.05(30)^3}{3} = 1350 - 450 = 900\,\text{m}$

Yn hytrach na defnyddio'r dull hwn, gallech chi fod wedi defnyddio integru pendant gan ddefnyddio terfannau 5 a 2 i ddarganfod y pellter a deithiwyd rhwng y ddau amser hyn. Yn yr arholiad, cewch chi ddewis eich dull.

8 $r = \int v\,dt$

$= \int(6t^2 + 4)dt$

$= \dfrac{6t^3}{3} + 4t + c$

$= 2t^3 + 4t + c$

Pan fydd $t = 0$, $r = 0$ felly mae gennym ni $0 = 2(0)^3 + 4(0) + c$ ac mae datrys yn rhoi $c = 0$

Trwy hyn, $r = 2t^3 + 4t$

Pan fydd $t = 2$ s, $s = 2(2)^3 + 4(2) = 24$ m

Pan fydd $t = 5$ s, $s = 2(5)^3 + 4(5) = 270$ m

Pellter a deithiwyd rhwng amseroedd $t = 2$ s a $t = 5$ s s yw $270 - 24 = 246$ m

9 (a) (i) $a = \dfrac{dv}{dt}$

$= 12t - 2$

(ii) Pan fydd $t = 1$, $a = 12(1) - 2 = 10$ m s^{-2}

(b) $r = \int v\,dt$

$= \int(6t^2 - 2t + 8)\,dt$

$= \dfrac{6t^3}{3} - \dfrac{2t^2}{2} + 8t + c$

$= 2t^3 - t^2 + 8t + c$

Pan fydd $t = 0$, $r = 0$ felly $0 = 2(0)^3 - (0)^2 + 8(0) + c$

Gan ddatrys, $c = 0$

Felly'r mynegiad ar gyfer y dadleoliad yw

$r = 2t^3 - t^2 + 8t$

Mae'r gronyn yn y tarddbwynt pan fydd $t = 0$, felly rydyn ni'n gwybod bod $r = 0$ gan mai'r tarddbwynt yw'r pwynt y mae'r pellter yn cael ei fesur ohono.

10 (a) 153 km h$^{-1} = \dfrac{153 \times 1000}{3600} = 42.5$ m s^{-1} a 0 km h$^{-1} = 0$ m s^{-2}

$v = u + at$

$a = \dfrac{v - u}{t} = \dfrac{0 - 42.5}{2} = -21.25$ m s^{-1}

Arafiad $= 21.25$ m s^{-1}

(b) Pellter a deithiwyd wrth ddod i ddisymudedd, $s = ut + \frac{1}{2}at^2$

$s = 42.5 \times 2 + \frac{1}{2} \times (-21.25) \times 2^2 = 42.5$ m

Ffracsiwn o fwrdd y llong sy'n cael ei ddefnyddio $= \dfrac{42.5}{300} = \dfrac{17}{120}$

Cofiwch symleiddio ffracsiynau bob tro.

11 (a) Pellter a deithiwyd = arwynebedd y trapesiwm $= \frac{1}{2}(30 + 15) \times 6 = 135$ m

(b) Pellter a deithiwyd rhwng $t = 30$ s a $t = 55$ s = arwynebedd triongl

$= \frac{1}{2} \times 25 \times 6 = 75$ m

Cyfanswm y pellter a deithiwyd $= 135 + 75 = 210$ m

(c) Dadleoliad i'r cyfeiriad positif $= 135$ m a'r dadleoliad i'r cyfeiriad negatif $= 75$ m

Dadleoliad y car o'r safle gwreiddiol $= 135 - 75 = 60$ m

(ch) Buanedd cyfartalog $= \dfrac{\text{cyfanswm y pellter a deithiwyd}}{\text{amser a gymerwyd}} = \dfrac{210}{55}$

$= 3.8$ m s^{-1} (2 ff.y.)

⑫ (a) Yn gyntaf, rhestrwch y llythrennau a'u gwerthoedd os ydyn nhw'n hysbys.
$u = 2\,\text{m s}^{-1}, a = 9.8\,\text{m s}^{-2}, t = 3\,\text{s}, s = ?$

Gan ddefnyddio $\quad s = ut + \frac{1}{2}at^2$ mae gennym ni

$$s = 2 \times 3 + \frac{1}{2} \times 9.8 \times 3^2 = 50.1\,\text{m}$$

(b) $v = u + at$
$= 2 + 9.8 \times 3$
$= 31.4\,\text{m s}^{-1}$

(c) Mae'r garreg yn cael ei modelu fel gronyn (h.y. rydych chi'n gallu anwybyddu ei dimensiynau).
Nid oes gwrthiant aer.

Yma, mae'r cyfeiriad am i lawr yn cael ei gymryd yn bositif.

⑬ (a) Mae cyflymder cyson y car sy'n goryrru yn cael ei gynrychioli gan linell lorweddol ac mae'r car heddlu sy'n cyflymu yn cael ei gynrychioli gan linell ar ongl o $t = 2\,\text{s}$.

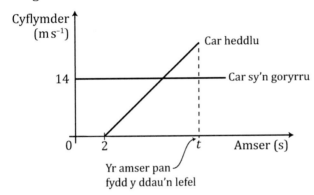

Noder bod pwynt croestoriad y llinellau hyn yn cynrychioli pan fydd y ddau gyflymder yr un peth, ac nid pan fyddan nhw'n lefel.
Os ydyn ni'n gadael i'r amser maen nhw'n dod yn lefel $= t\,\text{s}$, yna bydd yr arwynebedd o dan y graff ar gyfer y car sy'n goryrru yn hafal i arwynebedd y triongl o dan y llinell sy'n cynrychioli mudiant y car heddlu.

(b) Pellter a deithiwyd gan y car sy'n goryrru = arwynebedd y petryal = $14t$
I gyfrifo'r pellter mae'r car heddlu yn ei deithio, mae angen i ni gyfrifo arwynebedd y triongl.
Hyd sylfaen y triongl fydd $t - 2$. Er mwyn creu mynegiad ar gyfer y pellter y mae'r car heddlu yn ei deithio, mae angen i ni gyfrifo uchder y triongl. Dyma'r cyflymder y mae'r car yn ei gyrraedd ar ôl teithio $t - 2\,\text{s}$ o ddisymudedd gyda chyflymiad o $4\,\text{m s}^{-2}$.
Gan ddefnyddio $\quad v = u + at$
$\qquad v = 0 + 4(t - 2)$
$\qquad v = 4(t - 2)$

Nawr, arwynebedd y triongl
$= \frac{1}{2} \times \text{sylfaen} \times \text{uchder} = \frac{1}{2}(t - 2)4(t - 2) = 2(t - 2)^2$

Pan fyddan nhw'n lefel, mae eu pellteroedd yr un peth, felly gallwch chi hafalu'r ddau arwynebedd hyn.
$\qquad 2(t - 2)^2 = 14t$
$\qquad (t - 2)^2 = 7t$
$\qquad t^2 - 4t + 4 = 7t$
$\qquad t^2 - 11t + 4 = 0$

Noder na fydd yr hafaliad cwadratig hwn yn ffactorio, felly rydyn ni'n defnyddio'r fformiwla.

$$\frac{-b \pm \sqrt{b^2 - 4ac}}{2a} = \frac{-(-11) \pm \sqrt{(-11)^2 - 4(1)(4)}}{2(1)} = \frac{11 \pm \sqrt{105}}{2} = 10.6\,s$$

neu $0.377\,s$

Nawr mae $0.377\,s$ yn amhosibl gan fod hyn cyn i'r car heddlu gychwyn. Trwy hyn, yr amser pan fydd y ddau yn lefel $= 11\,s$ (2 ff.y.)

(c) Gan fod y car sy'n goryrru a'r car heddlu yn teithio'r un pellter pan fyddan nhw'n lefel

Pellter a deithiwyd gan y car heddlu $= 14t = 14 \times 10.6$
$$= 148.4\,m = 150\,m\ (2\ ff.y.)$$

14 (a) $v = t^3 - 2t^2 + t$ felly pan fydd $v = 0$, $t^3 - 2t^2 + t = 0$
$$t(t^2 - 2t + 1) = 0$$
$$t(t - 1)(t - 1) = 0$$
Mae datrys yn rhoi $t = 0\,s$ neu $1\,s$

(b) $a = \dfrac{dv}{dt}$
$$= 3t^2 - 4t + 1$$

> Cofiwch, er mwyn differu, rydych chi'n lluosi gyda'r indecs ac wedyn yn lleihau'r indecs gan 1.

> Gallech chi ddefnyddio'r dull arall, lle rydych chi'n integru a darganfod y cysonyn integru. Yna, rydych chi'n rhoi c yn ôl i roi'r hafaliad, sydd wedyn yn cael ei ddefnyddio i ddarganfod y pellteroedd a deithiwyd ar y ddau amser. Mae'r rhain yn cael eu tynnu i ddarganfod y pellter a deithiwyd rhwng y ddau amser.

(c) $s = \displaystyle\int_0^1 v\,dt$
$$= \int_0^1 (t^3 - 2t^2 + t)\,dt$$
$$= \left[\frac{t^4}{4} - \frac{2t^3}{3} + \frac{t^2}{2}\right]_0^1$$
$$= \left[\frac{1}{4} - \frac{2}{3} + \frac{1}{2}\right] - 0$$
$$= \frac{1}{12}\,m$$

15 Yn gyntaf, mae angen darganfod gwerth t sy'n cyfateb i'r pwyntiau arhosol.
$$\frac{dr}{dt} = 6t - 12t^2$$

Mae gan r ei werthoedd arhosol (h.y. gwerthoedd mwyaf a lleiaf) pan fydd $\dfrac{dr}{dt} = 0$

Trwy hyn $6t - 12t^2 = 0$
$$6t(1 - 2t) = 0$$

Mae datrys yn rhoi $t = 0$ neu $t = \frac{1}{2}$. Mae $t = 0$ yn cael ei anwybyddu gan y bydd hyn ar yr arwyneb ac felly pan fydd y bêl ar ei dyfnder lleiaf.

Trwy hyn, gwerth mwyaf r yw pan fydd $t = 0.5\,s$, felly, gan fod $r = 3t^2 - 4t^3$, mae gennym ni
$$r = 3(0.5)^2 - 4(0.5)^3 = 0.25\,m$$

Dyfnder mwyaf $= 0.25\,m$

Testun 8

1

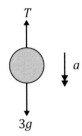

Nid oes grym cydeffaith yn y cyfeiriad llorweddol.
Mae cymhwyso ail ddeddf Newton yn y cyfeiriad fertigol yn rhoi

$$ma = 3g - T$$
$$3 \times 2 = (3 \times 9.8) - T$$

sy'n rhoi $\qquad T = 23.4 \text{ N}$

2 (a)

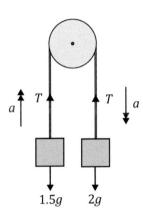

Mae cymhwyso ail ddeddf mudiant Newton i'r màs 1.5 kg yn rhoi

$$ma = T - 1.5g$$
$$1.5a = T - 1.5g \qquad (1)$$

Mae cymhwyso ail ddeddf mudiant Newton i'r màs 2 kg yn rhoi

$$ma = 2g - T$$
$$2a = 2g - T \qquad (2)$$

Mae datrys hafaliadau (1) a (2) yn gydamserol yn rhoi

$$T = 16.8 \text{ N}$$

(b) Mae datrys hafaliadau (1) a (2) yn gydamserol yn rhoi

$$a = 1.4 \text{ m s}^{-2}$$

(c) Pan fyddai'r ddau ronyn 1 m oddi wrth ei gilydd, byddai'r màs 1.5 kg wedi codi 0.5 m a byddai'r màs 2 kg wedi disgyn 0.5 m.

Ar gyfer y màs 2 kg, $u = 0$, $a = 1.4$, $s = 0.5$, $v = ?$

Gan ddefnyddio $\qquad v^2 = u^2 + 2as$,

$$v^2 = 0^2 + 2 \times 1.4 \times 0.5$$

Trwy hyn $\qquad v = 1.18 \text{ m s}^{-1}$

3 (a)

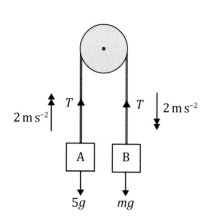

Mae cymhwyso ail ddeddf Newton i ronyn A yn rhoi
$$5a = T - 5g$$
$$10 = T - (5 \times 9.8)$$
$$T = 59\,\text{N}$$

(b) Mae cymhwyso ail ddeddf Newton i ronyn B yn rhoi
$$m \times 2 = mg - T$$
$$2m = mg - T$$
$$2m = 9.8m - 59$$
$$m = 7.6\,\text{kg}$$

4 (a)

Bydd màs P yn cyflymu tuag i lawr gan fod ei bwysau'n fwy. Bydd y ddau fàs yn cyflymu â chyflymiad o'r un maint.

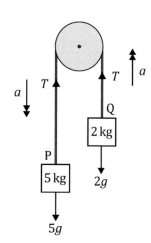

Mae cymhwyso ail ddeddf mudiant Newton i fàs *P* yn rhoi
$$ma = mg - T$$
$$5a = 5g - T \qquad (1)$$
Mae cymhwyso ail ddeddf mudiant Newon i fàs *Q* yn rhoi
$$ma = T - 2g$$
$$2a = T - 2g \qquad (2)$$
Mae datrys hafaliadau (1) a (2) yn gydamserol yn rhoi:
$$a = 4.2\,\text{m s}^{-2} \text{ a } T = 28\,\text{N}$$

(b) Mae'r llinyn ysgafn yn caniatáu i ni dybio bod y tyniant yn y llinyn yn parhau'n gyson ar hyd y llinyn.

5 Yn gyntaf, lluniadwch ddiagram, a nodwch arno'r grymoedd, y cyflymiadau a'r pellter.

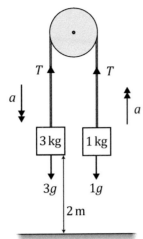

Mae cymhwyso ail ddeddf Newton i'r màs 3 kg yn rhoi
$$3a = 3g - T \tag{1}$$

Mae cymhwyso ail ddeddf Newton i'r màs 1 kg yn rhoi
$$a = T - g \tag{2}$$

Mae adio hafaliadau (1) a (2) yn rhoi
$$4a = 2g$$
$$a = \tfrac{1}{2}g$$
$$a = 4.9 \text{ m s}^{-2}$$

$u = 0 \text{ m s}^{-1}, a = 4.9 \text{ m s}^{-2}, s = 2 \text{ m}, v = ?$

Gan ddefnyddio
$$v^2 = u^2 + 2as$$
$$v^2 = 0^2 + 2 \times 4.9 \times 2$$
$$v = 4.4 \text{ m s}^{-1}$$

(b) Nid oes gwrthiant aer.

Noder nad y math arferol o gwestiwn pwli yw hwn, am nad yw'n gofyn i chi ddarganfod y cyflymiad na'r tyniant yn y llinyn. Mae angen i chi ddarganfod cyflymder y màs 3 kg pan fydd yn taro'r ddaear, felly mae angen i chi ddarganfod y cyflymiad ac wedyn defnyddio'r hafaliadau mudiant.

Cyflymiad cyson y màs 3 kg fydd hwn wrth iddo ddisgyn o ddisymudedd.

6 (a) Noder y gallwch chi ddarganfod yr amserau ar gyfer cyflymiad ac arafiad drwy rannu 10 m s^{-1} gyda'r cyflymiad/arafiad. Mae hyn yn caniatáu i chi nodi rhai gwerthoedd ar yr echelin amser.

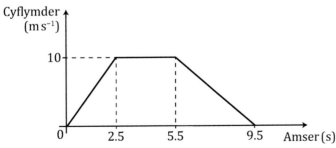

(b) Cyfanswm y pellter a deithiwyd
$$= \text{arwynebedd o dan y graff cyflymder–amser}$$
$$= \text{arwynebedd y trapesiwm}$$
$$= \tfrac{1}{2}(9.5 + 3)10$$
$$= 62.5 \text{ m}$$

(c) Mae'r adwaith mwyaf yn digwydd pan fydd y lifft yn cyflymu.

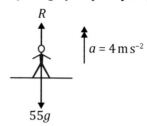

Mae cymhwyso ail ddeddf mudiant Newton i'r person yn y lifft yn rhoi
$$55a = R - 55g$$
$$55 \times 4 = R - 55 \times 9.8$$
$$R = 759 \text{ N}$$

7 (a)

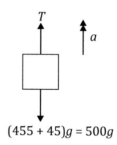

Mae cymhwyso ail ddeddf Newton i'r lifft yn rhoi
$$ma = T - 500g$$
$$500a = 6000 - 500g$$
$$a = 2.2 \text{ m s}^{-1}$$

(b)

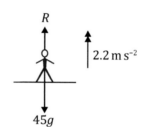

Gan gymhwyso ail ddeddf Newton i'r dyn yn y lifft, mae gennym ni
$$45 \times 2.2 = R - 45 \times 9.8$$
$$R = 540 \text{ N}$$

8 Yn gyntaf, lluniadwch ddiagram, er nad yw'r cwestiwn yn gofyn am un. Nodwch arno'r holl rymoedd sy'n gweithredu a chyfeiriadau'r cyflymiadau.

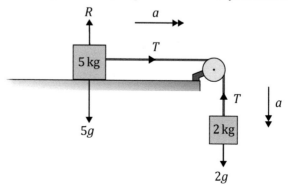

Mae cymhwyso ail ddeddf mudiant Newton i'r màs 5 kg yn rhoi

$$ma = T$$
$$5a = T \qquad (1)$$

Mae cymhwyso ail ddeddf mudiant Newton i'r màs 2 kg yn rhoi

$$ma = 2g - T$$
$$2a = 19.6 - T \qquad (2)$$

Mae adio hafaliadau (1) a (2) yn rhoi

$$7a = 19.6$$
$$a = 2.8 \, \text{m s}^{-2}$$

Mae amnewid $a = 2.8$ i mewn i hafaliad (1) yn rhoi

$$T = 5 \times 2.8 = 14 \, \text{N}$$

9 (a) Mae diagram yn cael ei luniadu sy'n dangos y grymoedd sy'n gweithredu a chyfeiriadau'r cyflymiadau.

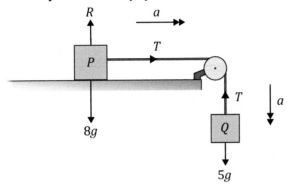

Mae cymhwyso ail ddeddf mudiant Newton i P yn rhoi

$$ma = T$$
$$8a = T \qquad (1)$$

Mae cymhwyso ail ddeddf mudiant Newton i Q yn rhoi

$$ma = 5g - T$$
$$5a = 49 - T \qquad (2)$$

Mae adio hafaliadau (1) a (2) yn rhoi

$$13a = 49$$
$$a = 3.8 \, \text{ms}^{-2}$$

Mae amnewid $a = 3.8$ i mewn i hafaliad (1) yn rhoi

$$T = 8 \times 3.8 = 30.4 \, \text{N}$$

(b) Mae cymhwyso ail ddeddf mudiant Newton i P yn rhoi

$8a = T$ felly $T = 8 \times 5 = 40 \, \text{N}$

Mae cymhwyso ail ddeddf mudiant Newton i màs Q yn rhoi

$$(5 + M)a = (M + 5)g - T$$

Mae amnewid $a = 5$ a $T = 40$ i mewn yn rhoi

$$(5 + M)5 = (M + 5)9.8 - 40$$
$$25 + 5M = 9.8M + 49 - 40$$
$$16 = 4.8M$$
$$M = 3.3 \, \text{kg}$$

Testun 9

① (a) Grym cydeffaith = **L** + **M** = (5**i** + 9**j**) + (2**i** + 15**j**) = 7**i** + 24**j**

Gan ddefnyddio ail ddeddf Newton: **F** = m**a**

$$7\mathbf{i} + 24\mathbf{j} = 5\mathbf{a}$$

$$\mathbf{a} = \tfrac{7}{5}\mathbf{i} + \tfrac{24}{5}\mathbf{j}$$

(b) $|\mathbf{a}| = \sqrt{\left(\tfrac{7}{5}\right)^2 + \left(\tfrac{24}{5}\right)^2} = \sqrt{25} = 5 \text{ m s}^{-2}$

(c)

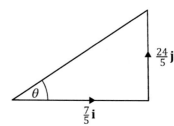

$$\tan \theta = \dfrac{\tfrac{24}{5}}{\tfrac{7}{5}} = \dfrac{24}{7}$$

$$\theta = \tan^{-1}\left(\tfrac{24}{7}\right) = 74° \text{ (i'r radd agosaf)}$$

② Gadewch i **F** = a**i** + b**j**

$$(2\mathbf{i} - 3\mathbf{j}) + (\mathbf{i} + 6\mathbf{j}) + (-4\mathbf{i} - 4\mathbf{j}) + a\mathbf{i} + b\mathbf{j} = 7\mathbf{i} + 2\mathbf{j}$$

$$-\mathbf{i} - \mathbf{j} + a\mathbf{i} + b\mathbf{j} = 7\mathbf{i} + 2\mathbf{j}$$

$$a - 1 = 7$$

$$a = 8$$

$$b - 1 = 2$$

$$b = 3$$

$$\mathbf{F} = 8\mathbf{i} + 3\mathbf{j}$$

③ Dadleoliad = (3**i** – 4**j**) + (2**i** + **j**) + (–4**i** + 6**j**) + (5**i** – **j**) + (5**i** + 3**j**) = 11**i** + 5**j**

④ Grym cydeffaith = (4**i** + **j**) + (6**i** – 6**j**) = 10**i** – 5**j**

$$\text{Grym} = m \times \mathbf{a}$$

$$10\mathbf{i} - 5\mathbf{j} = 10 \times \mathbf{a}$$

$$\mathbf{a} = \dfrac{10\mathbf{i} - 5\mathbf{j}}{10} = \mathbf{i} - 0.5\mathbf{j}$$

⑤ (a) Grym cydeffaith = (3**i** + 6**j**) + (–2**i** – **j**) + (2**i** – **j**) = (3**i** + 4**j**)N

(b) Maint y grym cydeffaith = $\sqrt{3^2 + 4^2} = \sqrt{25} = 5$ N

(c)

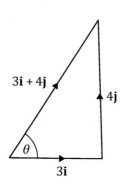

$$\tan \theta = \frac{4}{3} \quad \text{felly} \quad \theta = \tan^{-1}\left(\frac{4}{3}\right)$$

$$\theta = 53.1°$$

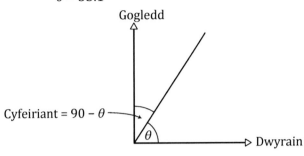

Cyfeiriant = 90 − θ

Cyfeiriant = 90 − 53.1 = 36.9° = 037°

Cyfeiriant yw'r ongl wedi'i mesur yn glocwedd o gyfeiriad y gogledd. Mae fel arfer yn cael ei roi ar ffurf 3 ffigur i'r radd agosaf.

6 (a) Grym cydeffaith = $(\mathbf{i} + 3\mathbf{j}) + (2\mathbf{i} − 5\mathbf{j}) + (4\mathbf{i} + 6\mathbf{j}) = 7\mathbf{i} + 4\mathbf{j}$

(b) $\mathbf{F} = m \times \mathbf{a}$
$$7\mathbf{i} + 4\mathbf{j} = 2\mathbf{a}$$
$$\mathbf{a} = 3.5\mathbf{i} + 2\mathbf{j}$$

(c) $|\mathbf{a}| = \sqrt{3.5^2 + 2^2} = 4.03 = 4 \text{ m s}^{-2}$

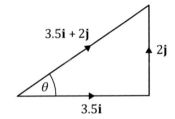

$$\theta = \tan^{-1}\left(\frac{2}{3.5}\right) = 29.7° \ (0.1° \text{ agosaf})$$

7 (a) $\overrightarrow{XZ} = (-2\mathbf{i} + 13\mathbf{j}) + (7\mathbf{i} − \mathbf{j}) = 5\mathbf{i} + 12\mathbf{j} \text{ km}$

(b) $|\overrightarrow{XZ}| = \sqrt{5^2 + 12^2} = 13 \text{ km}$

(c) $\overrightarrow{XY} = -2\mathbf{i} + 13\mathbf{j} \quad \text{felly} \quad |\overrightarrow{XY}| = \sqrt{(-2)^2 + 13^2} = \sqrt{173}$
$\overrightarrow{YZ} = 7\mathbf{i} − \mathbf{j} \quad \text{felly} \quad |\overrightarrow{YZ}| = \sqrt{7^2 + (-1)^2} = \sqrt{50}$

Cyfanswm y pellter o X i Z = $\sqrt{173} + \sqrt{50} = 20.2 \text{ km} \ (3 \text{ ff.y.})$

8

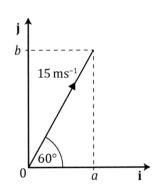

Sylwch fod y cwestiwn yn gofyn am union werthoedd ar gyfer a a b. Mae hyn yn golygu bod yn rhaid i chi gadw'r ail isradd a pheidio a'i gyfrifo fel degolyn.

Gan ddefnyddio trigonometreg:

$$\frac{a}{15} = \cos 60°$$

$$a = 15 \cos 60° = 15 \times \frac{1}{2} = 7.5$$

$$\frac{b}{15} = \sin 60°$$

$$b = 15 \sin 60° = 15 \times \frac{\sqrt{3}}{2} = 7.5\sqrt{3}$$

Y fector yw $\mathbf{v} = 7.5\mathbf{i} + 7.5\sqrt{3}\mathbf{j}$